LIETUVIŠKI-ANGLIŠKI
PASIKALBĖJIMAI

B. SVECEVIČIUS

LIETUVIŠKI-ANGLIŠKI PASIKALBĖJIMAI

LITHUANIAN-ENGLISH PHRASE-BOOK

Vilnius • Leidykla „ŽODYNAS" • 2000

UDK 801.3=882=20
Sv-11

Viršelio dailininkė V. Kuraitė

ISBN 9986-465-46-X

TURINYS

PRATARMĖ

Ši knygelė skiriama visų pirma lietuviams turistams, vykstantiems į angliškai kalbančias šalis. Ja galės pasinaudoti ir moksleiviai šnekamosios anglų kalbos įgūdžiams lavinti. Knygelėje pateikti kalbinio bendravimo situacijoms reikalingiausi kasdieniai žodžiai, posakiai, klausimai bei atsakymai į klausimus.

Knygelės medžiaga skirstoma į stambesnes temas (pvz., „Bendravimas. Pažintis", „Pirkiniai", „Verslo ryšiai" ir t.t.) ir potemius („Skaičiai", „Laikas. Datos", „Pinigai", „Matai" ir t.t.). Kiekvienai temai (kartais ir potemiui) pirmiausia pateikiamas reikalingiausių tai temai (ar potemiui) žodžių sąrašas.

Kiekvienas knygelės puslapis skirstomas į tris skiltis. Pirmoje skiltyje pateiktas lietuviškas tekstas, antroje – jo angliškasis atitikmuo, o trečioje skiltyje duodamas angliškojo teksto tarimas (transkripcija).

Pradėdami naudotis šia pasikalbėjimų knygele, gerai įsidėmėkime, kaip skaitomi lietuvių kalboje nevartojami ženklai.

P. 14 pateikiama ir angliškoji abėcėlė su jos raidžių pavadinimais. Šią abėcėlę reikia išmokti atmintinai, nes angliškai kalbantys dažnai pasako sunkiai perskaitomus (sudėtingos rašybos) žodžius (pavardes, vietovardžius ir kt.) paraidžiui (spelling), pvz., *Hugh* tariamas [hju:]*, o rašomos raidės eič - ju: - dži: - eič.

Išmokus abėcėlę ir įsiminus transkripcijos ženklus, patartina gerai išmokti pirmąjį skyrių („Bendravimas. Pažintis"). Tai sudarys jums labai reikalingą anglų kalbos pagrindą.

Parenkant angliškuosius atitikmenis, ieškota gyvų, tipiškiausių terminų bei frazių, pateikiami ir amerikietiškieji jų variantai.

---

*Fonetinės transkripcijos ženklus priimta rašyti laužtiniuose skliaustuose.

TEKSTE VARTOJAMI ŠIE SUTRUMPINIMAI BEI ŽENKLAI:

amer.   –   amerikietiškasis variantas.

dgs.   –   daugiskaita.

fam.   –   familiariai.

šnek.   –   šnekamosios kalbos variantas.

( )   –   paprastuose skliaustuose esantis žodis ar žodžių junginys gali būti pavartotas vietoje sakinyje esančio; šiuose skliaustuose pateikti ir paaiškinimai, pvz., (*atsakant į padėką*).

...   –   daugtaškis žymi vietą, kur galima pavartoti atitinkamą žodį ar žodžių grupę iš pateikto sąrašo; kartais ... žymi ir nebaigtą mintį, kurią galėtume pratęsti, pvz. „Prašom paduoti...“

[ ]   –   lauztiniuose skliaustuose esantį žodį, žodžių junginį ar žodžio dalį galima praleisti.

/   –   įstrižas brūkšnys vartojamas tada, kai žymima, jog abu atskirtieji žodžiai gali būti laisvai sukeisti vietomis, nes jie turi tą pačią (arba beveik tą pačią) reikšmę.

;   –   kabliataškiu atskiriami variantai, pvz., That's all right; *amer.* That's fine.

TRANSKRIPCIJOS ŽENKLŲ SKAITYMO PAAIŠKINIMAS

[']   –   pagrindinis žodžio kirtis**, žymimas prieš kirčiuotąjį skiemenį: fifty ['fifti] „penkiasdešimt“, fountain ['fauntin] „fontanas“;

[:]   –   balsio ilgumo ženklas: far [fa:] „toli“, more [mo:] „daugiau“, two [tu:] „du“, tea [ti:] „arbata“, first [fə:st] „pirmas“, visi kiti balsiai (t.y. be šio ženklo) – trumpi;

[ə]   –   labai trumpas ir labai silpnas, niekada nekirčiuojamas anglų kalbos balsis, kuris primena beveik uždara burna tariamą silpnutį lietuviškąjį [a] žodyje „apatinis“;

** Frazėje (sakinyje) kirčiuojami ir vienskiemeniai žodžiai. Labai svarbu ryškiai akcentuoti kiekvieną kirčiuotą frazės skiemenį ir ritmingai ištarti visą sakinį (frazę).

[ə:] – ilgas balsis, tariamas panašiai kaip ir [ə], tik žymiai labiau įtemptas: vidurinė liežuvio dalis pakeliama, o lūpų kampai praplečiami (lyg šypsantis);

[ɔ] – trumpas balsis, panašus į lietuviškąjį [o] tarptautiniuose žodžiuose (**sòlo, mòto** ir kt.), tik angliškasis atviresnis (t.y. jį tariant labiau prasižiojama);

[æ] – labai atviras trumpas balsis, artimas lietuviškajam **e** žodžiuose „nẽša", „dẽga", tik jame girdėti daugiau **a** atspalvio negu **e**, ir tariant [æ] reikia dar plačiau išsižioti;

[ou] – dvibalsis, panašus į žemaičių [ou], pvz., [dóuna], tačiau pirmasis angliškojo [ou] balsis labiau primena [ə];

[iə], [ėə], [uə] – labai tvirtapradiškai tariami dvibalsiai***. Dvibalsyje [ėa] pirmasis dėmuo [ė] daug atviresnis už lietuviškąjį ė ir artėja prie **e**;

[θ,ð] – priebalsiai, kurių neturime lietuvių kalboje, [θ] – duslus, o [ð] skardus. Jei prakišę liežuvio galiuką tarp dantų tarsime [s], gausime [θ], o jei taip pat laikydami liežuvio galiuką tarsime [z], girdėsime [ð];

[r] – nuo lietuviškojo **r** skiriasi tuo, kad liežuvio galiukas nevirpa. Angliškasis **r** primena perdėtai kietą lietuvių [ž]. Jį lengvai išmoksime tarti, jei laikysime liežuvį taip, kaip tardami [ž], ir stengsimės tarti [r] (nevirpindami liežuvio galiuko), pvz.: right [rait] „teisingas, teisus", rule [ru:l] „taisyklė", run [ran] „bėgti";

[ŋ] – atitinka lietuviškąjį [n] žodžiuose „lañkos", „bañgos". Tariant [ŋ], užpakalinė liežuvio dalis prispaudžiama prie minkštojo gomurio, ir oras išleidžiamas pro nosį;

[w] – tariamas stipriai suapvalinus lūpas (kaip švilpaujant), bet jų neatkišant į priekį (tarkime [v], pvz., „voras", tiktai apvaliomis lūpomis, ir gausime angliškąjį [w]);

[h] – dažniausiai duslus, primenantis lengvą kvėptelėjimą. Negalima jo painioti su [ch], kurį tariant oro praėjimas ryklėje susiaurinamas. Tarkime [h], lengvai iškvėpdami orą: how [hau] „kaip", high [hai] „aukštas".

*** Visi anglų kalbos dvibalsiai (išskyrus [ou]) – tvirtapradžiai, pvz., [ái, áu, éi, ɔi].

ANGLIŠKOJI ABĖCĖLĖ

A a	[ei]	**B b**	[bi:]	**C c**	[si:]
D d	[di:]	**E e**	[i:]	**F f**	[ef]
G g	[dži:]	**H h**	[eič]	**I i**	[ai]
J j	[džei]	**K k**	[kei]	**L l**	[el]
M m	[em]	**N n**	[en]	**O o**	[ou]
P p	[pi:]	**Q q**	[kju:]	**R r**	[a:]
S s	[es]	**T t**	[ti:]	**U u**	[ju:]
V v	[vi:]	**W w**	['dablju:]	**X x**	[eks]
Y y	[wai]	**Z z**	[zed]		

BENDRAVIMAS. PAŽINTIS	PERSONAL CONTACTS. GETTING ACQUAINTED	'pə:snəl 'kɔntækts. 'getɪŋ ə'kweintid
Kreipimasis	**Formulas of Address**	'fɔ:mjuləz əv ə'dres
Pone Braunai!	Mr. Brown!	mistə 'braun!
Ponia Braun!	Mrs. Brown!	misiz 'braun!
Panele Braun!	Miss Brown!; (*kreipiantis apskritai į moterį* Ms. Brown!)	mis 'braun! miz 'braun!
Brangūs svečiai!	Dear Guests!	'diə 'gests!
Ponios ir ponai!	Ladies and Gentlemen!	'leidiz ənd 'dʒentlmən!
Profesoriau Smitai!	Professor Smith!	prə'fesə 'smiθ!
Daktare Foksai!	Doctor Fox!	'dɔktə 'fɔks!
Sere / pone	Sir*	'sə:
Taip, pone	Yes, sir**	'jes, sə:
Jūsų Didenybe	Your Majesty***	jo: 'mædʒisti
Padavėjau!	Waiter!	'weitə!
Padavėja!	Waitress!	'weitris!
Policininke!	Officer!	'ɔfisə!
Nešike!	Porter!	'po:tə!
Pasisveikinimas	**Greeting People at Meeting**	'gri:tiŋ 'pi:pl ət 'mi:tiŋ
Sveiki!	How do you do!****	'hau dju 'du:!
Sveikas! (*draugiškai*)	Hello! Hi!	hə'lou!, hai!
Labas rytas!	Good morning!	gud 'mo:niŋ!
Laba diena!	Good afternoon!	gud a:ftə'nu:n!
Labas vakaras!	Good evening!	gud 'i:vniŋ!
Malonu jus matyti	Glad to see you	'glæd tə 'si: ju
Sveiki atvykę!	Welcome!	'welkəm!

Vartojamas kreipiantis į viršininką, vadovą.
**Taip atsako kareivis viršininkui (t.y. „Klausau“).*
***Kreipiantis į valdovą ar kilmingą asmenį.*
****Tik pirmą kartą susitinkant, susipažįstant*

Kaip sekėsi kelionė?	How did you enjoy your journey / trip?	'hau did ju in'dʒɔi jo: 'dʒə:ni / 'trip?
Kaip sekasi?	How are things?	'hau a 'θiŋz?
Kaip jaučiatės?	How are you?	'hau 'a: ju?
Ačiū, gerai	Quite well, thank you; *amer.* OK, thank you	'kwait wel, 'θæŋk ju; ou 'kei, 'θæŋk ju
O jūs kaip?	And you?	ənd 'ju:?
Puikiai	Very well, thanks; *amer.* Fine, thanks	'veri 'wel, 'θæŋks; 'fain, 'θæŋks
Kaip gyvuojate?	How are you getting on?	'hau a ju 'getiŋ 'ɔn?
Kaip gyvuoja jūsų...? šeima žmona vyras	How is your...? family wife husband	'hau iz jo:...? 'fæmili 'waif 'hazbənd
Ačiū, ji (jis), jie gerai gyvuoja	Thanks, she (he) is (they are) fine	'θæŋks, ši: (hi:) iz (ðei a:) 'fain
Mandagumo formulės	**Formulas of Politeness**	'fo:mjuləz əv pə'laitnıs
Ačiū! / Dėkoju!	Thank you! / *šnek.* Thanks! / *fam.* Ta!	'θæŋk ju:! / 'θæŋks! / 'tɑ:!
Labai ačiū!	Thank you very much!	'θæŋk ju 'veri 'mač!
Ačiū už puikią dovaną (puikų vakarą, puikius pietus)	Thank you for a wonderful gift (evening / dinner)	'θæŋk ju fər ə 'wəndəfl 'gift ('i:vniŋ / 'dinə)

Atsakant į padėką vartojame:

| Prašom | You are welcome | ju: ɑ: 'welkəm |
| Nėra už ką | Don't mention it / Not at all / *fam.* No sweat | 'dəunt 'menʃn it / 'nɔt ət 'o:l / *fam.* 'nəu 'swet |

Ar galima paklausti (paprašyti)...	May I ask you...	'meu ai 'ɑ:sk ju:...
Ar negalėtumėte man pasakyti kur (kada, kas, kaip)...?	Could you tell me where (when, who, how)...?	'kud ju: 'tel mi 'wɛə (wen, hu:, hau)...?
Kur galėčiau rasti?	Where can I find?	'wɛə kən ai 'faind?
Ar galima rūkyti?	May I smoke here?	'mei ai 'sməuk hiə?
Taip, prašom	Do, please	'du:, pli:z
Deja, ne	I am afraid not	ai əm ə'freid 'nɔt
Malonėkite...	Would you..., please	'wud ju..., pli:z
Atsiprašau, kur artimiausia autobuso stotelė?	Excuse me please, where is the nearest bus stop?	iks'kju:z mi pli:z, wɛər iz ðə 'niərist 'bas stɔp?
Atsiprašau, norėčiau sužinoti...	Excuse me, I'd like to know...; Could you please tell me...	iks'kju:z mi, aid 'laik tə 'nou...; 'kud ju pli:z 'tel mi...
Leiskite man pasakyti...	Please let me say...	'pli:z 'let mi 'sei...
Leiskite jums pasiūlyti...	Please let me recommend to you...; Please let me suggest...	'pli:z 'let mi rekə'mend tə ju...; 'pli:z 'let mi sə'džest...
Bendrieji žodžiai ir frazės	**General Words and Phrases**	'dženərəl 'wə:dz ənd 'freiziz
tarp kitko	by the way	bai ðə 'wei
visų pirma	first of all	'fə:st əv 'o:l

Pastaba: Didžiojoje Britanijoje beveik po kiekvieno prašymo (kartais prieš) pridedamas *please* (prašau). Be to, čia labai dažnai vartojamas *thank you*. Sakoma: Yes, please (sutinkant) ir No, thank you (atsisakant). (JAV *please* ir *thank you* šiuo atveju galima praleisti)

17

antra	secondly	'sekəndli
ir pagaliau	and finally	ənd 'fainəli
mano galva	to my mind	tə 'mai 'maind
taip sakant	so to say	sou tə 'sei
atvirai kalbant	frankly speaking	'fræŋklı 'spi:kiŋ
faktiškai / iš tikrųjų	as a matter of fact	əz ə 'mætər əv 'fækt
trumpai (tariant)	in short / shortly speaking	ın 'šo:t / 'šo:tli spi:kiŋ
tuo atveju (jei)	in case / just in case	in 'keis / 'džast in 'keis
tai priklauso (nuo)	that / it depends (on)	ðæt / it di'pendz (ɔn)
ir taip toliau	and so on / and so forth	ənd 'sou 'ɔn / ənd sou 'fo:θ
Labai gerai	Very good	'veri 'gud
Puiku	(That's) marvellous / (That's) great!	('ðæts) 'mɑːvələs / ('ðæts) greit!
Nuostabu	Terrific!	tə'rifik!
Kokia laimė!	It's a great piece of luck!	its ə 'greit 'pi:s əv 'lʌk!
Būtent to aš ir norėjau...	That's exactly what I wanted...	'ðæts ig'zæktli wɔt ai 'wɔntid...
Aš tikrai patenkintas	I'm really delighted	aim 'riəli di'laitid
Susitikimas	**Meeting People**	'mi:tiŋ 'pi:pl
Ką aš matau?!	Look who's here!	'luk 'hu:z 'hiə!
Nesitikėjau tave (jus) čia sutikti!	Fancy meeting you here!	'fænsi 'mi:tiŋ ju: hiə!
Pasaulis mažas!	(This is a) small world!	('ðis iz ə) 'smo:l 'wə:ld!
Kaip tu (jūs) čia atsidūrei (atsidūrėte)?	What's brought you here? / What brings you here?	'wɔts 'bro:t ju: 'hiə? / 'wɔt 'briŋz ju: 'hiə?

Kaip jaučiatės (jautiesi)?	How are you?	'hau 'ɑ: ju:?
Kaip laikaisi (laikotės)?	How are you getting on?	'hau ɑ: ju: 'getiŋ 'ɔn?
Kaip jaučiasi žmona (vyras)?	How is your wife (husband)?	'hau iz jo: waif (hʌzbənd)?
Kaip sekasi?	How are things? / How goes it?	'hau ɑ: 'θiŋz? / 'hau 'gouz it?
Malonu tave (jus) matyti	It's good to see yoy	its 'gud tə 'si: ju:
Malonu tave (jus) sutikti	Nice meeting you	'nais 'mi:tiŋ ju:

Galimi atsakymai į klausimus:

Ačiū, puikiai	Fine, thank you	'fain, 'θæŋk ju:
Visai gerai	I'm all right	aim 'o:l 'rait
Neblogai	Not bad	'nɔt 'bæd
Nepergeriausiai	Not too well	'nɔt tu: 'wel
Šiaip taip	So, so	'sou, 'sou
Vidutiniškai	Middling	'midliŋ

| **Pažintis** | **Getting Acquainted** | 'getiŋ ə'kweintid |

Prašom supažindinti mane su...	Please introduce me to...	'pli:z intrə'dju:s mi tə...
Prašom susipažinti su Mr...	Please meet Mr...	'pli:z 'mi:t mistə...
Sveiki!	How do you do!	'hau dju 'du:!
Ar galima jus supažindinti su...	May I introduce you to...	'mei ai intrə'dju:s ju tə...
Labai džiaugiuosi su jumis susipažinęs	Very pleased to meet you	'veri 'pli:zd tə 'mi:t ju

19

Aš esu daug girdėjęs apie jus	I've heard a lot about you	aiv 'həd ə 'lot ə'baut ju
Aš esu Lietuvos Seimo (Vilniaus miesto tary-bos) deputatas, -ė	I'm a deputy of the Sejm / Parliament of Lithuania (the Vilnius City Council)	aim ə 'depjuti əv ðə 'seim / 'pɑ:ləmənt əv liθju:'einjə (ðə 'vilnjus 'siti 'kaunsl)
Ar jūs kada nors esate buvęs Lietuvoje?	Have you ever been to Lithuania?	'hæv ju 'evə 'bi:n tə liθju:'einjə?
Aš silpnai kalbu angliš-kai	My English is poor	mai 'iŋgliš iz 'puə

Kalba. Kalbėjimas — **Language. Speech** — 'læŋgwidž. 'spi:č

dialogas	dialogue	'daiələg
frazė	phrase	freiz
garsas	sound	saund
kalba	language	'læŋgwidž
anglų kalba	the English language	ði 'iŋgliš 'læŋgwidž
rusų kalba	the Russian lan-guage	ðə 'rašn 'læŋgwidž
lietuvių kalba	the Lithuanian lang-uage	ðə liθju:'einjən 'læŋg-widž
pasikalbėjimas	conversation	kɔnvə'seišn
pasikalbėjimų knyge-lė	phrase-book	'freizbuk
raidė	letter	'letə
sakinys	sentence	'sentəns
žodynas	dictionary	'dikšənri
Ar kalbate angliškai?	Do you speak English?	'du: ju 'spi:k 'iŋgliš?
Taip, kalbu	Yes, I do	'jes, ai 'du:
Ne, nekalbu	No, I don't	'nou, ai 'dount
Kokias užsienio kalbas mokate?	What foreign lang-uages do you speak?	'wɔt 'fɔrən 'læŋgwidžiz də ju 'spi:k?
Aš kalbu...	I can speek...	ai kən 'spi:k...
rusiškai	Russian	'rašn

vokiškai	German	'džə:mən
prancūziškai	French	'frenč
lenkiškai	Polish	'pouliš
Aš studijuoju anglų kalbą	I study English	ai 'stadi 'iŋgliš
Noriu išmokti angliš-kai...	I want to learn to... English	ai 'wɔnt tə 'lə:n tə... 'iŋgliš
kalbėti	speak	'spi:k
skaityti	read	'ri:d
rašyti	write	'rait
Aš moku skaityti an-gliškai	I can read English	ai kən 'ri:d 'iŋgliš
Aš angliškai skaitau gana laisvai	I can read English quite easily	ai kən 'ri:d 'iŋgliš 'kwait 'i:zili
Ar mane suprantate?	Do you understand me?	'du: ju andə'stænd mi?
Aš jus puikiai suprantu, bet man sunku kalbėti angliškai	I understand you per-fectly, but it is difficult for me to speak Eng-lish	ai andə'stænd ju 'pə:-fiktli, bət it iz 'difikəlt fə mi tə 'spi:k 'iŋgliš
Aš vos galiu suprasti	I can hardly under-stand	ai kən 'ha:dli andə-'stænd
Aš suprantu viską, ką jūs sakote	I understand every-thing you say	ai andə'stænd 'evriθiŋ ju 'sei
Man trūksta praktikos	I don't get enough practice	ai 'dount 'get i'naf 'præktis
Aš neblogai suprantu, kai kalbama lėtai	I understand fairly well when people speak slowly	ai andə'stænd 'fêəli 'wel wen 'pi:pl 'spi:k 'slouli
Prašyčiau truputį lė-čiau (garsiau)	A little slower (louder), please	ə litl 'slouə ('laudə), pli:z
Aš jūsų nesuprantu	I don't understand you	ai 'dount andə'stænd ju

Prašom pakartoti paskutinį žodį	Please repeat the last word	'pli:z ri'pi:t ðə 'la:st 'wə:d
Prašom dar kartą pakartoti	Please repeat it again	'pli:z ri'pi:t it ə'gen
Prašom paaiškinti, kas čia parašyta	Please explain what is written here	'pli:z ik'splein wɔt iz 'ritn hiə
Ką reiškia šis žodis?	What does this word mean?	'wɔt dəz ðis 'wə:d 'mi:n?
Prašom pasakyti šį žodį (šią pavardę) paraidžiui	Please spell the word (the name)	'pli:z 'spel ðə 'wə:d (ðə 'neim)
Kaip šis žodis rašomas?	How is this word written / spelt / *amer.* spelled?	'hau iz 'ðis 'wə:d 'ritn / 'spelt / 'speld?
Kokia čia raidė?	What is this letter?	'wɔt iz 'ðis 'letə?
Kaip šis žodis tariamas?	How is this word pronounced?	'hau iz 'ðis 'wə:d prə'naunst?
Prašom išversti	Please translate	'pli:z trænz'leit
Kaip angliškai...?	What's the English for...?	'wɔts ði 'iŋgliš fə...?
Ką jūs turite omeny?	What do you mean?	'wɔt dju 'mi:n?
Ar šis žodis (posakis) dažnai vartojamas?	Is this word (expression) often used?	'iz 'ðis 'wə:d (ik'sprešn) 'ɔfn ju:zd?
Ar išversti?	Shall I translate?	'šæl ai trænz'leit?
Ar galite atsakyti į klausimą?	Can you answer the question?	'kæn ju 'a:nsə ðə 'kwesčn?
Mums reikia (nereikia) vertėjo	We (don't) need an interpreter	wi ('dount) 'ni:d ən in'tə:pritə
Amžius. Šeima	**Age. Family**	'eidž. 'fæmili
anūkas	grandson	'grænsən

anūkė	granddaughter	'grændo:tə
berniukas	boy	bɔi
brolis	brother	'braðə
dėdė	uncle	'aŋkl
duktė	daughter	'do:tə
dukterėčia	niece	ni:s
jaunuolis	youth	ju:θ
mergaitė, mergina	girl	gə:l
moteris (moterys)	woman (dgs. women)	'wumən ('wimin)
motina	mother	'maðə
pusbrolis	cousin (boy)	'kazn (bɔi)
pusseserė	cousin (girl)	'kazn (gə:l)
senelė	grandmother	'grænmaðə
senelis	grandfather	'grænfa:ðə
sesuo	sister	'sistə
sūnėnas	nephew	'nevju:
tėvas	father	'fa:ðə
vyras (vedęs)	husband	'hazbənd
vyras (apie lytį)	man (dgs. men)	mæn (men)
žmogus	man (dgs. people)	mæn ('pi:pl)
žmona	wife	waif

Kiek jums metų?	How old are you?	'hau 'ould a ju?
Man ...	I am ...	ai əm...
dvidešimt metų	twenty	'twenti
trisdešimt penkeri metai	thirty-five	θə:ti'faiv
Mes bendraamžiai	We are the same age	wi: a: ðə 'seim 'eidž
Aš gimiau tūkstantis devyni šimtai trisde- šimtaisiais metais (1930)	I was born in nineteen thirty (1930)	ai wəz 'bo:n in 'nainti:n 'θə:ti
Ar jūs vedęs?	Are you married?	'a: ju 'mærid?
Aš esu..,	I am...	ai əm...
vedęs (ištekėjusi)	married	'mærid
nevedęs (netekėjusi)	single	'siŋgl

23

našlys (našlė)	a widower (widow)	ə 'widouə ('widou)
išsiskyręs (-usi)	divorsed	di'vo:st
Ar jūs turite vaikų?	Have you (*amer.* do you have) any children?	'hæv ju ('du: ju 'hæv) eni 'čildrən?
Aš turiu...	I have...	ai hæv...
vieną vaiką	one child	'wan čaild
du (tris) vaikus	two (three) children	'tu: ('θri:) čildrən
Kiek metų jūsų dukrai (sūnui)?	How old is your daughter (son)?	'hou 'ould iz jo: 'do:tə ('san)?
Jai (jam) (yra)...	She (he) is... old	ši: (hi:) iz... 'ould
treji metai	three years	'θri: jə:z
septyneri metai	seven years	'sevn jə:z
šešiolika metų	sixteen years	siks'ti:n jə:z

Profesija. Visuomeninė veikla	**Occupation. Social Activities**	ɔkju'peišn. 'soušl æk'tivətiz
aktorius	actor	'æktə
aktorė	actress	'æktris
architektas	architect	'a:kitekt
darbininkas	worker	'wə:kə
ekonomistas	economist	i'kɔnəmist
fizikas	physicist	'fizisist
inžinierius	engineer	endži'niə
juristas	lawyer	'lo:jə
korespondentas	correspondent	kɔri'spɔndənt
lakūnas	pilot	'pailət
mokytojas	teacher	'ti:čə
muzikantas	musician	mju:'zišn
redaktorius	editor	'editə
statybininkas	construction worker	kən'strakšn wə:kə
tarnautojas	office worker	'ɔfis wə:kə
žurnalistas	journalist	'džə:nəlist
Kokia jūsų profesija?	What's your ocupation?	'wɔts jo:r ɔkju'peišn?

Aš esu ...	I am ...	ai əm...
darbininkas (-ė)	a worker	ə 'wə:kə
studentas (-ė)	a student	ə 'stu:dnt
Mano žmona (vyras) yra...	My wife (husband) is ...	mai 'waif ('hazbənd) iz...
tarnautoja (-as)	an office worker	ən 'ɔfis wə:kə
gydytoja (-as)	a medical doctor	ə 'medikəl 'dɔktə
Kur jūs dirbate?	Where do you work?	'wèə də ju 'wə:k?
Aš dirbu (mes dirbame)...	I (we) work...	ai (wi) 'wə:k...
Jis (ji) dirba...	He (she) works...	hi (ši) 'wə:ks...
gamykloje	at a plant / factory	ət ə 'pla:nt / 'fæktəri
firmoje	for a firma	fər ə 'fə:m
laikraščio redakcijoje	for a newspaper	fər ə 'nju:speipə
institute	in an institute	in ən 'institju:t
Kokiai partijai jūs priklausote?	What political party do you belong to?	'wɔt pə'litikl 'pa:ti də ju bi'lɔŋ ru?
Aš esu nepartinis (-ė)	I don't belong to any political party	ai 'dount bi'lɔŋ tu əni pə'litikl 'pa:ti
Kokioms visuomeninėms organizacijoms jūs priklausote?	What organizations do you belong to?	'wɔt o:gənai'zeišnz də ju bi'lɔŋ tu?
Aš esu Lietuvos-Didžiosios Britanijos draugijos... narys	I am a member of the Lithuanian-British Society	ai əm ə 'membə ðə liθ-ju:'einjən 'britiš sə'saiə-ti
Aš nepriklausau jokiai organizacijai	I don't belong to any political organization	ai 'dount bi'lɔŋ eni pə-'litikl 'o:gənai'zeišn
Kokiai profsąjungai jūs priklausote?	What trade union do you belong to?	'wɔt 'treid 'ju:njən də ju bi'lɔŋ tu?
Aš esu... profsąjungos narys	I am a member of the... trade union	ai əm ə 'membə əv ðə... 'treid 'ju:njən
mokytojų	teachers'	'ti:čəz

ūkininkų tarnautojų	farmers' office workers	'fa:məz 'ɔfis 'wə:kəz
Sveikinimai ir linkėjimai	**Congratulations and Wishes**	kəngrætju'leišnz ənd 'wišiz
Sveikinu jus	I congratulate you	ai kən'grætjuleit ju
(Mano) Sveikinimai	(My) congratulations (to you)	(mai) kəngrætju'leišnz (tə ju:)
Teišsipildo visos jūsų svajonės	May all your dreams come true	mei 'ɔ:l jo: dri:mz 'kam 'tru:
Su gimimo diena!	Happy birthday to you!	'hæpi 'bə:θdei tə ju:!
Sveikinu su gimimo (vardo) diena!	Many happy returns (of the day)!	'meni 'hæpi ri'tə:nz (əv ðə dei)!
Laimingų Naujųjų Metų!	Happy New Year!	'hæpi 'nju: jə:!
Linksmų Šv. Kalėdų!	Merry Christmas!	'meri 'krisməs!
Linkiu tau (jums) laimės!	(I wish you) good luck!	(ai 'wiš ju) 'gud 'lak!
Linksmų švenčių (atostogų)!	Have a nice holiday!	'hæv ə 'nais 'hɔlidei!
Gerai pasilinksmink(ite)!	Have a good time!	'hæv ə 'gud 'taim!
Laimingos kelionės!	Have a nice trip!	'hæv ə 'nais trip!
Ačiū. Linkiu tau (jums) to paties	Thank you. The same to you.	
Kvietimas	**Invitation**	invi'teišn
Prašom! (*pasitinkant*)	You're welcome!	ju:ə 'welkəm!
Prašom įeiti!	Come in, please!	'kam 'in, pli:z!

26

Prašom sėsti!	Will you sit down?; Please be seated (leidžiant)	'wil ju sit 'daun?; 'pli:z bi: 'si:tid
Prašom rūkyti	You may smoke, if you like; (siūlant) A cigarette, please?; amer. Would you care for a cigarette?	ju mei 'smouk, if ju 'laik; ə sigə'ret, pli:z?; 'wud ju 'kèər fər ə 'sigə-ret?
Ar galima pakviesti jus į...? priėmimą teatrą restoraną	May I (we) invite you to...? a reception the theatre the restaurant	'mei ai (wi:) in'vait ju tu...? ə ri'sepšn ðə 'θiətə ðə 'restrɔnt
Ar negalėtumėt su mumis praleisti šį sekmadienį?	Could you spend this Sunday with us?	'kud ju 'spend ðis 'sandi wið əs?
Prašom šį vakarą pas mus į svečius	Would / will you come to see us tonight?	'wud / 'wil ju 'kam tə 'si: əs tə'nait?
Mes mielai priimame jūsų kvietimą	We accept your invitation with pleasure	wi: ək'sept jo:r invi-'teišn wið 'pležə
Prašom vėl pas mus ateiti	Please come and see us again	'pli:z 'kam ənd 'si: əs ə'gen
Ar galima užsirašyti jūsų adresą ir telefoną?	May I have your address and telephone number?	'mei ai 'hæv jo:r ə'dres ənd 'telifoun 'nambə?
Jūs labai mielas (-a)	You are very kind	ju a 'veri 'kaind
Gal eitumėt su mumis į ekskursiją?	Won't you join us for a trip?	'wount ju 'džoin əs fər ə trip?
Eime su mumis!	Won't you join us?	'wount ju 'džoin əs?
Leiskite jus pakviesti šokiui	Shall we join the dance? amer. Would you care to dance?	'šæl wi 'džoin ðə 'da:ns? 'wud ju 'kèər tə 'dæns?

Pokalbio užmezgimas	Striking up a Conversation	'straikiŋ 'ap ə kɔnvə-'seišn
Laba diena!	Good afternoon!*	gud a:ftə'nu:n!
Atsiprašau, kad trukdau jus	I'm sorry to trouble you	aim 'sɔri tə 'trabl ju
Prašom, prašom	Oh, that's all right	'ou, 'ðæts ɔ:l 'rait
Ar jūs labai užsiėmęs?	Are you very busy?	'a: ju 'veri bizi?
Ne, neužsiėmęs, aš visai laisvas	No, I'm not busy, I'm quite / perfectly free	'nou, aim 'nɔt bizi, aim 'kwait / 'pə:fiktli 'fri:
Ar galite man paskirti keletą minučių?	Could you spare me a few minutes?	'kud ju 'spɛə mi: ə 'fju: 'minits?
Taip, žinoma	Yes, certainly	'jes, 'sə:tnli
Aš ilgai jūsų netrukdysiu, noriu paprašyti jus vieno dalyko	I won't keep you long, there's something I want to ask you	ai 'wount 'ki:p ju 'lɔŋ, ðɛəz 'samθiŋ ai 'wɔnt tu 'a:sk ju
Prašom, prašom	Do, please; *amer.* Please do; Please go ahead	'du:; 'pli:z; 'pli:z du:; pli:z 'gou ə'hed
Ar jūs būsite laisvas rytoj dieną?	Will you be free tomorrow afternoon?	'wil ju bi: 'fri: tə'mɔrou a:ftə'nu:n?
Aš būsiu laisvas vakare	I'll be free in the evening	ail bi: 'fri: in ði 'i:vniŋ
Ar galima jus pakviesti pas mus septintai valandai?	May we invite you to come and see us at seven?	'mei wi: in'vait ju tə 'kam ənd 'si: əs ət 'sevn?
Dėkoju, aš ateisiu septintą valandą	Thank you. I'll come at seven	'θæŋk ju. ail 'kam ət 'sevn
Taigi iki pasimatymo	See you tomorrow,	'si: ju tə'mɔrou, ðen.

*Tik po vidurdienio

28

rytoj. Bus labai malonu jus matyti	then. We'll be happy to see you	wi:l bi: 'hæpi tə 'si: ju

Dėmesio atkreipimas	**Attracting Attention**	'ətræktiŋ ə'tenšn
Atsiprašau...	Excuse me...	iks'kju:z mi:...
Atleiskite...	Pardon (me)...	'pa:dn (mi:)...
Klausyk(ite)?	Look here! / I say! *fam.* Hey!	'luk 'hiə! / ai 'sei! 'hei!
Taip? Kas yra?	Yes? What is it?	'jes? 'wɔt 'iz it?
Kuo galiu / galėčiau jums padėti?	What can I do for you?	'wɔt kən ai 'du: fɔ ju:?

Informacijos paieška. Žingeidumas	**Getting Information. Being Curious**	'getiŋ infə'meišn. bi:iŋ 'kjuəriəs
Kaip jums (tau) čia patinka?	(How) do you like it here?	('hau) du ju 'laik it 'hiə?
Kokį jums tai padarė įspūdį?	How did it strike you?	'hau did it 'straik ju:?
Kaip visa tai įvyko?	How did it work out?	'hau did it 'wə:k 'aut?
Kas per žmogus yra...?	What kind of man (person) is...?	'wɔt 'kaind əv 'mæn ('pə:sn) iz...?
Kaip tai vadinama?	What do we call it? / What is it called?	'wɔt du ju 'kɔ:l it? / 'wɔt iz it 'kɔ:ld?
Kaip jis (ji) atrodo?	What does he (she) look like?	'wɔt dəz hi (ši) 'luk 'laik?
O gal jūs žinote...?	Do you happen to know...?	'du: ju 'hæpən tə 'nou...?
Ar negalėtumėte man pasakyti	Could you tell me	'kud ju: 'tel mi:
Kokia bėda?	What's the trouble?	'wɔts ðə 'trʌbl?
Kas nutiko?	What's the matter? / What's up?	'wɔts ðə 'mætə? / 'wɔts 'ʌp?

29

Patikslinimas (to, kas pasakyta)	Making Oneself Understood	'meikiŋ wanself andə'stud
Jūs mane neteisingai supratote	You got me wrong	ju: 'gɔt mi 'rɔŋ
Aš noriu pasakyti, kad ...	I mean to say that...	ai 'mi:n tə 'sei ðət...
Dalykas tas, kad...	The point is that...	ðə 'pɔint iz ðət...
Kaip jau minėjau...	As I said it before...	əz ai 'sed it bi'fo:...
Kitaip tariant...	In other words...	in 'aðə 'wə:dz...
Ar supranti (suprantate) mane?	Do you get me?	'du: ju 'get mi:?
Suprantate, koks reikalas?	See the point?	'si: ðə 'pɔint?

Atsisveikinimas	Parting	'pa:tiŋ
Kol kas! / Iki!	So long! / See you later!	'si: ju: 'leitə!
Viso gero!	Goodbye!	gud'bai!
Iki malonaus susitikimo!	I'll be glad to see you again!	ail bi: 'glæd tə 'si: ju ə'gen!
Iki rytojaus!	See you tomorrow!; Till tomorrow!	'si: ju tə'mɔrou!; til tə'mɔrou!
Iki greito pasimatymo!	See you soon!	'si: ju 'su:n!
Labos nakties!	Good night!	gud 'nait!
Neužmirškite mūsų!	Don't forget us!	'dount fə'get əs!
Perduokite saviškiams linkėjimų	Give my best regards / wishes to your family	'giv mai 'best ri'ga:dz / 'wišiz tə jo: 'fæmili
Laimingo kelio!	Have a pleasant trip!	'hæv ə 'pleznt 'trip!
Man reikia eiti	I must be going	ai 'mʌst bi: 'gouiŋ

30

POKALBIO FORMULĖS	CONVERSATIONAL FORMULAS	kənvə'seišnəl 'fo:mjuləz
Sutikimas. Abejojimas. Prieštaravimas	**Consent. Doubt. Objection**	kən'sent. 'daut. əb'džekšn
Taip	Yes	'jes
Žinoma	Of course	əv 'ko:s
Prašom (*leidžiant ką daryti*)	Do, please; *amer.* Please, do	'du:, pli:z; 'pli:z 'du:
Be abejo	Certainly; No doubt	'sə:tnli; 'nou 'daut
Su malonumu	With pleasure	wið 'pležə
Savaime suprantama	It goes without saying	it 'gouz wiðaut 'seiiŋ
Būtent taip	Exactly / Precisely / Quite so	ig'zæktli / pri'saisli / 'kwait sou
Visai tikėtina	Most likely / probably	'moust 'laikli / 'prɔbəbli
Manau, kad taip	I think / suppose so	ai 'θiŋk / sə'pouz sou
Būtinai	By all means	bai 'ɔ:l 'mi:nz
Jūs teisus	Right you are	'rait ju a:
Iš tikrųjų	Indeed	in'di:d
Aš su jumis sutinku	I agree with you	ai ə'gri: wið ju
Aš neprieštarauju	I don't mind it	ai 'dount 'maind it
Tai tiesa	That's true / right	'ðæts 'tru: / 'rait
Džiugu girdėti	I'm glad to hear it	aim 'glæd tə 'hiər it
Mums tai patinka	We like it	wi 'laik it
Mes tuo tikri	We are sure of it	wi: a 'šuər əv it
Jūsų pasiūlymas mums priimtinas (nepriimtinas)	We will (cannot) take / follow / accept your suggestion	wi wil ('kænɔt) 'teik / 'fɔlou / ək'sept jo: sə'džesčn

31

Galimas daiktas; tik-riausiai	Probably	'prɔbəbli
Galbūt	Maybe	'meibi:
Tai įmanoma	That's / it's possible	'ðæts / its 'pɔsəbl
(Ar) taip / tikrai?	Really?	'riəli?
Ar tai tiesa?	Is it true?	'iz it 'tru:?
Jūs turbūt juokaujate	You're joking, of course	juə 'džoukiŋ, əv'ko:s
Keista	It's strange	its 'streindž
Ne	No	'nou
Negalima	It's not allowed; You mustn't	its 'nɔt ə'laud; ju 'masnt
Tai neįmanoma	It's imposible	its im'pɔsəbl
Jūs klystate	You are wrong	ju a 'rɔŋ
Tai klaida	It's a mistake	its ə mis'teik
Jūs neteisus	You are not right	ju a 'nɔt 'rait
Priešingai	On the contrary	ɔn ðə 'kɔntrəri
Aš su jumis nesutinku	I don't agree with you	ai 'dount ə'gri: wið ju
Mes prieštaraujame	We object to it	wi: əb'džekt tu it
Aš prieš	I'm against it	aim ə'geinst it
Man tai nepatinka	I don't like it	ai 'dount 'laik it
Klausiamieji žodžiai ir posakiai	**Interrogative Words and Expressions**	intə'rɔgətiv 'wə:dz ənd iks'prešnz
Kas?	Who? (*apie asmenį*)	hu:?
Kas?	What? (*apie daiktą, reiškinį*)	wɔt?
Kur?	Where?	wɛə?
Kada?	When?	wen?
Kodėl?	Why?	wai?

32

Kam (*kuriam tikslui*)?	For what reason?	fə 'wɔt 'ri:zn?
Koks(-ia)?	What kind of?	'wɔt 'kaind ɔv?
Kuris(-i)?	Which?	wič?
Kur?	Where?	wèə?
Iš kur?	Where from?	wèə 'frɔm?
Kiek?	How much (many)?	hau 'mač ('meni)?
Kaip?	How?	hau?
Kaip (*kokiu būdu*)?	In what way?	in 'wɔt 'wei?
Su kuo?	With whom? (*apie as-menį*)	wið 'hu:m?
Kas tai? (*apie asmenį*)	Who is that man (that woman)?	'hu: iz 'ðis 'mæn ('ðæt 'wumən)?
Kas, iš tikrųjų?	Who, precisely?	'hu:, prisaisli?
Kas jis (ji)?	Who is he (she)?	'hu: iz hi: (ši:)?
Kas jie (jūs)?	Who are they (you)?	'hu: a ðei (ju:)?
Kas tenai? (*apie asme-nį*)	Who's there?	'hu:z ðèə?
Kas jums (*nutiko*)?	What is the mater with you?	'wɔt iz ðə 'mætə wið ju?
Ką jūs pasakėt?	What did you say?	'wɔt did ju 'sei?
Ką (jūs dabar) veikia-te?	What are you doing?	'wɔt ə ju 'du:iŋ?
Ką man daryti?	What should I do?	'wɔt šəd ai 'du:?
Ko norite?	What do you want?	'wɔt də ju 'wɔnt?
Ko jums reikia?	What do you need?	'wɔt də ju 'ni:d?
Kas tai? (*apie daiktą, reiškinį*)	What is this?	'wɔt iz 'ðis?
Kas nutiko?	What has happened?	'wɔt həz 'hæpənd?

33

Ką jūs apie tai galvojate?	What do you think of that?	'wɔt də ju 'θiŋk əv 'ðæt?
Ką tai reiškia?	What does this mean?	'wɔt dəz 'ðis 'mi:n?
Ką reiškia šis žodis?	What does this word mean?	'wɔt dəz 'ðis 'wə:d 'mi:n?
Kur mes esame?	Where are we?	'wèər a 'wi:?
Kur tai yra?	Where is that?	'wèər iz ðæt?
Kur gyvenate?	Where do you live?	'wèə də ju 'liv?
Kur tualetas?	Where is the toilet?	'wèər iz ðə 'toilit?
Kur galėčiau rasti...?	Where can I find...?	'wèə kən ai 'faind?
Kada išvykstate?	When do you leave?	'wen də ju 'li:v?
Kur važiuojate / vykstate?	Where are you going?	wèə a ju 'goiŋ?
Iš kur atvykote?	Where did you come from?	'wèə did ju 'kam frɔm?
Kurią valandą?	At what time?	ət 'wɔt 'taim?
Kuri valanda?	What time is it?	'wɔt 'taim iz it?
Kokia jūsų nuomonė?	What is your opinion?	'wɔt iz jo:r ə'piniən?
Ar negalėtumėt pasakyti...?	Could you tell me...?	'kud ju 'tel mi...?
Ko aš turėčiau paklausti?	Whom should I ask?	'hu:m šəd ai 'a:sk?
Ar galima pasikalbėti su ...?	May I speak to ...?	'mei ai 'spi:k tu...?
Ar galima ...?	May I...?	'mei ai...?
Ar galiu jus paprašyti ...?	May I ask you to ...?	'mei ai 'a:sk ju tu...?
Ar negalėtumėt...?	Could you ...?	'kud ju...?
Ar nenorėtumėt...?	Don't you want to ...?	'dount ju 'wɔnt tu...?

34

Ar jūs privalote (turite) ...?	Do you have to ...?	'du: ju 'hæv tə ...?
Ar galima jums padėti?	May I help you?	'mei ai 'help ju?
Ar nenorėtumėt pagalbos?	Would you like some help?	'wud ju 'laik səm 'help?
Ar norite...?	Do you want...?	'du: ju 'wɔnt...?

Noras. Prašymas. Leidimas

Wish. Request. Permitance

'wiš. ri'kwest. pə'mitəns

Ko jūs norėtumėte / pageidautumėte?	What do you want?	'wɔt dju 'wɔnt?
Ko jums reikia?	What do you need / want?	'wɔt dju 'ni:d / 'wɔnt?
Norėtume apžiūrėti miestą	We'd like to go sight-seeing	wi:d 'laik tə 'gou 'saitsi:iŋ
Mes norėtume apie tai smulkiau sužinoti	We'd like to learn about it in more detail	wi:d 'laik tə 'lə:n ə'baut it in 'mo: 'di:teil
Norėčiau susipažinti su...	I'd like to be introduced to ...	'aid 'laik tə bi: intrə'dju:st tə...
Ar galima pamatyti...?	May I see ...?	'mei ai 'si:....?
Mes norėtume eiti į ...	We'd like to go to the ...	wi:d 'laik tə 'gou tə ðə ...
teatrą	theatre	'θiətə
kiną	cinema / pictures / *amer.* movies	'sinəmə / 'pikčəz / 'mu:viz
muziejų	museum	mju:'ziəm
Noriu valgyti (gerti)	I'm hungry (thirsty)	aim 'haŋgri ('θə:sti)
Noriu pailsėti (pamiegoti)	I want to rest (to have a nap)	ai 'wɔnt tə 'rest (tə 'hæv ə 'næp)
Kas galėtų mane sutikti (išlydėti)?	Who could meet me (see me off)?	'hu: kəd 'mi:t mi ('si: mi: 'o(:)f)?

Ar negalėtumėte mums parodyti įžymiųjų miesto vietų?	Could you please show us the sights of the town?	'kud ju pli:z 'šou əs ðə 'saits əv ðə 'taun?
Ar galėčiau ...?	May I...?	'mei ai...?
sužinoti	know	'nou
pasakyti	say	'sei
pažiūrėti	have a look at...	'hæv ə 'luk ət...
Ar galima įeiti?	May I come in?	'mei ai 'kam 'in?
Ar galima praeiti?	Excuse me, may I pass?; May I go by?	ik'skju:z mi, 'mei ai 'pa:s?; 'mei ai 'gou 'bai?
Ar galima užsirūkyti?	May I smoke?	'mei ai 'smouk?
Ar galima įjungti (išjungti) radiją (šviesą)?	May I switch / turn on (switch / turn off) the radio (light)?	'mei ai 'swič / 'tə:n ɔn ('swič / 'tə:n 'o(:)f) ðe 'reidiou ('lait)?
Prašom ...	Please ...	'pli:z
duoti man (mums)	give me (us)	'giv mi (əs)
perduoti man	pass me	'pa:s mi
parodyti man (mums)	show me (us)	'šou mi (əs)
uždaryti	close	'klouz
atidaryti	open	'oupən
neužmiršti	don't forget	'dount fə'get
parašyti	write (down)	'rait ('daun)
paaiškinti man (mums)	explain [it] to me (us)	iks'plein [it] tu mi (əs)
pakartoti	repeat	ri'pi:t
palaukti	wait	'weit
pakviesti	ask; call	'a:sk; 'ko:l
man paskambinti	ring me up; *amer.* call / phone me	'riŋ mi 'ap; 'ko:l / 'foun mi
sustoti	stop	'stɔp
Ar negalėtumėt man padėti ...	Will / would you help me, please...	'wil / 'wud ju 'help mi, pli:z...
aš pamečiau pinigus	I've lost my money	aiv 'lɔst mai 'mani

36

(pasą, bilietus)	(passport, tickets)	('pa:spo:t, 'tikits)
aš pavėlavau į traukinį (lėktuvą)	I missed my train (plane)	ai 'mist mai 'trein ('plein)
aš negaliu rasti savo viešbučio	I can't find my hotel	ai 'ka:nt 'faind mai hou'tel
aš pamiršau gatvės pavadinimą	I've forgotten the name of the street	aiv fə'gɔtn ðə 'neim əv ðə 'stri:t
Padėkite man susisiekti su Lietuvos pasiuntiny-be	Please put me through to the Lithuanian Embassy	'pli:z 'put mi 'θru: tə ðə liθju'einiən 'embəsi

Galimi atsakymai leidžiant (ar negalint, neleidžiant) ką daryti:

Žinoma	Certainly / Of course	'sə:tnli / əv 'ko:s
Su malonumu	With pleasure	wið 'pležə
Gerai	All right / O.K.	'o:l 'rait / ou'kei
Ne, negalima	No, you may not	'nou, ju: mei 'nɔt
Bijau, kad negalėsiu	I'm afraid I can't	aim ə'freid ai 'ka:nt
Deja negaliu	Sorry, I can't	'sɔri ai 'ka:nt

Atsisakymas. Apgailes-tavimas	**Excuse. Refusal**	ik'skju:s. ri'fju:zl
Ne, dėkoju	No, thank you	'nou, 'θæŋk ju
Aš nenoriu	I don't want	ai 'dount 'wɔnt
Labai gaila, bet turiu atsisakyti	I'm very sorry, but I must refuse	aim 'veri 'sɔri, bət ai mast ri'fju:z
Aš šito negaliu padary-ti	I can't do it	ai 'ka:nt 'du: it
Šito neįmanoma pada-ryti	It's impossible to do it	its im'pɔsəbl tə 'du: it
Aš jums negaliu padė-ti	I can't help you	ai 'ka:nt 'help ju
Negaliu su jumis va-žiuoti / vykti	I can't go with you; I can't join you	ai 'ka:nt 'gou wið ju; ai 'ka:nt 'džoin ju

Lithuanian	English	Pronunciation
Gaila, bet aš užsiėmęs (-usi)	I'm sorry, but I'm busy	aim 'sɔri, bət aim 'bizi
Aš neturiu laiko	I have no time	ai hæv 'nou 'taim
Prašom atleisti už pavėlavimą	Please excuse me for being late	'pli:z ik'skju:z mi fə bi:iŋ 'leit
Atsiprašau, kad sutrukdžiau	I'm sorry to have troubled you	aim 'sɔri tə həv 'trabld ju
Prašom nepykti...	Please don't be angry ...	'pli:z 'dount bi: 'æŋgri...
aš užmiršau	I've forgotten	aiv fə'gɔtn
aš skubu	I'm in a hurry	aim in ə 'hari
aš pavargau	I'm tired	aim 'taiəd
aš truputį nesveikuoju	I'm rather ill	aim 'ra:ðər 'il
mane ištiko nelaimė	something terrible has happened (to me)	'samθiŋ 'terəbl həz 'hæpnd (tu mi)
Labai gaila!	It's a great pity!	its ə 'greit 'piti!
Kaip gaila!	What a pity!	'wɔt ə 'piti!
Mes labai sujaudinti	We are most upset	wi: a 'moust ap'set
Leiskite pareikšti jums užuojautą	Please accept our sympathy	'pli:z ək'sept auə 'simpəθi
Dėkojimas	**Thanks**	'θæŋks
Dėkoju	Thank you; Thanks	'θæŋk ju; *šnek.* 'θæŋks
Labai dėkui / ačiū	Thank you very much	'θæŋk ju 'veri 'mač
Ačiū už malonų priėmimą	Thank you for the kind reception	'θæŋk ju fə ðə 'kaind ri'sepšn
Labai labai ačiū!	Many many thanks!	'meni meni 'θæŋks!
Nėra už ką (*atsakant į padėką*)	Not at all; Don't mention it; That's all right; *amer.* It's O.K.; You're welcome	'nɔt ət 'o:l; 'dount 'menšn it; ðæts 'o:l 'rait; its 'ou 'kei; juə 'welkəm

Jūs labai malonus	It's very kind of you	its 'veri 'kaind əv ju
Ačiū už...	Thank you for...	'θæŋk ju fə...
kvietimą	the invitation	ði invi'teišn
dėmesį	your attention	jo:r ə'tenšn
pagalbą	your help	jo: 'help
Labai dėkoju už dova-ną	Many thanks for the present	'meni 'θæŋks fı ðə 'preznt

Prielaidos. Viltis — Assumptions. Hope — ə'sampšnz. houp

Galbūt	May be	mei 'bi:
Galimas daiktas	It's possible	its 'pɔsəbl
Visiškai tikėtina	Most likely	'moust 'laikli
Man atrodo	It seems to me	it si:mz tu mi:
Tarkime, kad	Let's assume that	'lets ə'sju:m ðət
Visko būna / pasitaiko	Things happen	'θiŋz 'hæpn
Tikiuosi, kad...	I hope that...	ai 'houp ðət...
mes atvyksime laiku	we'll be in time	wi:l 'bi: in 'taim
jis namie	he's in	hi:z 'in
mes turime pakan-kamai pinigų	we have enough mo-ney	wi 'hæv i'naf 'mani
Tikėkimės geriausio	Let's hope for the best	'lets 'houp fə ðə 'best
Tikiu, kad taip	I hope so	ai 'houp 'sou
Tikiu, kad ne	I hope not	ai 'houp 'nɔt
Tikiu, kad mes dar su-sitiksime	(I) hope we meet again	(ai) 'houp wi 'mi:t ə'gein

Nuostaba. Pasipikti-nimas — Surprise. Indignation — sə'praiz. indig'neišn

Tikrai?	Really?	'riəli?
Neįmanoma	Impossible	im'pɔsəbl

Tik pagalvok!	Only just think!	'ounli 'džast 'θiŋk!
Na ir na!	I say!	ai sei!
Viešpatie!	Good heavens! / Jesus (Christ)!	'gud 'hevənz! / 'dži:zəs ('kraist)!
Velniai griebtų	Oh hell!	ou 'hel!
Kaip tu galėjai?	How could you!	'hau 'kud ju:!
Neįtikėtina!	Incredible!	in'kredibl!
Jūs juokaujate?	Are you joking?	'a: ju: 'džoukiŋ?
Kaip gi taip?	How can it be?	'hau kən it 'bi:?
Viskam yra ribos!	It's the limit!	its ðə 'limit!
Nesikišk ne į savo reikalus!	Mind your own business!	'maind jo:r 'oun 'biznis!
Man visa tai įkyrėjo / įgriso!	I'm sick and tired of it!	aim 'sik ənd 'taiəd ɔv it!
Eik po velnių!	Go to hell!	'gou tu 'hel!
Koks įkyruolis!	What a bore!	'wɔt ə 'bo:!
Nešdinkis iš čia!	Get out of here!	'get 'aut əv 'hiə!
Ne tavo reikalas!	(It's) none of your business!	(its) 'nan əv jo: 'biznis!
Užuojauta. Apgailesta-vimas	**Sympathy. Regret**	'simpəθi. ri'gret
Kaip gaila!	What a pity! / Too bad!	'wɔt ə 'piti / 'tu: 'bæd
Apgailestauju	I'm sorry	aim 'sɔri
Nuoširdžiai jus užjau-čiu	I feel deeply sorry for you	ai 'fi:l 'di:pli 'sɔri fər ju:
Labai apgailestauju dėl to, kas įvyko	I very much regret what happened	ai 'veri mač ri'gret wɔt 'hæpənd
Labai apgailestauju, kad negaliu jums padėti	I'm awfully sorry I wasn't able to help you	aim 'o:fəli 'sɔri ai 'wɔznt 'eibl tə 'help ju:

40

Atsiprašymas	Apologies	ə'pɔlədžiz
Atsiprašau	Excuse me / Pardon (me)	iks'kju:z mi: / 'pa:dn (mi:)
Labai atsiprašau	I'm (so) sorry	aim ('sou) 'sɔri
Turiu jūsų atsiprašyti	I must apologize to you	ai məst ə'pɔlədžaiz tu ju:
Atsiprašau, kad priver-čiau jus laukti	Sorry I've kept you waiting	'sɔri aiv 'kept ju: 'weitiŋ
Tikiu, kad nesužei-džiau (neįžeidžiau) jū-sų	(I) hope I didn't hurt you	(ai) 'houp ai 'didnt 'hə:t ju:
Atleiskite, kad pavėla-vau	Excuse my being late	iks'kju:z mai 'bi:iŋ 'leit
Atleiskite, kad trukdau	Excuse my troubling (disturbing) you	iks'kju:z mai 'trabliŋ (dis'tə:biŋ) ju:
Atleiskite, kad (jus) pertraukiau	Excuse my interrupting you	iks'kju:z mai intə'raptiŋ ju:
Aš nenorėjau jūsų įžeisti	I didn't mean to hurt you / I meant no of-fence / No offence meant	ai 'didnt 'mi:n tə 'hə:t ju: / ai 'ment 'nou ə'fens / 'nou ə'fens 'ment
Nepykite ant manęs	Don't get cross with me	'dount get 'krɔs wið mi:

Galimi atsakymai:

Nieko, prašau	That's (quite) all right	'ðæts ('kwait) 'o:l 'rait
Nieko tokio	Never mind	'nevə 'maind
Užmirškite tai	Forget it	fə'get it
Nieko baisaus	No harm done	'nou 'ha:m 'dan
Aš neįsižeidžiau	No offence taken	'nou ə'fens 'teikn

Atsiprašymas čia nepadės	Being sorry won't help	'bi:iŋ 'sɔri 'wount 'help

**KASDIENINIAI ŽO-
DŽIAI IR POSAKIAI** | **EVERYDAY WORDS
AND PHRASES** | 'evridei 'wo:dz ənd
'freizis

Skaičiai | **Numbers** | 'nambəz

Kiekiniai skaitvardžiai | *Cardinal Numerals* | 'ka:dinl 'nju:mərəlz

1. vienas	one	wan
2. du	two	tu:
3. trys	three	θri:
4. keturi	four	fo:
5. penki	five	faiv
6. šeši	six	siks
7. septyni	seven	'sevn
8. aštuoni	eight	eit
9. devyni	nine	nain
10. dešimt	ten	ten
11. vienuolika	eleven	i'levn
12. dvylika	twelve	twelv
13. trylika	thirteen	θə:'ti:n
14. keturiolika	fourteen	fo:'ti:n
15. penkiolika	fifteen	fif'ti:n
16. šešiolika	sixteen	siks'ti:n
17. septyniolika	seventeen	sevn'ti:n
18. aštuoniolika	eighteen	ei'ti:n
19. devyniolika	nineteen	nain'ti:n
20. dvidešimt	twenty	'twenti
21. dvidešimt vienas	twenty-one	twenti'wan
22. dvidešimt du	twenty-two	twenti'tu:
23. dvidešimt trys	twenty-three	twenti'θri:
24. dvidešimt keturi	twenty-four	twenti'fo:
25. dvidešimt penki	twenty-five	twenti'faiv
26. dvidešimt šeši	twenty-six	twenti'siks
27. dvidešimt septyni	twenty-seven	twenti'sevn
28. dvidešimt aštuoni	twenty-eight	twenti'eit
29. dvidešimt devyni	twenty-nine	twenti'nain

30. trisdešimt	thirty	'θə:ti
40. keturiasdešimt	forty	'fo:ti
50. penkiasdešimt	fifty	'fifti
60. šešiasdešimt	sixty	'siksti
70. septyniasdešimt	seventy	'sevnti
80. aštuoniasdešimt	eighty	'eiti
90. devyniasdešimt	ninety	'nainti
100. šimtas	a / one hundred	ə 'wan 'handrəd
101. šimtas vienas	a / one hundred and one	ə / 'wan 'handrəd ənd 'wan
110. šimtas dešimt	a / one hundred and ten	ə / 'wan 'handrəd ənd 'ten
137. šimtas trisdešimt septyni	a / one hundred and thirty-seven	ə / 'wan 'handrəd ənd θə:ti'sevn
200. du šimtai	two hundred	'tu: 'handrəd
248. du šimtai keturiasdešimt aštuoni	two hundred and forty-eight	'tu: 'handrəd ənd fo:ti-'eit
300. trys šimtai	three hundred	'θri: 'handrəd
374. trys šimtai septyniasdešimt keturi	three hundred and seventy-four	'θri: 'handrəd ənd sevnti'fo:
400. keturi šimtai	four hundred	'fo: 'handrəd
500. penki šimtai	five hundred	'faiv 'handrəd
600. šeši šimtai	six hundred	'siks 'handrəd
700. septyni šimtai	seven hundred	'sevn 'handrəd
800. aštuoni šimtai	eight hundred	'eit 'handrəd
900. devyni šimtai	nine hundred	'nain 'handrəd
1000. tūkstantis	a / one thousand	ə / 'wan 'θauznd
1958. tūkstantis devyni šimtai penkiasdešimt aštuoni	one thousand nine hundred and fifty-eight; (žymint datą) nineteen fifty-eight	'wan 'θauznd 'nain 'handrəd ənd fifti'eit; 'nainti:n fifti'eit
10 000. dešimt tūkstančių	ten thousand	'ten 'θauznd
1 000 000. milijonas	a / one million	ə / 'wan 'miljən
tuzinas	a / one dozen	ə / 'wan 'dazn
pusė tuzino	half a dozen	'ha:f ə 'dazn
pora	a pair; a couple	ə 'pɛə; ə 'kapl

43

Kelintiniai skaitvardžiai	Ordinal Numerals	'o:dinl 'nju:mərəlz
pirmas	first (1st)	fə:st
antras	second (2nd)	'sekənd
trečias	third (3rd)	θə:d
ketvirtas	fourth (4th)	fo:θ
penktas	fifth (5th)	fifθ
šeštas	sixth (6th)	siksθ
septintas	seventh (7th)	'sevnθ
aštuntas	eighth (8th)	eitθ
devintas	ninth (9th)	nainθ
dešimtas	tenth (10th)	tenθ
vienuoliktas	eleventh (11th)	i'levnθ
dvyliktas	twelfth (12th)	twelfθ
tryliktas	thirteenth (13th)	θə:'ti:nθ
keturioliktas	fourteenth (14th)	fo:'ti:nθ
penkioliktas	fifteenth (15th)	fif'ti:nθ
šešioliktas	sixteenth (16th)	siks'ti:nθ
septynioliktas	seventeenth (17th)	sevn'ti:nθ
aštuonioliktas	eighteenth (18th)	ei'ti:nθ
devynioliktas	nineteenth (19th)	nain'ti:nθ
dvidešimtas	twentieth (20th)	'twentiəθ
dvidešimt pirmas	twenty-first (21st)	twenti'fə:st
dvidešimt antras	twenty-second (22nd)	twenti'sekənd
dvidešimt trečias	twenty-third (23rd)	twenti'θə:d
dvidešimt ketvirtas	twenty-fourth (24th)	twenti'fo:θ
dvidešimt penktas	twenty-fifth (25th)	twenti'fifθ
dvidešimt šeštas	twenty-sixth (26th)	twenti'siksθ
dvidešimt septintas	twenty-seventh (27th)	twenti'sevnθ
dvidešimt aštuntas	twenty-eighth (28th)	twenti'eitθ
dvidešimt devintas	twenty-ninth (29th)	twenti'nainθ
trisdešimtas	thirtieth (30th)	'θə:tiəθ
keturiasdešimtas	fourtieth (40th)	'fo:tiəθ
penkiasdešimtas	fiftieth (50th)	'fiftiəθ
šešiasdešimtas	sixtieth (60th)	'sikstiəθ
septyniasdešimtas	seventieth (70th)	'sevntiəθ
aštuoniasdčšimtas	eightieth (80th)	'eitiəθ
devyniasdešimtas	ninetieth (90th)	'naintiəθ

šimtas	hundredth (100th)	'hΛndrədθ
šimtas pirmas	hundred and first (101st)	'hΛndrəd ənd 'fə:st
šimtas dešimtas	hundred and tenth (110th)	'hΛndrəd ənd 'tenθ
šimtas trisdešimt septintas	hundred and thirty-seventh (137th)	'hΛndrəd ənd θə:ti-'sevnθ
dušimtas	two hundredth (200th)	'tu: 'hΛndrədθ
du šimtai keturiasdešimt aštuntas	two hundred and forty-eighth (248th)	'tu: 'hΛndrəd ənd fo:ti-'eitθ
trišimtas	three hundredth (300th)	'θri: 'hΛndrədθ
trys šimtai septyniasdešimt ketvirtas	three hundred and seventy-fourth (374th)	'θri: 'hΛndrəd ənd sevnti 'fo:θ
keturišimtas	four hundredth (400th)	'fo: 'hΛndrədθ
penkišimtas	five hundredth (500th)	'faiv 'hΛndrədθ
šešišimtas	six hundredth (600th)	'siks 'hΛndrədθ
septynišimtas	seven hundredth (700th)	'sevn 'hΛndrədθ
aštuonišimtas	eight hundredth (800th)	'eit 'hΛndrədθ
devynišimtas	nine hundredth (900th)	'nain 'hΛndrədθ
tūkstantas	thousandth (1000th)	'θauzəndθ
tūkstantis devynišimtai penkiasdešimt aštuntas	one thousand nine hundred and fifty-eighth (1958th)	'wΛn 'θauzənd nain 'hΛndrəd ənd 'fifti eitθ
dešimttūkstantas	ten thousandth (10000th)	ten 'θauzəndθ
milijonas	millionth (1000000th)	'miljənθ

Trupmenos	**Fractions**	**'frækšnz**
¹/₂ viena antroji (pusė)	a half	ə 'ha:f
¹/₄ viena ketvirtoji (ketvirtis)	a fourth / quarter	ə 'fo:θ / 'kwo:tə

45

$^2/_3$ dvi trečiosios	two thirds	'tu: 'θə:dz
$^3/_4$ trys ketvirtosios	three fourths / quarters	'θri: 'fo:θs / 'kwo:təz
2 $^5/_8$ du ir penkios aštuntosios	two and five eighths	'tu: ənd 'faiv 'eitθs
0,5 nulis sveikų penkios dešimtosios	0.5 nought / zero point five	'no:t / 'ziərou pɔint 'faiv
1,23 vienas sveikas dvidešimt trys šimtosios	1.23 one point twenty-three	'wan pɔint twenti 'θri:

Keturi pagrindiniai aritmetikos veiksmai	**The Four Fundamental Operations of Arithmetic**	ðə 'fo: fandə'mentl ɔpə'reišnz əv ə'riθmətik
= lygu	is equal to; equals	iz 'i:kwəl tu; 'i:kwəlz
sudėtis	addition	ə'dišn
atimtis	subtraction	səb'trækšn
daugyba	multiplication	maltipli'keišn
dalyba	division	di'vižn
2 + 3 = 5	two plus three equals five	'tu: plas 'θri: 'i:kwəlz 'faiv
8 − 4 = 4	eight minus four equals four	'eit mainə 'fo: 'i:kwəlz 'fo:
6 × 2 = 12	six times two equals twelve	'siks taimz 'tu: 'i:kwəlz 'twelv
27 : 3 = 9	twenty-seven divided by three equals nine	'twenti sevn di'vaidid bai 'θri: 'i:kwəlz 'nain
$\dfrac{a+b}{c-d} = e$	a plus b over c minus d equals e	'ei plas 'bi: ouvə 'si: mainə 'di: 'i:kwəlz 'i:

Laikas. Datos	**Time. Dates**	taim
Para	Twenty-four hours	'twentifo:r 'auəz
Valanda	Hour	'auə
Minutė	Minute	'minit

46

Sekundė	Second	'sekənd
Kuri dabar valanda?	What' time is it?; What's the time?	'wɔt 'taim iz it?; 'wɔts ðə 'taim?
Septinta valanda ryto	Seven in the morning; Seven a.m.	'sevn in ðə 'mɔ:niŋ; 'sevn 'ei 'em
Trečia valanda popiet	Three in the afternoon; Three p.m.	'θri: in ði a:ftə'nu:n; 'θri: 'pi: 'em
Aštunta valanda vaka-ro	Eight in the evening; Eight p.m.	'eit in ði 'i:vniŋ; 'eit 'pi: 'em
Ketvirtis po trijų	A quarter past / amer. after three; three fifteen	ə 'kwo:tə pa:st / a:ftə θri:; 'θri: fif'ti:n
Pusė penkių	Half past / amer. after four	'ha:f pa:st / a:ftə 'fo:
Be ketvirčio šešios	A quarter to six	ə 'kwo:tə tə 'siks
Be dvidešimt dvylika	Twenty [minutes] to twelve	'twenti ['minits] tə 'twelv
Šešios minutės dešim-tos	Six [minutes] past / amer. after nine	'siks ['minits] past / a:ftə 'nain
Anksti	Early	'ə:li
Dar anksti	It's still early	its 'stil 'ə:li
Vėlu	It is late	it iz 'leit
Aš pavėlavau	I'm late	aim 'leit
Atėjau per anksti	I'm too early	aim 'tu: 'ə:li
Pusiaudienis	Noon; midday	'nu:n; mid'dei
Pusiaudienį	At noon	ət 'nu:n
Pusiaunaktis	Midnight	'midnait
Kuriuo laiku?	At what time?	ət 'wɔt 'taim?
Mes jūsų laukiame ly-giai septintą [valandą]	We'll expect you at se-ven sharp	wi:l iks'pekt ju ət 'sevn 'ša:p

Aš atvyksiu laiku, bet mano draugas atvyks aštuntą [valandą]	I'll come in time, but my friend will come at eight	ail 'kam in 'taim, bət mai 'frend wil 'kam ət 'eit
Kada jūs atvyksite?	When will you come?	'wen wil ju 'kam?
Už valandos (pusvalandžio, minutės)	In an hour (half an hour, a minute)	in ən 'auə ('ha:f ən 'auə, ə 'minit)
Rytas	Morning	'mo:niŋ
Rytą	In the morning	in ðə 'mo:niŋ
Auštant	At dawn	ət 'do:n
Mes aplankysime (užsuksime pas) jus rytoj rytą	We'll call on you (drop / pop in) tomorrow morning	wi:l 'ko:l ɔn 'ju: ('drop / pɔp 'in) tə'mɔrou 'mo:-niŋ
Diena	Day	dei
Dieną	In the afternoon; By day	in ði a:ftənu:n; bai 'dei
Po dienos	In a day	in ə 'dei
Poilsio diena	Day off	'dei 'o(:)f
Neseniai	The other day	ði 'aðə 'dei
Kada nors	Some day	'sam 'dei
Šiandien	Today	tə'dei
Rytoj	Tomorrow	tə'mɔrou
Vakar	Yesterday	'jestədi
Užvakar	The day before yesterday	ðə 'dei bifo: 'jestədi
Poryt	The day after tomorrow	ðə 'dei a:ftə tə'mɔrou
Prieš keletą dienų	A few days ago	ə 'fju: 'deiz ə'gou
Kuri šiandien savaitės diena?	What day of the week is it today?	'wɔt 'dei əv ðə 'wi:k 'iz it tə'dei?

Šiandien...	Today is...	tə'dei iz...
pirmadienis	Monday	'mandi
antradienis	Tuesday	'tju:zdi
trečiadienis	Wednesday	'wenzdi
ketvirtadienis	Thursday	'θə:zdi
penktadienis	Friday	'fraidi
šeštadienis	Saturday	'sætədi
sekmadienis	Sunday*	'sandi

Aš būsiu laisvas (užsiėmęs) visą dieną	I'll be free (busy) the whole day	ail bi: 'fri: ('bizi) ðə 'houl 'dei
Vakaras	Evening	'i:vniŋ
Vakare	In the evening	in ði 'i:vniŋ
Mes grįšime vakare	We shall be back in the evening	wi šəl bi: 'bæk in ði 'i:vniŋ
Prašom ateiti vakare	Will you come in the evening, please	'wil ju 'kam in ði 'i:vniŋ, pli:z
Šį vakarą	Tonight	tə'nait
Naktis	Night	nait
Naktį	At night	ət 'nait
Mūsų traukinys ateina vėlai naktį	Our train is due to arrive late at night	auə 'trein iz 'dju: tu ə'raiv 'leit ət 'nait
Mes išvykstame naktį į pirmadienį	We're leaving Monday night	wiə 'li:viŋ 'mandi 'nait
Mes grįšime vėlai naktį	We'll return (come back) late at night	wi:l ri'tə:n ('kam 'bæk) 'leit ət 'nait
Savaitė	Week	wi:k
Šią savaitę	This week	'ðis 'wi:k
Po savaitės	In a week	in ə 'wi:k
Praėjusią (kitą) savaitę	Last (next) week	'la:st ('nekst) 'wi:k

---

Pirmoji savaitės diena angliškai kalbančiose šalyse.

Prieš kelias savaites	A few weeks ago	ə 'fju: 'wi:ks ə'gou
Po kelių savaičių	After some / several weeks	'a:ftə səm / 'sevrəl 'wi:ks
Ištisą savaitę	A whole week	ə 'houl 'wi:k
Mėnuo	Month	manθ
Sausis	January	'džænjuəri
Vasaris	February	'februəri
Kovas	March	ma:č
Balandis	April	'eiprəl
Gegužė	May	mei
Birželis	June	džu:n
Liepa	July	džu:'lai
Rugpjūtis	August	'o:gəst
Rugsėjis	September	səp'tembə
Spalis	October	ɔk'toubə
Lapkritis	November	nɔ'vembə
Gruodis	December	di'sembə
Šį (praėjusį, kitą) mėnesį	This (last, next) month	'ðis ('la:st, 'nekst) 'manθ
Po mėnesio (dviejų mėnesių)	In a month (in two months)	in ə 'manθ (in 'tu: 'manθs)
Metai	Year	jə:
Šiais (praėjusiais, kitais) metais	This (last, next) year	'ðis ('la:st, 'nekst) jə:
Po metų	In a year	in ə 'jə:
Kuriais metais?	In what year?	in 'wɔt 'jə:?
1991 metais	In nineteen ninety one	in 'nainti:n nainti 'wan
Metų laikai	Seasons	'si:znz
Pavasaris	Spring	spriŋ
Vasara	Summer	'samə
Ruduo	Autumn; *amer.* fall	'o:təm; fo:l
Žiema	Winter	'wintə

50

Pavasarį (vasarą, rudenį, žiemą)	In spring (summer, autumn / *amcr.* fall, winter)	in 'spriŋ ('samə, 'o:təm / fo:l, 'wintə)
Šis pavasaris [yra] labai šiltas!	This spring is very warm	'ðis 'spriŋ iz 'veri 'wo:m
Data	Date	deit
Kelinta šiandien?	What day of the month is it today?	'wɔt 'dei əv ðə 'manθ 'iz it tə'dei?
Šiandien gegužės septyniolikta	Today is the seventeenth of May; *amer.* Today is May 17th	tə'dei iz ðə sevn'ti:nθ əv 'mei; tə'dei iz 'mei sevn'ti:nθ
Vakar buvo gegužės šešiolikta	Yesterday was the sixteenth of May	'jestədi wəz ðə siks'ti:nθ əv 'mei
Kurią dieną?	On what day?	ɔn 'wɔt 'dei?
Liepos ketvirtą	On the fourth of July	ɔn ðə 'fo:θ əv džu:'lai
Valiutos keitimas	**Currency Exchange**	'karənsi iks'čeindž
akredityvas	letter of credit	'letər əv 'kredit
bankas	bank	bæŋk
banknotas	bank note	'bæŋk nout
centas	cent	sent
čekis	cheque; *amer.* check	ček
čekio davėjas	signer of a cheque / check	'sainə əv ə 'ček
apmokėti čekį	pay a cheque / check	'pei ə 'ček
gauti pinigus pagal čekį	cash a cheque / check	'kæš ə 'ček
doleris	dollar	'dɔlə
frankas	franc	fræŋk
grąža (*t.p. smulkios monetos*)	change	čeindž
kasa	cash register	'kæš redžistə
keitimas	exchange	iks'čeindž
valiutos keitimas	currency exchange	'karənsi iks'čeindž

kreditas	credit	'kredit
kredito kortelė	credit card	'kredit ka:d
litas	litas (*dgs.* litas)	'litas ('litas)
markė	mark	ma:k
Vokietijos markė	German mark	'džə:mən 'ma:k
moneta	coin	kɔin
parašas	signature	'signəčə
pasirašyti	sign	sain
pensas	penny (*dgs.* pence – *apie sumą;* pennies – *apie monetas*)	'peni (pens; 'peniz)
pinigai	money	'mani
svaras [sterlingų]	pound [sterling]	paund ['stə:liŋ]
valiuta	currency	'karənsi
valiutos keitykla	(currency) exchange office	('karənsi) iks'čeindž 'ɔfis
valiutos kursas	rate of exchange	'reit əv iks'čeindž
užsienio valiuta	foreign currency	'fɔrin 'karənsi
laisvai konvertuojama valiuta	hard currency	'ha: 'karənsi
Kur artimiausia(s) ...?	Where is the nearest...?	'wēəriz ðə 'niərəst...?
bankas	bank	bæŋk
valiutos keitykla	exchange office	iks'čeindž ɔfis
Ar išmokate grynais už turistinius / kelioninius čekius?	Do you cash traveller's cheques?	'du: ju 'kæš 'trævələz čeks?
Ar gavote mano vardu ...?	Have you received a... in my name?	'hæv ju ri'si:vd ə... in mai 'neim
čekį	cheque / check	ček
[pašto, telegrafo] perlaidą?	[postal, telegraph] money order	['poustl, 'teligra:f] 'mani o:də
Kuris langelis?	Which counter should I go to?	'wič 'kauntə šəd ai 'gou tu?
Koks... keitimo kursas?	What is the rate of exchange for...?	'wɔt iz ðə reit əv iks'čeindž fə...?

JAV dolerių	US dollars	'ju: es 'dɔləz
svarų sterlingų	pounds sterling	'paundz 'stə:liŋ
Prancūzijos frankų	French francs	'frenč 'fræŋks
Vokietijos markių	German marks	'džə:mən 'ma:ks
Ispanijos pesetų	Spanish pesetas	'spæniš pe'setəz
Kiek imate komisinių?	How much is the commission?	hau 'mač iz ðə kə'mišn?
Štai mano...	Here is ...	'hiər iz...
pasas	my passport	mai 'pa:spo:t
muitinės deklaracija	my customs declaration	mai 'kastəmz deklə-'reišn
Kur pasirašyti?	Where should I sign?	'wéə šəd ai 'sain?
Prašom duoti man valiutos keitimo kvitą	Please give me a receipt for the curency exchange	'pli:z 'giv mi ə ri'si:t fə ðə 'karənsi iks'čeindž
Ar galėtumėt pakeisti šį 50 dolerių banknotą po5 dolerius, ar smulkiau?	Can you give me change for this fifty-dollar bill in five-dollar bills or smaller?	'kæn ju giv mi 'čeindž fə ðis 'fiftidələ 'bil in 'faivdələ 'bilz o: 'smo:lə?

Pinigai	**Money**	'mani
Didžioji Britanija	Great Britain	greit 'britn
100 pensų = 1 svaras	100 pence (100 p) = 1 pound £	ə 'handrəd 'pens 'i:kwəlz 'wan 'paund
Monetos	*Coins*	'kɔinz
1/2 penso	1/2 a halfpenny	ə 'heipni
1 pensas	1 p a penny; one p coin	ə 'peni; wan 'pi: kɔin
2 pensai	2 p twopence; twopenny piece / coin	'tapəns; 'tapni 'pi:s / 'kɔin
5 pensai	5 p five pence; fivepenny piece / coin	'faiv 'pi:; 'faifpəns; 'faifpəni 'pi:s / 'kɔin

53

10 pensų	10 p ten pence; ten-penny piece / coin	'tenpəns; 'tenpəni 'pi:s / 'kɔin
50 pensų	50 p fifty pence; fifty-pence piece / coin	'fifti 'pens; 'fiftipəns 'pi:s / 'kɔin
1 svaras	Ê 1 a pound	ə 'paund
Banknotai	*Notes; Paper money*	'nouts; 'peipə 'mani
5, 10, 20, 50 svarų	£ 5, £ 10, £ 20, £ 50 five, ten, twenty, fifty pounds	'faiv, 'ten, 'twenti, 'fifti 'paundz

J A V	U S A	ju: es 'ei
100 centų = 1 doleris	100 cents (100 c) = 1 dollar ($ 1)	ə 'handrəd 'sents 'i:kwəlz 'wan 'dɔlə
Monetos	*Coins*	kɔinz
1 centas	1 c a cent; a penny	ə 'sent; ə 'peni
5 centai	5 c five cents; a nickel	'faiv 'sents; ə 'nikl
10 centų	10 c ten cents; a dime	'ten sents; ə 'daim
25 centai	25 c twenty-five cents; a quarter	twenti'faiv sents; ə 'kwo:tə
50 centų	50 c fifty cents; a half dollar	'fifti sents; ə 'ha:f 'dɔlə
1 doleris	a dollar	ə 'dɔlə
Banknotai	*Notes; Paper money*	'nouts; 'peipə 'mani
1 doleris	$ 1 a dollar bill	ə 'dɔlə bil
2, 5, 10, 20, 100 dolerių	ε 2, ε 5, ε 10, ε 20, ε 100 a two, five, ten, twenty, hundred dollar bill	ə tu:, 'faiv, 'ten, 'twenti, 'handrəd 'dɔlə bil

Matai. Measure ['meʒə].
Britų (DB) ir amerikiečių (JAV) atitikmenys metrinėje sistemoje

Ilgio matai
Linear Measure

1 league (nautical, sea) jūrų lyga = 5,56 km
1 league (land, statute) statutinė lyga = 4,83 km
1 International Nautical Mile (INM) jūrmylė = 1,852 km
1 mile (land, statute) (ml) mylia (statutinė) = 1,609 km
1 yard (yd) jardas = 91,44 cm
1 foot (ft) pėda = 30,48 cm
1 inch (in.) colis = 2,54 cm

Ploto matai
Square Measure

1 township taunšipas (JAV) = 93,24 km²
1 square mile (ml²) kv. mylia = 259 ha = 2,59 km²
1 acre (a.) akras = 0,405 ha
1 are (a.) aras (JAV) = 100 m²
1 square yard (yd²) kv. jardas = 0,836 m²
1 square foot (ft²) kv. pėda = 925 cm²
1 square inch (in.²) kv. colis = 6,45 cm²

Svorio matai
Weight Measure

1 ton(ne) (tn) didžioji tona = 1016 kg
1 ton(ne) (sh.tn) mažoji tona = 907,18 kg
1 ton(ne) metrinė tona = 1000 kg
1 hundredweight (cwt) didysis centneris = 50,8 kg
1 hundredweight (cwt) mažasis centneris = 45,36 kg
1 quarter (gross) didysis ketvirtis = 12,7 kg
1 quarter mažasis ketvirtis = 11,34 kg
1 stone stounas = 6,35 kg
1 pound (lb) svaras = 453,59 gr
1 ounce (oz) uncija = 28,35 gr
1 drachm, dram (dr) drachma = 1,772 gr
1 grain greinas = 64,8 mg

Skysčių matai
Liquid Measure

1 barrel (bbl) barelis = 190,9 l
1 barrel (for liquids) barelis (skysčių) = 163,6 l (DB), 119,2 l (JAV)
1 barrel (for crude oil) barelis (naftos žaliavai) = 158,988 l (DB), 138,97 l (JAV)
1 gallon (gal) galonas = 4,546 l (DB), 3,785 l (JAV)
1 quart (qt) kvorta = 1,14 l (DB); 0,946 l (JAV)
1 pint (pt) pinta = 0,75 l (DB); 0,47 l (JAV)
1 fluid drachm, dram (fl dr) skysčių drachma = 3,55 ml (DB); 2,96 ml (JAV)
1 fluid ounce (Floz) skysčių uncija = 28,4 ml (DB); 29,57 ml (JAV)

Biralų matai
Dry Measure

1 quarter ketvirtis = 291 l
1 bushel (bu) bušelis = 36,35 l (DB); 35,2 l (JAV)
1 gallon (gal) galonas = 4,546 l (DB); 3,785 l (JAV)
1 quart (qt) kvorta = 1,032 l (DB); 1,14 l (JAV)
1 pint pinta = 0,568 l (DB); 0,551 l (JAV)
1 barrel (bbl) barelis = 163,6–181,71 l (DB); 117,3–158,98 l (JAV)

Temperatūra
Temperature

Verčiant F° (Farenheito) į C° (Celsijaus), iš F° dydžio atimama 32 ir gautasis skaičius dauginamas iš 5/9.
Verčiant C° į F°, C° dydis dauginamas iš 9/5 ir prie gautojo skaičiaus pridedama 32.

Oras	The Weather	ðə ˈweðə
audra	storm	stoːm
dangus	sky	skai
debesis	cloud	klaud
debesuota	cloudy	ˈklaudi
drėgmė	dampness	ˈdæmpnis
drėgnas	damp	dæmp
dulksna	drizzle	ˈdrizl

56

griaustinis	thunder	'θandə
karštas	hot	hɔt
karštis	heat	hi:t
ledas	ice	ais
lietus	rain	rein
oras (orai)	weather	'weðə
orų prognozė	weather-forecast	'weðəfo:ka:st
perkūnija	thunderstorm	'θandəsto:m
rūkas	mist	mist
tirštas rūkas	fog	fɔg
saulė	sun	san
sniegas	snow	snou
šaltis	frost	frɔst
šiluma	warmth	wo:mθ
šlapdriba	sleet	sli:t
temperatūra	temperature	'temprəčə
vėjas	wind	wind
žaibas	lightning	'laitniŋ

Šiandien... oras	It's ... weather today	its... 'weðə tə'dei
geras	fine	'fain
blogas	bad	'bæd
apsiniaukęs	gloomy	'glu:mi
saulėtas	sunny	'sani
sausas	dry	'drai
lietingas	rainy	'reini
baisus	dreadful	'dredful

Šiandien...	It's ... today	its... tə'dei
šalta	cold	'kould
šilta	warm	'wo:m
vėsu	cool	'ku:l
karšta	hot	'hɔt
drėgna	damp	'dæmp

Kaip karšta!	How hot!	'hau 'hɔt!
Šviečia saulė	The sun is shining	ðə 'san iz 'šainiŋ
Noriu pasėdėti saulėje (pavėsyje)	I'd like to sit in the sun (in the shade)	aid 'laik tə 'sit in ðə 'san (in ðə 'šeid)

57

Dangus giedras	The sky is clear	ðə 'skai iz 'kliə
Rūkas	It's foggy	its 'fɔgi
Lyja	It's raining	its 'reiniŋ
Dulksnoja	It's drizzling	its 'drizliŋ
Pila lietus	It's pouring	its 'po:riŋ
Griaudžia	There's a thunderstorm	ðêəz ə 'θandəsto:m
Žaibuoja	There's a lightning storm	ðêəz ə 'laitniŋ sto:m
Pučia stiprus vėjas	A strong wind is blowing	ə 'strɔŋ 'wind iz 'blouiŋ
Pučia švelnus vėjelis	There's a breeze	ðêəz ə 'bri:z
Sninga	It's snowing	its 'snouiŋ
Šlapdriba	It's sleeting	its 'sli:tiŋ
Atlydys	It's thawing	its 'θo:iŋ
(Stipriai) šąla	It's freezing (hard)	its 'fri:ziŋ ('ha:d)
Kokia šiandien oro (vandens) temperatūra?*	What is the air (the water) temperature today?	'wɔt iz ði 'êə (ðə 'wo:tə) 'temprəčə tə'sei?
Šiandien +10°C	Today it's ten degrees Centigrade above zero	tə'dei its 'ten di'gri:z 'sentigreid ə'bav 'ziərou
Šiandien 35°C šešėlyje	Today it's thirtyfive degrees Centigrade in the shade	tə'dei is θə:ti'faiv di'gri:z 'sentigreid in ðə 'šeid
Šiandien -10°C	Today it's ten degrees Centigrade below zero	tə'dei its 'ten di'gri:z 'sentigreid bi'lou 'ziərou

*Nors angliškai kalbančiose šalyse jau oficialiai ir priimta temperatūrą matuoti pagal Celsijų (C), tačiau praktikoje dar tebevartojama Farenheito (F) skalė (0°C=32°F; 100°C=212°F; 0°F=-17,8°C).

Kokia orų prognozė rytdienai?	What is the weather forecast for tomorrow?	'wɔt iz ðə 'weðə 'fo:ka:st fə tə'mɔrou?
Laukiama... gražaus oro debesuoto su pra-giedruliais oro nepastovaus oro	It's going to be ... fine cloudy with clearing skies changeable	its 'gouiŋ tə bi... 'fain 'klaudi wið 'kliəriŋ 'skaiz 'čeindžəbl
Oras pasitaisys (pablo-gės)	The weather is going to get better (worse)	ðə 'weðər iz gouiŋ tə 'get 'betə (we:s)
Temperatūra pakils (nukris)	The temperature is going up (down)	ðə 'temprəčər iz gouiŋ 'ap ('daun)
Kokie orai būna Anglijoje pavasarį?	What is the weather like in spring in England?	'wɔt iz ðə 'weðə 'laik in 'spriŋ in 'iŋglənd?
Paprastai švelnūs, bet kartais sninga ir šąla net balandį	It's usually mild, but sometimes we have snow and frost even in April	its 'ju:žuəli 'maild, bət 'samtaimz wi hæv 'snou ənd 'frɔst i:vn in 'eiprəl
Ar čia vasarą labai karšta?	Is it very hot here in summer?	'iz it 'veri 'hɔt hier in 'samə?
Kartais taip, bet ne per dažniausiai	Sometimes it is, but not very often	'samtaimz it 'iz, bət 'nɔt veri 'ɔfn
Ar pas jus būna daug gražių dienų rudenį?	Do you have many good days in autumn / *amer.* fall?	'du: ju hæv 'meni 'gud 'deiz in 'o:təm / 'fo:l?
Dažniausiai taip	Yes, as a rule	'jes, əz ə 'ru:l
Rugsėjis dažnai puikus mėnuo	September is often a beautiful month	sep'tember iz 'ɔfn ə 'bju:tifl 'manθ
O kokie orai pas jus žiemą?	What sort of weather do you have in winter?	'wɔt 'so:t əv 'weðə də ju 'hæv in 'wintə?
Tai lyja, tai sninga	Sometimes it rains here, sometimes it snows	'samtaimz it 'reinz hiə, 'samtaimz it 'snouz

Juk pas jus nelabai šalta žiemą, tiesa?	It is not very cold here in winter, is it?	it iz 'nɔt veri 'kould hiər in 'wintə, 'iz it?
Ne, nešalta, retai užšąla upės, ežerai	No, and rivers and lakes hardly ever freeze [over]	'nou, ənd 'rivəz ənd 'leiks 'ha:dli 'evə 'fri:z ['ouvə]

Vieta. Kryptis

Vieta. Kryptis	**Whereabouts. Directions**	wèərə'bauts. di'rekšns
Kur?	Where?	wèə
Čia	Here	hiə
Už kampo	Round the corner	'raund ðə 'ko:nə
Toli nuo čia	Far from here	'fa: frəm hiə
Greta	Near by	niə 'bai
Visur	Everywhere	'evriwèə
Niekur	Nowhere	'nouwèə
Prie pat viešbučio	Next to the hotel	'nekst tə ðə hou'tel
Kur buvai?	Where have you been?	'wèə həv ju: 'bi:n?
Prekybos centras kairėje	The supermarket is on the left	ðə sju:pəma:kit iz ɔn ðə left
Restoranas dešinėje	The restaurant is on the right	ðə 'restrɔnt iz ɔn ðə 'rait
Jis mūsų laukia šioje (kitoje) gatvės pusėje	He's waiting for us on this (that) side of the street	hi:z 'weitiŋ fər as ɔn ðis ('ðæt) 'said əv ðə 'stri:t
Kur susitiksime?	Where shall we meet?	'wèə šəl wi 'mi:t?
Autobuso stotelėje	At the bus stop	ət ðə 'bas stɔp
Aikštėje	In the square	in ðə 'skwèə
Prie paminklo	Near the monument	niə ðə 'mɔnjumənt
Prie sankryžos	At the crossing	ət ðə 'krɔsiŋ

60

Lithuanian	English	Pronunciation
Lauksime jūsų prie (gatvės) kampo (prie kasos)	We'll be waiting for you on the street corner (near the cash desk)	wi:l bi: 'weitiŋ fə ju: ɔn ðə 'stri:t ko:nə (niə ðə 'kæš desk)
Kur einate (vykstate)?	Where are you going to?	'wèər a: ju 'gouiŋ tu?
Einu...	I'm going...	aim 'gouiŋ...
namo	home	houm
į viešbutį	to the hotel	tə ðə hou'tel
apsipirkti	shopping	'šɔpiŋ
Mes vykstame į...	We are going to...	wi: a: 'gouiŋ tu...
Čikagą	Chicago	ši'ka:gou
Mančesterį	Manchester	'mænčəstə
Pasukite į dešinę (kairę) ir po to eikite tiesiai Pasikelkite į antrą / amer. trečią aukštą	Turn right (left) and then go staight ahead Go up to the second (BrE) / third (amer.) floor	'tə:n 'rait ('left) ənd 'ðən 'gou 'streit ə'hed 'gou 'ap tu ðə 'sekənd / 'θə:d 'flo:
Atsiprašau. Ar aš teisingai einu į...	Excuse me. Is this the right way to...	iks'kju:z mi: 'iz ðis ðə 'rait 'wei tu...
Britų muziejų	British Museum	'britiš mju'ziəm
Karnegi Hok	Carnegy Hall	'ka:nəgi 'ho:l
Eikite iki sankryžos ir po to pasukite į kairę	Go as far as the crossing and turn left	'gou əz 'fa:r əz ðə 'krɔsiŋ ənd 'tə:n 'left

Spalvos / Colours / 'kaləz

Spalvos	Colours	'kaləz
baltas	white	wait
bronzinis	bronze	brɔnz
geltonas	yellow	'jelou
juodas	black	blæk
mėlynas	blue	blu:
oranžinis	orange	'ɔrindž
pilkas	grey	grei
raudonas	red	red
rausvas	pink	piŋk
rudas	brown	braun

61

skaisčiai raudonas	scarlet	'ska:lit
šviesiai rudas	tan	tæn
šviesiai violetinis	lilac	'lailək
tamsiai mėlynas	navy blue	'neivi blu:
violetinis	violet, purple	'vaiələt, 'pə:pl
žalias	green	gri:n
žydras	light blue	'lait blu:

Savybės	**Qualities**	'kwɔlitiz
apskritas	round	raund
aštrus	sharp	ša:p
aukštas	high; (*apie ūgį* tall)	hai; to:l
blogas	bad	bæd
bukas (*neaštrus*)	blunt	blant
didelis (*stambus*)	big, large	big, la:dž
drėgnas	wet	wet
geras	good	gud
gyvas	alive	ə'laiv
gražus	beautiful	'bju:tifl
ilgas	long	lɔŋ
jaunas	young	jaŋ
karštas	hot	hɔt
kartus	bitter	'bitə
kietas	hard	ha:d
lengvas	light, easy	lait, 'i:zi
margas	motley; multicoloured	'mɔtli; malti'kaləd
mažas	small, little	smo:l, litle
minkštas	soft	sɔft
naujas	new	nju:
niūrus	gloomy	'glu:mi
pigus	cheap	či:p
pilnas	full	ful
riebus	fat	fæt
rūgštus	sour	'sauə
saldus	sweet	swi:t
sausas	dry	drai
senas	old	ould

silpnas	weak	wi:k
skaistus	bright	brait
skystas	liquid	'likwid
šaltas	cold	kould
šiltas	warm	wo:m
švarus	clean	kli:n
šviesus	light	lait
šviežias	fresh	freš
tamsus	dark	da:k
tankus	thick	θik
trumpas	short	šo:t
tuščias	empty	'empti
vėsus	cool	ku:l
žemas	low	lou

Signs	sainz	**Iškabos. Užrašai**
CAREFUL!	'kèəfl!	Dėmesio!
STOP!	'stɔp!	Stok!
PEDESTRIAN CROS-SING	pi'destriən 'krɔsiŋ	Perėja
BUS (TROLLEYBUS, TRAM) STOP	'bas ('trɔlibas, 'træm) 'stɔp	Autobuso (troleibuso, tramvajaus) stotelė
POST-OFFICE	'poustɔfis	Paštas
TAXI STAND	'tæksi stænd	Taksi stotelė
LOOK RIGHT; WATCH / MIND THE TRAFFIC!	'luk 'rait!; 'wɔč / 'maind ðə 'træfik!	Saugokis automobilio!
ENTRANCE	'entrəns	Įėjimas
EXIT	'eksit	Išėjimas
NO EXIT	'nou 'eksit	Uždrausta išeiti
EMERGENCY EXIT	i'mə:džənsi 'eksit	Atsarginis išėjimas
GROUND-FLOOR (FIRST FLOOR, SE-	'graundflo: ('fə:st flo:, 'sekənd flo:);	Pirmas aukštas (antras aukštas, trečias aukš-

COND FLOOR); *amer.* FIRST (SECOND, THIRD) FLOOR	'fə:st ('sekənd, 'θə:d) flo:	tas)
BOOKING OFFICE	'bukiŋ ɔfis	Kasa
BOX-OFFICE	'bɔksɔfis	Teatro kasa
ADVANCE BOOKING OFFICE	ə'dva:ns 'bukiŋ 'ɔfis	Išankstinio bilietų pardavimo kasa
INQUIRY OFFICE	in'kwaiəri 'ɔfis	Informacija
WAITING ROOM	'weitiŋ rum	Laukiamasis [kambarys]
SMOKING ROOM	'smoukiŋ rum	Rūkomasis [kambarys]
LIFT / *amer.* ELEVATOR	lift / 'eliveitə	Liftas
GENTLEMEN; MEN'S ROOM	'džentlmən; 'menz rum	Vyrų tualetas
LADIES; LADIES' ROOM	'leidiz; 'leidiz rum	Moterų tualetas
NO ADMISSION!	'nou əd'mišn!	Įeiti draudžiama
UNAUTHORIZED PERSONS NOT ADMITTED	'an'o:θəraizd 'pə:snz 'not əd'mitid	Pašaliniams įeiti draudžiama
NO SMOKING!	'nou 'smoukiŋ!	Rūkyti draudžiama!
WET PAINT!	'wet 'peint!	Atsargiai, dažyta!
FIRST AID	fə:st 'eid	Greitoji pagalba
FIRST AID STATION	fə:st 'eid 'steišn	Medpunktas
IN EVENT / *amer.* CASE OF FIRE DIAL...	in i'vent / 'keis əv 'faiə 'daiəl...	Gaisro atveju skambinti...
UNDERGROUND / TUBE / *amer.* SUBWAY	'andəgraund / 'tju:b / 'sabwei	Metro
TO THE TRAINS	tə ðə 'treinz	Į traukinius

64

THIS TRAIN IS TO OX-FORD	'ðis 'trein iz tə 'ɔksfəd	Šis traukinys eina į Oksfordą
WAY OUT; EXIT TO STREET	'wei 'aut; 'eksit tə 'stri:t	Išėjimas į miestą
TICKET MACHINES	'tikit məši:nz	Automatinės kasos
ON (OFF)	'ɔn ('o(:)f)	Įjungta (išjungta)
INSERT THREE-PENCE (SIXPENCE)	in'sə:t θre'pəns ('sikspəns)	Įmeskite tris pensus (šešis pensus)
IF NO TICKET APPE-ARS, PRESS BUTTON TO RECOVER MO-NEY	if 'nou 'tikit ə'piəz, 'pres 'batn tə ri'kavə 'mani	Jei bilietas neišsoks, paspauskite mygtuką pinigams susigrąžinti
HALT ON RIGHT, PASS ON LEFT	'ho:lt ɔn 'rait, 'pa:s ɔn 'left	Stovėkite dešinėje, ei-kite kaire puse
RUNNING DOWN THE ESCALATOR PROHIBITED	'raniŋ 'daun ði 'es-kəleitə prə'hibitid	Bėgioti eskalatoriumi draudžiama
KEEP CLEAR OF THE DOORS	'ki:p 'kliər əv ðə 'do:z	Nestovėkite prie durų
EMERGENCY BRAKE	i'mə:džənsi 'breik	Avarinis stabdys
FOR PASSENGERS WITH CHILDREN	fə 'pæsindžəz wið 'čildrən	Keleiviams su vaikais
AFTER THE THIRD BELL THE DOORS WILL BE CLOSED	'a:ftə ðə 'θə:d 'bel ðə 'do:z wil bi 'klouzd	Po trečio skambučio durys uždaromos
CLOSED	klouzd	Uždaryta
OPEN	'oupn	Atidaryta
PULL	pul	Traukti (*apie duris*)
PUSH	puš	Stumti
DETOUR	di'tuə	Apvažiavimas

CHEMIST'S / *amer.* DRUGSTORE	'kemists / 'dragsto	Vaistinė
ENGAGED	in'geidžd	Užimta
VACANT	'veikənt	Laisva
NO SWIMMING	'nou 'swimiŋ	Maudytis draudžiama

ATVYKIMAS. IŠVY-KIMAS	**ARRIVALS AND DE-PARTURES**	
Kelionė traukiniu	**Travelling by Train**	'trævliŋ bai 'trein
atvykimas	arrival	ə'raivl
bagažas	luggage; *amer.* baggage	'lagidž; 'bægidž
bagažo kortelė	luggage-tag / lugga-ge-label	'lagidžtæg / 'lagidž-leibl
bagažo skyrius	luggage / *amer.* bag-gage department	'lagidž / 'bægidž di-'pa:tmənt
bagažo vagonas	luggage / *amer.* bag-gage van	'lagidž / 'bægidž væn
bagažo vienetas	piece [of luggage / *amer.* baggage]	'pi:s [əv 'lagidž / 'bæ-gidž]
bagažo saugojimo kamera	left luggage / *amer.* baggage office	'left 'lagidž / 'bægidž ɔfis
bilietas	ticket	'tikit
durys	door	do:
ekspresas	express train	ik'spres trein
geležinkelis	railway; *amer.* railroad	'reilwei; 'reilroud
geležinkelio stotis	railway / *amer.* rail-road station	'reilwei / 'reilroud 'steišn
greitis	speed	spi:d
informacija	inquiry office; infor-mation	in'kwaiəri ɔfis; infə-'meišn
išvykimas	departure	di'pa:čə
išvykimo laikas	time of departure	'taim əv di'pa:čə
kasa	booking / *amer.* ticket office	'bukiŋ / 'tikit ɔfis

keleivis	passenger	'pæsindžə
kelionė	journey	'džə:ni
kupė	compartment	kəm'pa:tmənt
lagaminas	suitcase	'su:tkeis
laukiamasis [kamba-rys]	waiting-room	'weitiŋrum
miegamoji vieta	berth	bə:θ
nešikas	porter	'po:tə
patalynė	bedding	'bediŋ
palydovas	conductor / guard	kən'daktə; ga:d
peronas	platform	'plætfo:m
persėdimas	change	čeindž
stotis	station	'steišn
stoties viršininkas	station-master	'steišnma:stə
sustojimas	stop	stɔp
tiltas	bridge	bridž
traukinys	train	trein
elektrinis traukinys	electric train	i'lektrik trein
greitasis traukinys	fast train	'fa:st trein
keleivinis traukinys	passenger train	'pæsindžə trein
priemiestinis trau-kinys	shuttle train	'šatl trein
tunelis	tunnel	'tanl
tvarkaraštis	time-table	'taimteibl
upė	river	'rivə
vagonas	carriage; amer. car	'kæridž; ka:
minkštasis vagonas	sleeping-car; sleeper	'sli:piŋka:; 'sli:pə
vieta	seat	si:t

Kurie traukiniai eina į...?	What trains are there to...?	'wɔt 'treinz 'a: ðèə tə...?
Londoną	London	'landən
Niujorką	New York	'nju: 'jo:k
Torontą	Toronto	tə'rɔntou

| Kada išvyksta (atvyks-ta) traukinys ...? | What time does the train ... leave (arrive)? | 'wɔt 'taim dəz ðə 'trein... 'li:v (ə'raiv)? |

| Kiek trunka kelionė iki...? | How long does the trip to ... take? | 'hau 'lɔŋ dəz ðə 'trip tə... 'teik? |

Lydso	Leeds	'li:dz
Mančesterio	Manchester	'mænčistə
Čikagos	Chicago	ši'kægou

Kada traukinys atvyksta į...?	When does the train arrive at...?	'wen dəz ðə 'trein ə'raiv ət...?
Glazgą	Glasgow	'glæzgou
Birmingemą	Birmingham	'bə:miŋəm
Losandželą	Los Angeles	lɔs 'ændžili:z

| Kur yra tvarkaraštis? | Where is the timetable / amer. schedule? | 'wêər iz ðə 'taimteibl / 'skedju:l? |

| Ar į Vašingtoną eina tiesioginis traukinys, ar reikia persėsti? | Is there a through train for Washington or do I have to change? | 'iz ðêər ə 'θru: trein fə 'wɔšiŋtən o: 'du: ai 'hæv tə 'čeindž? |

| Kur reikia persėsti? | Where do I have to change? | 'wêə du ai 'hæv tə 'čeindž? |

| Kur yra kasa? | Where is the booking / amer. ticket office? | 'wêər iz ðə 'bukiŋ / 'tikit ɔfis? |

| Kur aš galiu pasidėti bagažą? | Where can I check my luggage / amer. baggage? | 'wêə kən ai 'ček mai 'lagidž / 'bægidž? |

| Iš kokios platformos išvyksta traukinys...? | What platform does the train ... leave from? | 'wɔt 'plætfo:m dəz ðə 'trein... 'li:v frɔm? |

| Kaip patekti į platformą Nr. ...? | How do I get to platform No ...? | 'hau du ai 'get tə pl'ætfo:m nambə(r)...? |

Kiek kainuoja bilietas tarptautiniame (pirmos, antros klasės) vagone iki...?	How much does an international (a first-class, a second-class) ticket to... cost?	'hau 'mač dəz ən intə'næšnəl (ə 'fə:stkla:s, ə 'sekəndkla:s) 'tikit tə... 'kɔst?
Lydso	Leeds	'li:dz
Paryžiaus	Paris	'pæris
Toronto	Toronto	tə'rɔntou

| Kiek laiko liko iki traukinio išvykimo? | How long is it before the train leaves? | 'hau 'lɔŋ 'iz it bifo: ðə 'trein 'li:vz? |

Prašom parodyti mano vietą	Please show me my seat	'pli:z 'šou mi mai 'si:t
Ar ši vieta laisva?	Is this seat taken / free?	'iz ðis 'si:t 'teikən / 'fri:?
Kur palydovas?	Where's the conductor?	'wèəz ðə kən'daktə?
Ar mano vieta apatinė, ar viršutinė?	Which is mine – the lower or the upper berth?	'wič iz 'main – ðə 'louər o: ði 'apə bə:θ?
Aš norėčiau pereiti į kitą kupė	I'd like to change to another compartment	aid 'laik tə 'čeindž tu ə'naðə kəm'pa:tmənt
Aš norėčiau apatinės (viršutinės) vietos	I'd like the lower (upper) berth, please	aid 'laik ðə 'louə ('apə) bə:θ, pli:z
Prašom...	Please...	pli:z...
duoti man dar vieną antklodę	bring me an extra blanket	'briŋ mi: ən 'ekstrə 'blæŋkit
pažadinti mane valandą (pusvalandį) prieš atvykstant į...	wake me up an hour (half an hour) before we arrive at...	'weik mi: 'ap ən 'auə ('ha:f ən 'auə) bifo: wi: ə'raiv ət...
atnešti stiklinę arbatos	bring me a cup of tea	'briŋ mi: ə 'kap əv 'ti:
Jūs neprieštarausite, jeigu aš...?	Do you mind if I ...?	'du: ju 'maind if ai ...?
įjungsiu (išjungsiu) ventiliatorių	open (shut) the ventilator	'oupən ('šat) ðə 'ventileitə
įjungsiu (išjungsiu) šviesą	put on (put out) the light	'put 'on ('put 'aut) ðə 'lait
įjungsiu (išjungsiu) radiją	switch / turn on (switch / turn off) the radio	'swič / 'tə:n 'on ('swič / 'tə:n 'o[:]f) ðə 'reidiou
Kokia kita stotis?	What is the next station?	'wot iz ðə 'nekst 'steišn?
Koks šios stoties pavadinimas?	What's the name of this station?	'wots ðə 'neim əv 'ðis 'steišn?

Kiek minučių čia stovi traukinys?	How long do we stop here?	'hau 'lɔŋ də wi 'stɔp hiə?
Kur vagonas-restoranas?	Where's the dining-car?	'wéəz ðə 'dainiŋka:?
Mes pavėlavome į traukinį	We have missed the train	wi həv 'mist ðə 'trein
Kada atvyks kitas traukinys?	When is the next train due?	'wen iz ðə 'nekst trein dju:?
Kur bagažo skyrius?	Where is the luggage / *amer.* baggage office?	'wéər iz ðə 'lagidž / 'bægidž ɔfis?
Kur galima būtų atiduoti (atsiimti) bagažą?	Where can I check (get) my luggage / *amer.* baggage?	'wéə kən ai 'ček ('get) mai 'lagidž / 'bægidž?
Prašom pakviesti nešiką	Call the porter, please	'ko:l ðə 'po:tə, pli:z
Štai mano bagažas	Here is my luggage / *amer.* baggage	'hier iz mai 'lagidž / 'bægidž
Prašom atsargiai elgtis su šia dėže (su šiuo lagaminu)	Be careful with this box (this suitcase)	'bi: 'kèəfl wið 'ðis 'bɔks ('ðis 'su:tkeis)
Prašom padėti mano daiktus čia	Put my things down here, please	'put mai 'θiŋz 'daun 'hiə, pli:z
Nuneškite šiuos lagaminus į...	Take these suitcases to...	'teik ði:z 'su:tkeisiz tə...
traukinį...	train...	'trein...
vagoną Nr. ...	carriage / *amer.* car No...	'kæridž / 'ka: nambə[r]...
autobusą	the bus	ðə 'bas
taksi	the taxi	ðə 'tæksi
Atiduokite šiuos daiktus į bagažo vagoną	please put these things in the luggage / *amer.* baggage van	'pli:z 'put 'ði:z 'θiŋz in ðə 'lagidž / 'bægidž væn

Aš noriu palikti saugoti...	I'd like to leave this ... in the luggage / *amer.* baggage office	aid 'laik tə 'li:v ðis ... in ðə 'lagidž / 'bægidž ɔfis
šį lagaminą	suitcase	'su:tkeis
šį paketą	package	'pækidž
šią dėžutę	box	'bɔks
Prašom atiduoti mano bagažą	Please give me my things	pli:z 'giv mi mai 'θiŋz
Štai mano bagažo kvitas	Here's the receipt for my luggage / *amer.* baggage	'hiəz ðə ri'si:t fə mai 'lagidž / 'bægidž
Ar jau galima lipti į traukinį...?	Have they announced the boarding of train ... yet?	'hæv ðei ə'naunst ðə 'bo:diŋ əv 'trein ... jet?
Iš kur šis traukinys?	Where is the train from?	'wêər iz ðə 'trein 'frɔm?
Ar šis traukinys į...?	Is this train for ...?	'iz ðis 'trein fə...?
Kur vagonas Nr. ...?	Where is carriage / *amer.* car No ...?	'wêər iz 'kæridž / 'ka: nambə[r]...?
Ar tai vagonas Nr. ...?	Is this carriage / *amer.* car No ...?	'iz ðis 'kæridž / 'ka: nambə[r]...?

Kelionė laivu

Kelionė laivu	**Travelling by Ship**	'trævliŋ bai 'šip
banga	wave	weiv
bortas	side	said
denis	deck	dek
viršutinis denis	promenade / upper deck	'prɔmina:d / 'apə dek
ekipažas	crew	kru:
gelbėjimo liemenė	life-belt	'laifbelt
gelbėjimo ratas	life-buoy	'laifbɔi
gelbėjimo valtis	life-boat	'laifbout
iliuminatorius	porthole	'po:thoul
inkaras	anchor	'æŋkə

71

jūra	sea	si:
jūros liga	seasickness	'si:siknis
jūreivis	sailor	'seilə
kajutė	cabin	'kæbin
kapitonas	captain	'kæptin
kapitono padejėjas	1st mate	'fə:st 'meit
keleivis	passenger	'pæsindžə
kelionė (laivu)	voyage	'vɔiidž
krantas	shore	šo:
krantinė	quay; amer. pier	lwei; piə
laivas	ship, boat, liner	šip, bout, 'lainə
laivo priekis	bow	bau
laivagalis	stern	stə:n
locmanas	pilot	'pailət
padavėjas (laive)	steward	'stjuəd
sala	island	'ailənd
stiebas	mast	ma:st
supimas	tossing, rolling	'tɔsiŋ, 'rouliŋ
šezlongas	deck-chair	'dekčéə
štormas	storm	sto:m
šturmanas	navigator	'nævigeitə
švyturys	lighthouse	'laithaus
tiltelis	bridge	bridž
trapas	gangway, gangplank	'gæŋwei, 'gæŋplæŋk
turėklai	hand-rails	'hændreilz
uostas	harbour	'ha:bə
valtis	boat	'bout
vėjas	wind	wind
vėliava	flag	flæg

Kada išplaukia laivas į...?	When does the boat sail for ...?	'wen dəz ðə 'bout 'seil fə...?
Niujorką	New York	'nju: 'jo:k
Bostoną	Boston	'bɔstən
Kada laivas atplaukia?	When does the boat arrive?	'wen dəz ðə 'bout ə'raiv?
Mano bilietas ... kajutei	I've got a ticket for a... cabin	aiv 'gɔt ə 'tikit fər ə ... 'kæbin

72

liukso	de luxe	di 'laks
pirmos klasės	first-class	'fə:stkla:s
antros klasės	second-class	'sekəndkla:s

| Kada išplaukiame į ...? | When are we sailing to...? | 'wen a wi 'seiliŋ tə...? |

| Kiek trunka kelionė? | How long does the voyage last? | 'hau 'lɔŋ dəz ðə 'vɔiidž 'la:st? |

| Kada laivas atplaukia į Niujorką? | When does the liner arrive at New York? | 'wen dəz ðə 'lainər ə'raiv ət 'nju: 'jo:k? |

| Kur mano kajutė? | Where is my cabin? | 'wèər iz mai 'kæbin? |

Kur...?	Where is the...?	'wèər iz ðə...?
restoranas	restaurant	'restrɔnt
baras	bàr	'ba:
kirpykla	hairdresser's	'hèədresəz
biblioteka	library	'laibrəri
kinas	cinema; *amer.* the movies	'sinəmə; ðə 'mu:viz
tualetas	men's (ladies') room	'menz ('leidiz) rum

Kur galima ...?	Where can I...?	'wèə kən ai...?
išsivalyti kostiumą	take my suit for dry-cleaning	'teik mai 'su:t fə 'draikli:niŋ
gauti šezlongą	get a deck-chair	'get ə 'dekčèə
pažaisti stalo tenisą	play ping-pong	'plei 'piŋpɔŋ

| Norėčiau pasiųsti radiogramą | I'd like to send a radio-gram | aid 'laik tə 'send ə 'rei-diougræm |

| Mes jau atviroje jūroje | We are out in the open sea | wi: ar 'aut in ði 'oupən 'si: |

| Matomumas geras (blogas) | Visibility is good (poor) | vizə'biliti iz 'gud ('puə) |

| Vėjas stiprus (silpnas) | The wind is strong (light) | ðə 'wind iz 'strɔŋ ('lait) |

| Tirštas rūkas | Thick fog | 'θik 'fɔg |

| Jūra nerami | The sea is stormy | ðə 'si: iz 'sto:mi |

73

Aš lengvai (blogai) pakeliu supimą	I'm a good (bad) sailor	aim ə 'gud ('bæd) 'seilə
Nesijaučiu gerai	I don't feel well	ai 'dount 'fi:l 'wel
Prašom pakviesti gydytoją, man bloga	Please call the doctor, I feel seasick	'pli:z 'kɔ:l ðə 'dɔktə, ai 'fi:l 'si:sik
Kur galima rasti laivo gydytoją?	Where can I find the ship's doctor?	'wɛə kən ai 'faind ðə 'šips 'dɔktə?
Mes esame 10 mylių nuo kranto	We are ten miles off the coast	wi: a 'ten 'mailz 'o(:)f ðə 'koust
Kairėje (dešinėje) matyti krantas	You can see the coast on the left (on the right)	ju kən 'si: ðə 'koust ɔn ðə 'left (ɔn ðə 'rait)
Koks čia uostas?	What's this port called?	'wɔts ðis 'pɔ:t 'kɔ:ld?
Ar galima išlipti į krantą?	Can we go ashore?	'kæn wi 'gou ə'šo:?
Kiek laiko mes stovėsime uoste?	How long does this liner stay in port?	'hau 'lɔŋ dəz 'ðis 'lainə 'stei in 'pɔ:t?
Kur yra...?	Where is a ...?	'wɛər iz ə...?
gelbėjimo valtis	life-boat	'laifbout
gelbėjimo ratas	life-buoy	'laifbɔi

Kelionė lėktuvu — **Travelling by Plane** — 'trævliŋ bai 'plein

aerouostas	airport	'ɛəpɔ:t
avialinija	airline	'ɛəlain
diržai	[seat] belts	['si:t] belts
iliuminatorius	window	'windou
įgula	crew	kru:
keleivis	passenger	'pæsindžə
lakūnas	pilot	'pailət
lėktuvas	[aero]plane, airplane	[ɛərə]plein, 'ɛəplein
reaktyvinis lėktuvas	jet plane	'džet plein
maršrutas	route	ru:t
nutūpimas	landing	'lændiŋ

74

pakilimas	take-off	teik'o:f
propeleris	propeller	prə'pelə
reisas	flight	flait
skridimas be nutūpimo	non-stop flight	'nɔn'stɔp flait
sraigtasparnis	helicopter	'helikɔptə
stiuardesė	stewardess	'stjuədis
svoris	weight	weit
talonas	boarding-card	'bo:diŋka:d
trapas	gangway	'gæŋwei
viršsvoris	excess weight	ik'ses weit

Kuriomis dienomis skrenda lėktuvai į...?	On what days do planes leave for...?	ɔn 'wɔt 'deiz də 'pleinz 'li:v fə...?
Londoną	London	'landən
Vašingtoną	Washington	'wɔšiŋtən
Niujorką	New York	'nju: 'jo:k
Kada išskrenda lėktuvas reisu Nr. ...?	What is the departure time for flight No ...?	'wɔt iz ðə di'pa:čə taim fə 'flait nambə[r]...?
Kada lėktuvas atskris...?	When will the plane arrive at...?	'wen wil ðə 'plein ə'raiv ət...?
Kur lėktuvas pakeliui nusileidžia?	Where does the plane stop on the way?	'wɛə dəz ðə 'plein 'stɔp ɔn ðə 'wei?
Kiek kainuoja bilietas (vaikiškas bilietas) į ...?	What is the fare (for a child) to...?	'wɔt iz ðə 'fɛə (fər ə 'čaild) tə...?
Man reikia bilieto į Edinburgą, reisas Nr. ...	I want a ticket for the plane to Edinburgh, flight No...	ai 'wɔnt ə 'tikit fə ðə 'plein tu 'edinbərə, 'flait nambə[r]...
Ar turite laisvų vietų ... valandos lėktuvui į...?	Have you any vacancies on the ... o'clock plane to...?	'hæv ju eni 'veikənsiz ɔn ðə... ə'klɔk 'plein tə...?
Prašom man duoti du turistinius (pirmos klasės) bilietus į ..., reisas Nr. ...	Please give me two tourist-class (first-class) tickets to ..., flight No...	'pli:z 'giv mi 'tu: 'tuərist'kla:s ('fə:st'kla:s) 'tikits tə..., 'flait nambə[r]...

Kiek bagažo leidžiama vežti nemokamai?	How much luggage / *amer.* baggage is one allowed to take free of charge?	'hau mač 'lagidž / 'bægidž 'iz wan ə'laud tə 'teik 'fri: əv 'ča:dž?
Kiek mokama už bagažo viršsvorį?	What is the charge for excess luggage / *amer.* baggage?	'wɔt iz ðə 'ča:dž fər ik'ses 'lagidž / 'bægidž?
Kaip man patekti į aerouostą?	How do I get to the airport?	'hau du ai 'get tə ði 'éəpo:t?
Kiek trunka skridimas?	How long does the flight last?	'hau 'lɔŋ dəz ðə 'flait 'la:st?
Lėktuvas ... minučių vėluoja	The plane is ... minutes late	ðə 'plein iz ... 'minits 'leit
Kokiame aukštyje skrendame?	What is the altitude?	'wɔt iz ði 'æltitju:d?

Pasienio formalumai	**Border Formalities**	'bo:də fo:'mælitiz
antspaudas	stamp	stæmp
buvimo laikas	length of stay	'leŋθ əv 'stei
dokumentas	document	'dɔkjumənt
kelionė	trip	trip
turistinė kelionė	tourist trip	'tuərist trip
kelionės tikslas	purpose of the trip	'pe:pəs əv ðə 'trip
komandiruotė	business trip	'biznis trip
muitas	customs [duty]	'kastəmz ['dju:ti]
muitinė	customs	'kastəmz
muitinės apribojimai	customs restrictions	'kastəmz ri'strikšnz
muitinės apžiūra	customs formalities	'kastəmz fo:'mælitiz
muitinės deklaracija	customs declaration	'kastəmz deklə'reišn
muitinės taisyklės	customs regulations	'kastəmz regju'leišnz
muitininkas	customs oficer	'kastəmz 'ɔfisə
pasas	passport	'pa:spo:t
paso numeris	number of the passport	'nambər əv ðə 'pa:s-po:t

pasų tikrinimas	passport control	'pa:spo:t kən'troul
pilietybė	citizenship	'sitizənšip
profesija	profession	prə'fešn
siena	border	'bo:də
tarptautinis skiepijimo pažymėjimas	international vaccination certificate	intə'næšnl væksi'neišn sə'tifikət
užsienietis	foreigner	'fɔrənə
valiuta	currency	'karənsi
viza	visa	'vi:zə
išvažiavimo viza	exit visa	'eksit vi:zə
įvažiavimo viza	entry visa	'entri vi:zə
vizos pratęsimas	extension of visa	ik'stenšn əv 'vi:zə
Štai mano pasas ir viza	Here is my passport and visa	'hiər iz mai 'pa:spo:t ənd 'vi:zə
Kur muitinės kontrolė?	Where do I go through the customs?	'wɛə du ai 'gou 'θru: ðə 'kastəmz?
Štai mano daiktai	Here are my things	'hiər a mai 'θiŋz
Ar atidaryti lagaminą?	Must I open the suitcase?	'mast ai 'oupən ðə 'su:tkeis?
Turiu tik drabužių, tualetinius reikmenis, keletą pakelių cigarečių ir dėžutę šokolado, nieko, kas apmokestinama	I have only my clothes, toilet articles, a few packets of cigarettes and a box of chocolates, nothing dutiable	ai 'hæv 'ounli mai 'klouðz, 'tɔilit a:tiklz, ə 'fju: 'pækits əv sigə'rets ənd ə 'bɔks əv 'čɔklits, 'naθiŋ 'dju:tiəbl
Mano bagažas iš trijų vienetų	My luggage /amer. baggage consists of three pieces	mai 'lagidž / 'bægidž kən'sists əv θri: 'pi:siz
Kokį muitą aš turiu mokėti?	What duty must I pay?	'wɔt 'dju:ti məst ai 'pei
Tai mano asmeniški daiktai	These are my personal belongings / possessions	'ði:z a mai 'pə:sənl bi'lɔŋiŋz / pə'zešnz
Aš turiu leidimą įvežti (išvežti)	I have an import (export) licence	ai 'hæv ən 'impo:t ('ekspo:t) 'laisəns

Prašom pasakyti, ar šie daiktai apmokestinami?	Are these things dutiable?	'a: 'ði:z 'θiŋz 'dju:tiəbl?
Aš sumokėjau muitą	I have paid the duty	ai həv 'peid ðə 'dju:ti
Štai kvitas	Here is the receipt	'hiər iz ðə ri'si:t
Aš norėčiau pasiimti šį lagaminą	I'd like to take this suitcase	aid 'laik tə 'teik ðis 'su:tkeis

Svečių sutikimas — **Meeting the Guests** — 'mi:tiŋ ðə 'gests

atvykimas	arrival	ə'raivl
delegacija	delegation	deli'geišn
pažintis	acquaintance	ə'kweintəns
pa(si)sveikinimas	greeting	'gri:tiŋ
su(si)tikimas	meeting	'mi:tiŋ

Sveiki atvykę į...!	Welcome to...!	'welkəm tu...!
mūsų šalį	our country	auə 'kantri
mūsų miestą	our town / city	auə 'taun / 'siti

Leiskite prisistatyti	May I introduce myself?	'mei ai intrə'dju:s maiself?
Mano vardas ir pavardė...	My name is...	mai 'neim iz...
Aš (mes) atvykau (atvykome) iš Lietuvos	I (we) have come from Lithuania	ai (wi) həv 'kam frəm liθju:'einjə
Mes atvykome iš Vilniaus	We've come from Vilnius	wi:v 'kam frəm 'vilnjus
O jūs iš kur?	And where are you from?	ənd 'wɛər a 'ju: frɔm?

Mes (aš) atvykome...	We've (I've) come by...	wi:v (aiv) 'kam bai...
traukiniu	train	'trein
lėktuvu	air (plane)	'ɛə ('plein)
laivu	ship	'šip

| Mes (aš) atvykome su... delegacija | We've (I've) come with a delegation of... | wi:v (aiv) 'kam wiðə deli'geišn əv... |

78

žemės ūkio specialistų	agriculturalists / agronomists	ægri'kalčərəlists / ə'grɔnəmists
ekonomistų	economists	i:'kɔnəmists
jaunimo	youth	'ju:θ
studentų	students	'stju:dnts
mokytojų	teachers	'ti:čəz
sportininkų	sportsmen	'spɔ:tsmən
profsąjungų	trade unions	treid 'ju:njənz
mokslininkų	scientists	'saiəntists
Mes atvykome į Angliją (Jungtines Valstijas, Kanadą, Škotiją, Australiją)... kvietimu	We've come to England (the United States, Canada, Scotland, Australia) at the invitation of the...	wi:v 'kam tu 'iŋglənd (ðə ju:'naitid 'steits, 'kænədə, 'skɔtlənd, o(:)'streiliə) ət ði invi'teišn əv ðə...
Didžiosios Britanijos-Lietuvos draugijos Mokslų Akademijos	British-Lithuanian Society Academy of Sciences	'britiš-liθju:'einiən sə'saiəti ə'kædəmi əv 'saiənsiz
Mūsų delegacijoje šešiolika žmonių	There are sixteen people in our delegation	ðéər a 'siksti:n 'pi:pl in auə deli'geišn
Aš atvykau į Angliją (Jungtines Valstijas)...	I've come to England (the United States) ...	aiv 'kam tu 'iŋglənd (ðə ju:'naitid 'steits)...
kaip turistas	as a tourist	əz ə 'tuərist
kaip korespondentas	as a correspondent	əz ə kɔri'spɔndənt
aplankyti giminių	to see / visit my relatives	tə 'si: / 'vizit mai 'relətivz
stažuotis	on probation	ɔn prə'beišn
į mokslinę komandiruotę	on a scientific mission	ɔn ə saiən'tifik 'mišn
Aš seniai norėjau aplankyti jūsų šalį (miestą)	I have wanted to visit your country (city) for a long time	ai həv 'wɔntid tə'vizit jo: 'kantri ('siti) fər ə 'lɔŋ 'taim
Aš Anglijoje (Londone, Niujorke, čia) pirmą (antrą, trečią kartą)	This is my first (second, third) visit to Great Britain (to London, to New York, here)	'ðis iz mai 'fə:st ('sekənd, 'θə:d) 'vizit tə greit 'britn

79

Leiskite jums prista-tyti...	Let me introduce you to...	'let mi: intrə'dju:s ju tə...
mano žmoną	my wife	mai 'waif
mano draugą	my friend	mai 'frend
delegacijos narius	the members of our delegation	ðə 'membəz əv auə deli'geišn

VIEŠBUTIS	**HOTEL**	hou'tel
adresas	address	ə'dres
aukštas	floor	flo:
baras	bar	ba:
bufetas	buffet	'bufei; *amer.* bu'fei
durininkas	doorman	'do:mən
dušas	shower	'šauə
fotelis	armchair	'a:mčėə
kirpykla	hairdresser's	'hėədresəz
lemputė	(electric) bulb / lamp	(i'lektrik) 'balb / 'læmp
laikraščių kioskas	news-stand	'nju:zstænd
liftas	lift; *amer.* elevator	lift; 'eliveitə
kambarys	room	rum
dvivietis kambarys	double room	'dabl rum
vienvietis kambarys	single room	'siŋgl rum
nešikas	porter	'po:tə
pavardė	surname; last name	'sə:neim; 'la:st 'neim
radijas	radio	'reidiou
restoranas	restaurant	'restrɔnt
rezervuotas	reserved	ri'zəvd
suvenyrų kioskas	souvenir stand	'su:vəniə stænd
telefonas	telephone, phone	'telifoun, foun
vidinis telefonas	house telephone	'haus telifoun
miesto telefonas	city / public telepho-ne	'siti / 'pablik telifoun
televizorius	television set	'telivižn set
turistinė firma	travel agency	'trævl 'eidžənsi
vanduo	water	'wo:tə
vardas	name, first name	neim, 'fə:st neim

vestibiulis	foyer; *amer.* entry	'fɔiei; 'entri
vizitinė kortelė	visiting-card; *amer.* calling-card	'vizitiŋka:d; 'ko:liŋka:d
vonia	bathroom	'ba:θrum

Ieškant viešbučio | **Looking for a Hotel** | 'lukiŋ fər ə hou'tel

Kokiame viešbutyje mes apsistosime?	What hotel shall / will we stay at?	'wɔt hou'tel šəl / wil wi 'stei æt?
Kokiame viešbutyje yra apsistojusi lietuvių delegacija?	What hotel is the Lithuanian delegation staying at?	'wɔt hou'tel iz ðə liθju:'einjən deli'geišn 'steiiŋ æt?
Mums reikia viešbučio netoli nuo ...	We want a hotel not far from ...	wi 'wɔnt ə hou'tel 'nɔt 'fa: frəm...
miesto centro	the centre / *amer.* center of the city	ðə: 'sentər / 'sentər əv ðə 'siti
tarptautinės mugės	the International Fair	ði intə'næšnəl 'fɛə
... ministerijos	the Ministry of ...	ðə 'ministri əv...
universiteto	the University	ðə ju:ni'və:səti
Mokslų Akademijos	the Academy of Sciences	ði ə'kædəmi əv 'saiənsiz
... instituto	the Institute of ...	ði 'institju:t əv...
Olimpinio kaimelio	the Olympic Village	ði ə'limpik 'vilidž
Kaip patekti į viešbutį...?	Which is the way to the ... hotel?	'wič iz ðə 'wei tə ðə ... hou'tel?
Prašom duoti ... viešbučio adresą	Give me the address of the ... hotel, please	'giv mi ði ə'dres əv ðə ... hou'tel, pli:z
Prašom rezervuoti kambarį...	Please reserve a room...	'pli:z ri'zə:v ə rum
šitame viešbutyje	at this hotel	ət ðis hou'tel
viešbutyje ...	at the ... hotel	ət ðə ... hou'tel
Prašom rezervuoti... vietų mūsų delegacijai	Please reserve ... rooms for our delegation	'pli:z ri'zə:v ... 'rumz fər auə deli'geišn

Apsistojimas viešbu-tyje	Arranging for a Hotel	ə'reindžiŋ fər ə hou'tel
Ar turite laisvų kam-barių?	Have you any accom-modations?	'hæv ju 'eni əkɔmə-'deišnz?
Mano vardas ir pavar-dė	My name is ...	mai 'neim iz...
Aš užsakiau kambarį...	I have reserved a room by...	ai həv ri'zə:vd ə'rum bai...
paštu	post / mail	'poust / 'meil
telefonu	phone	'foun
telegrama	telegram	'teligræm
Man turi būti rezer-vuotas kambarys	A room has been re-served for me	ə 'rum həz bi:n ri'zə:vd fɔ mi
Kuriame aukšte yra šis kambarys?	On what floor is this room?	ɔn 'wɔt 'flo:r iz 'ðis 'rum?
Jūsų kambarys yra... aukšte	Your room is on the ... floor	jo: 'rum iz ɔn ðə... 'flo:r
pirmame	ground / amer. first	'graund / 'fə:st
antrame	first / amer. second	'fə:st / 'sekənd
šeštame	fifth / amer. sixth	'fifθ / 'siksθ
Man reikia...	I want a ...	ai 'wɔnt ə...
vienviečio kamba-rio	single room	'siŋgl rum
dviviečio (triviečio) kambario	double room (room for three)	'dabl rum ('rum fə 'θri:)
kambario su vonia (dušu)	room with a private bath (shower)	'rum wið ə 'praivit 'ba:θ ('šauə)
Ar kambario langai yra į...?	Is this room ...?	'iz ðis 'rum...?
gatvę	in the front	in ðə 'frant
kiemą	at the back	ət ðə 'bæk
Ar kambaryje yra ...?	Has the room got ...?	'hæz ðə 'rum 'gɔt...?
vonia (dušas)	a bath (shower)	ə 'ba:θ ('šauə)
telefonas	a phone	ə 'foun

radijas	a radio	ə 'reidiou
televizorius	a TV set	ə ti: 'vi: set
šaldytuvas	a refrigerator / fridge	ə ri'fridžəreitə / 'fridž

| Kiek kainuoja šis kambarys? | How much does this room cost? | 'hau 'mač dəz 'ðis 'rum 'kɔst? |

| Ar galiu pamatyti šį kambarį? | May I see the room? | 'mei ai 'si: ðə 'rum? |

Čia pernelyg ...	It's too ... here	its 'tu: ... hiə
šalta	cold	'kould
karšta	hot	'hɔt
tamsu	dark	'da:k
triukšminga	noisy	'nɔizi

Ar jūs turite ... kambarį?	Do you have a ... room?	'du: ju 'hæv ə ... rum?
didesnį (mažesnį)	bigger (smaller)	'bigə ('smo:lə)
geresnį (pigesnį)	better (cheaper)	'betə ('či:pə)

| Man šis kambarys nepatinka | No, I don't like this room | 'nou, ai 'dount 'laik ðis rum |

| Aš apsistosiu šiame kambaryje ... dienų (savaičių) | I'll take this room for ... days (weeks) | ail 'teik ðis 'rum fə ... deiz (wi:ks) |

| Prašom duoti kambario Nr. ... raktą | Please give me the key to room No... | 'pli:z 'giv mi ðə 'ki: tə 'rum nambə... |

| Prašom parodyti, kaip patekti į kambarį Nr. ... | Please show me the way to room No... | 'pli:z 'šou mi ðə 'wei tə 'rum nambə... |

Gyvenimas viešbutyje | **Staying at the Hotel** | 'steiiŋ ət ðə hou'tel |

Prašom pasakyti, kur yra...?	Where is the ... please?	'wèər iz ðə ... pli:z?
aptarnavimo biuras	service bureau	'sə:vis 'bjuərou
informacija	information desk	infə'meišn desk
oro laivyno (geležin-kelio) kasos	air (railway) booking / *amer.* ticket office	'èə ('reilwei) 'bukiŋ / 'tikit ɔfis

83

restoranas	restaurant	'restrɔnt
baras	bar	'ba:
bufetas	buffet	'bufei; *amer.* bə'fei
vyrų (moterų) kir-pykla	barber's (hairdres-ser's)	'ba:bəz ('hèədresəz)
saugojimo kamera	left-luggage office; *amer.* check room	'left 'lagidž 'ɔfis; 'ček rum

Prašom atnešti man telefonų knygą — Please bring me a telephone directory — 'pli:z 'briŋ mi: ə 'telifoun di'rektəri

Kambaryje [yra]...	This room is...	'ðis 'rum iz...
karšta	hot	'hɔt
šalta	cold	'kould

Perdegė elektros lem-putė — An electric bulb has burnt out — ən i'lektrik 'balb həz 'bə:nt 'aut

Prašom duoti dar vieną antklodę (pagalvę) — Please give me an extra blanket (pillow) — 'pli:z 'giv mi: ən 'ekstra 'blæŋkit ('pilou)

Kuriame kambaryje gyvena ponas ...? — What is the number of Mr. ...'s room? — 'wɔt iz ðə 'nambər əv mistə ...'s rum?

Aš išeinu ir greitai grį-šiu — I am leaving now and I'll be back soon — ai əm 'li:viŋ nau ənd ail bi: 'bæk 'su:n

Aš grįšiu ... [valandą] Prašom pažadinti ma-ne... — I'll be back at... [o'clock] Please wake me up at... — ail bi: 'bæk ət ... [ə'klɔk] 'pli:z 'weik mi: 'ap ət ...

Ar yra man laiškų? — Is there any post / *amer.* mail for me? — iz ðèər eni 'poust / 'meil fɔ mi?

Aptarnavimo ir infor-macijos biure — **In the Service and In-formation Bureau** — in ðə 'sə:vis ənd infə-'meišn 'bjuərou

Kur galėčiau nusipirk-ti...? — Where can I buy ...? — 'wèə kən ai 'bai ...?

vyno	wine	'wain
maisto	food	'fu:d
vaisių	fruit	'fru:t
daržovių	vegetables	'vedžtəblz

84

drabužių	clothes	'klouðz
batų	shoes	'šu:z
knygų	books	'buks
gėlių	flowers	'flauəz
suvenyrų	souvenirs	'su:vəniəz

Aš norėčiau pasižiūrėti į traukinių (lėktuvų, laivų) tvarkaraštį	I'd like to see the train (plane, boat) time-table / *amer.* schedule	aid 'laik tə 'si: ðə 'trein ('plein, 'bout) 'taim-teibl / 'skedju:l

Kur galėčiau...?	Where can I have my...?	'wɛə kən ai 'hæv mai...?
pasitaisyti batus	shoes repaired / *amer.* fixed	'šu:z ri'pɛəd / 'fikst
išsilyginti kostiumą	suit pressed	'su:t 'prest
prisisiūti sagas	buttons sewn on	'batnz 'soun 'ɔn

Kur galima susitaisyti...?	Where do they repair / *amer.* fix...?	'wɛə du ðei ri'pɛə / 'fiks...?
fotoaparatą	cameras	'kæmərəs
akinius	glasses / *amer.* eyeglases	'gla:siz / 'aigla:siz
lagaminą	suitcase	'su:tkeis
laikrodį	watches	'wɔčiz

Kada atidaromas (-a)...?	When is... open?	'wen iz ... 'oupən?
šitas muziejus	this museum	ðis mju:'ziəm
ši paroda	this exhibition	ðis eksi'bišn
laikraščių (suvenyrų) kioskas	this news-stand (souvenir stand)	ðis 'nu:zstænd ('su:-vəniə stænd)
telegrafas	the Telegraph Office	ðə 'teligra:f 'ɔfis
restoranas	the restaurant	ðə 'restrɔnt
baras	the bar	ðə 'ba:
bufetas	the buffet	ðə 'bufei; *amer.* bə'fei

Kada prasideda ...?	When does the ... begin?	'wen dəz ðə ... bi'gin?
koncertas	concert	'kɔnsət
seansas	show(ing)	'šou(iŋ)
spektaklis	performance	pə'fo:məns

85

cirko vaidinimas	circus show	'sə:kəs šou
futbolo (ledo ritulio) varžybos	football (hockey) match / game	'futbo:l ('hɔki) mæč / geim
Koks šiandien spektaklis (filmas)?	What is on at the theatre (cinema / movies) today?	'wɔt iz 'ɔn ət ðə 'θiətə ('sinəmə / 'mu:viz) tə'dei?
Iš kokios geležinkelio stoties išvyksta traukiniai į...?	From what station do the trains leave for ...?	frəm 'wɔt 'steišn də ðə 'treinz 'li:v fə...?
Londoną	London	'landən
Niujorką	New York	'nju: 'jo:k
Kaip pratęsti vizą?	How can I extend my visa?	'hau kən ai ik'stend mai 'vi:zə?
Kaip galima gauti ...?	How does one get...?	'hau dəz wan 'get ...?
paštą iki pareikalavimo	poste restante mail	'poust 'resta:nt meil
lėktuvo (traukinio) bilietus	air (rail / train) tickets	'éə ('reil / 'trein) ti-kits
Kaip patekti į...?	How can I get to the ...?	'hau kən ai 'get tə ðə ...?
Prašom užsakyti man...	Please book / reserve... for me	'pli:z 'buk / ri'zə:v ... fɔ mi
vieną lėktuvo bilietą	one air ticket	'wan 'éə tikit
du bilietus į kiną	two cinema / *amer.* movies tickets	'tu: 'sinəmə / 'mu:viz tikits
keturis bilietus į varžybas	four tickets for the match / game	'fo: 'tikits fə ðə 'mæč / 'geim
Prašom surengti mums ...	Please arrange for us ...	'pli:z ə'reindž fər əs...
išvyką už miesto	a trip to the countryside	ə 'trip tə ðə 'kantri-said
ekskursiją į muziejų	a visit to the museum	ə 'vizit tə ðə mju:-'ziəm

Prašom iškviesti man ...	Please get me...	'pli:z 'get mi ...
taksi	a taxi	ə 'tæksi
nešiką	a porter	ə 'pɔ:tə
kelnerį	a waiter	ə 'weitə
gydytoją	a doctor	ə 'dɔktə
greitąją pagalbą	an ambulance	ən 'æmbjuləns

Prašom rezervuoti restorane staliuką septintai valandai vakaro... žmonėms	Please reserve a table for... persons at the restaurant for 7 p.m.	'pli:z ri'zə:v ə 'teibl fə ... 'pə:snz ət ðə 'restrɔnt fə 'sevn pi: 'em

Išvykimas / Departure / di'pa:čə

Aš išvykstu ...	I'm leaving ...	aim 'li:viŋ...
šiandien po pietų	this afternoon	ðis a:ftə'nu:n
šiąnakt	tonight	tə'nait
rytoj rytą	tomorrow morning	tə'mɔrou 'mɔ:niŋ

Prašom paruošti sąskaitą	Please have my bill ready	'pli:z 'hæv mai 'bil 'redi
Kur galima sumokėti pagal sąskaitą?	Where can I pay my bill?	'wɛə kən ai 'pei mai 'bil?
Prašom duoti man kvitą	Please give me a receipt	'pli:z 'giv mi: ə ri'si:t
Aš išvykstu į...	I'm leaving for...	aim 'li:viŋ fə...
Prašom persiųsti mano korespondenciją šiuo adresu ...	Please forward my mail to this address ...	'pli:z 'fɔ:wəd mai 'meil tə 'ðis ə'dres
Prašom iškviesti taksi	Call a taxi for me, please	'kɔ:l ə 'tæksi fɔ mi, pli:z
Paprašykite nunešti mano bagažą	Send a porter to take my luggage /amer. baggage down	send ə 'pɔ:tə tə 'teik mai 'lagidž / 'bægidž 'daun

87

Po penkių (dešimties) minučių aš būsiu pasiruošęs (-usi)	I'll be ready in about five (ten) minutes	ail bi 'redi in əbaut 'faiv ('ten) 'minits

MIESTE

IN TOWN

in 'taun

aikštė	square	skwѐə
ambasada	embassy	'embəsi
gatvė	street	stri:t
informacijos biuras	Inquiry / Information Office	in'kwaiəri / infə'meišn 'ɔfis
kampas	corner	'kɔ:nə
krantinė	embankment	im'bæŋkmənt
kvartalas	block	blɔk
metro	underground / tube / *amer.* subway	'andəgraund / 'tju:b / 'subwei
miesto centras	the centre of the city; *amer.* downtown	ðə 'sentər əv ðə 'siti; 'dauntaun
miesto planas	plan of the sity	'plæn əv ðə 'siti
pastatas	building	'bildiŋ
paštas	Post Office	'poust ɔfis
perėja	crossing	'krɔsiŋ
požeminė perėja	underground crossing	'andəgraund 'krɔsiŋ
prospektas	avenue	'ævənju:
sankryža	crossing, crossroads	'krɔsiŋ, 'krɔsroudz
skersgatvis	by-street; *amer.* side-street	'baistri:t; 'saidstri:t
stotelė	stop	stɔp
autobuso (tramvajaus, troleibuso) stotelė	bus (tram / *amer.* streetcar, trolleybus) stop	'bas ('træm / 'stri:tka:, 'trɔlibas) 'stɔp
stotis	station	'steišn
autobusų (geležinkelio, metro) stotis	bus (railway, underground / tube /*amce.* subway) station	'bas ('reilwei, 'andəgraund / 'tju:b / 'sabwei) 'steišn
šviesoforas	traffic lights	'træfik laits
taksi	taxi, cab	'tæksi, kæb

telefonas-automatas	telephone booth; call box; public telephone	'telifoun bu:θ; 'ko:l bɔks; 'pablik 'telifoun
telegrafas	Telegraph Office	'teligra:f ɔfis
tiltas	bridge	bridž
vaistinė	a Chemist's / pharmacy / *amer.* drugstore	ə 'kemists / 'fa:məsi / 'dragsto:

Klausiame kelio

Asking the Way

'a:skiŋ ðə 'wei

Prašom pasakyti, kur yra ...?	Please tell me, where is ...?	'pli:z 'tel mi, 'wèər iz...?
paštas	the Post Office	ðə 'poust ɔfis
telegrafas	the Telegraph Office	ðə 'teligra:f ɔfis
viešbutis	a hotel	ə hou'tel
restoranas	a restaurant	ə 'restrɔnt
universalinė parduotuvė	a department store	ə di'pa:tmənt sto:
maisto prekių parduotuvė	a food / grocery store	ə 'fu:d / 'grousəri sto:
pagrindinė gatvė	the main street	ðə 'mein stri:t

Prašom pasakyti, kaip patekti į...?	Please tell me how to get to the...?	'pli:z 'tel mi 'hau tə 'get tə ði / ðə...?
parodą	exhibition	eksi'bišn
muziejų	museum	mju:'ziəm
meno galeriją	art gallery	'a:t gæləri
teatrą	theatre	'θiətə
kiną	cinema / *amer.* movies	'sinəmə / 'mu:viz
zoologijos sodą	Zoo	'zu:
stadioną	stadium	'steidiəm
hipodromą	hippodrome	'hipədroum
universitetą	University	ju:ni'və:səti

Eikite ...	Go...	'gou...
tiesiai	straight ahead	'streit ə'hed
į dešinę	to the right	tə ðə 'rait
į kairę	to the left	tə ðə 'left
atgal	back	'bæk

Jums reikia pasukti į skersgatvį	You have to turn into the bystreet / *amer.* sidestreet	ju 'hæv tə 'tə:n intə ðə 'baistri:t / 'saidstri:t
Jums reikia važiuoti... autobusu Nr. ... tramvajumi Nr. ... troleibusu Nr. ...	You have to take... bus No ... tram / *amer.* streetcar No ... trolleybus No ...	ju 'hæv tə 'teik... 'bas nambə[r]... 'træm / 'stri:tka: nambə[r]... 'trɔlibas nambə[r]...
Ar tai toli?	Is it far from here?	'iz it 'fa: frəm hiə?
Ar galima ten nueiti pėsčiomis?	Can I go / get there on foot?	'kæn ai 'gou / 'get ðéər ɔn 'fut?
Nuo čia toli	It's a long way from here	its ə 'lɔŋ wei frəm 'hiə
Nuo čia netoli	It's not far from here	its 'nɔt 'fa: frəm hiə
Maždaug 10 minučių eiti (važiuoti)	Approximately ten minutes' walk (drive)	ə'prɔksimətli 'ten 'minits 'wo:k ('draiv)
Ar čia kelias į...? Beikerio gatvę 6-ąjį prospektą centrinę aikštę parką	Is this the right way to...? Baker street the Sixth Avenue the central square the park	'iz ðis ðə 'rait 'wei tə...? 'beikə 'stri:t ðə 'siksθ 'ævənju: ðə'sentrəl 'skwéə ðə 'pa:k
Taip. Jūs einate teisinga kryptimi	Yes. You're going in the right direction	'jes. juə 'gouiŋ in ðə 'rait di'rekšn
Ar tai...? centrinė aikštė Beikerio gatvė namas Nr. ...	Is this...? the central square Baker street house No...	'iz ðis...? ðə 'sentrəl 'skwéə 'beikə 'stri:t 'haus nambə[r]...
Aš užsienietis	I'm a foreigner	aim ə 'fɔrənə
Aš paklydau	I've lost my way; *amer.* I'm lost	aiv 'lɔst mai wei; aim 'lɔst
Aš negaliu rasti... Beikerio gatvės	I can't find... Baker street	ai 'ka:nt 'faind... 'beikə 'stri:t

90

namo Nr. ...	hause No...	'haus nambə[r]...
Kuria kryptimi man reikia eiti (važiuoti)?	What direction should I take?	'wɔt di'rekšn šəd ai 'teik?
Kur trumpiausias kelias iki...?	Which is the shortest way to ...?	'wič iz ðə 'šo:tist 'wei tə...?
Prašom pasakyti (paaiškinti) dar kartą	Please tell me (explain it to me) again	'pli:z 'tel mi: (ik'splein it tə mi:) ə'gen
Prašom nupiešti kelio planą	Please draw me a plan of the way	'pli:z 'dro: mi: ə 'plæn əv ðə 'wei
Prašom parodyti schemoje ...	Please show me on the map...	'pli:z 'šou mi: ɔn ðə mæp...
šią vietą	this place	'ðis 'pleis
vietą, kur aš esu	the place where I'm staying	ðə 'pleis wèər aim 'steiiŋ
vietą, kur man reikia eiti (važiuoti)	the place I have to go (drive)	ðə 'pleis ai 'hæv tə 'gou ('draiv)
Prašom parašyti adresą	Please write down the address	'pli:z 'rait 'daun ði 'ədres
Aš nesupratau	I didn't understand	ai 'didnt andə'stænd
Aš jus palydėsiu	I'll show you the way	ail 'šou ju ðə 'wei

Autobusas. Tramvajus. Troleibusas | **Bus. Tram /** *amer.* **Streetcar. Trolleybus** | 'bas. 'træm / 'stri:tka:. 'trɔlibas

bilietas	ticket	'tikit
bilieto kaina	fare	fèə
galinė stotelė	terminus	'tə:minəs
įėjimas	entrance	'entrəns
išėjimas	exit	'eksit
mokestis už bagažo pervežimą	the charge for luggage / *amer.* baggage	ə 'ča:dž fə 'lagidž / 'bægidž
vairuotojas	driver	'draivə
Kur yra artimiausia ... stotelė?	Where is the nearest... stop?	'wèər iz ðə 'niərist... stɔp?

autobuso	bus	'bas
tramvajaus	tram / *amer.* streetcar	'træm / 'stri:tka:
troleibuso	trolleybus	'trɔlibas
Kokiu autobusu (troleibusu, tramvajumi) galima nuvažiuoti iki...?	What bus (trolleybus, tram / *amer.* streetcar) must I take to go to ...?	'wɔt 'bas ('trɔlibas, 'træm / 'stri:tka:) məst ai 'teik tə 'gou tə...?
Kiek stotelių reikia važiuoti iki...?	How many stops to ...?	'hau meni 'stɔps tə...?
Ar šis autobusas važiuoja iki...?	Does this bus go to ...?	'daz ðis 'bas 'gou tə...?
Kiek kainuoja bilietas iki...?	How much is it to ...?	'hau 'mač 'iz it tə...?
Kur galima persėsti į metro?	Where can I change for the underground / tube / *amer.* subway?	'wɛə kən ai 'čeindž fə ði 'andəgraund / 'tju:b / 'sabwei?
Pasakykite, kur aš turiu persėsti?	Tell me where I have to change?	'tel mi 'wɛər ai 'hæv tə 'čeindž?
Kokia bus kita stotelė?	What is the next stop?	'wɔt iz ðə 'nekst stɔp?
Prašom perspėti, kur man reikės išlipti	Please let me know when to get off	'pli:z 'let mi 'nou 'wen tə 'get 'ɔ(:)f
Ar jūs išlipate kitoje stotelėje?	Are you getting off at the next stop?	'a: ju 'getiŋ 'ɔ(:)f ət ðə 'nekst 'stɔp?
Kaip vadinasi ši stotelė?	What is this stop called?	'wɔt iz ðis 'stɔp 'ko:ld?
Jums reikia persėsti ... stotelėje	You have to change at the... stop	ju 'hæv tə 'čeindž ət ðə... stɔp
Atsiprašau. Gal žinote, ar čia sustoja autobusas Nr. ...?	I'm sorry to trouble you (*arba* Excuse me). Do you know if bus number ... stops here?	aim 'sɔri tə 'trabl ju (ik'skju:z mi). 'du: ju 'nou if 'bas nambə[r]... 'stɔps 'hiə?

Jums reikia išlipti kitoje (trečioje, ketvirtoje) stotelėje	You have to get off at the next (third, fourth) stop	ju 'hæv tə 'get 'o(:)f ət ðə 'nekst ('θə:d, 'fo:θ) 'stɔp
Jūs pravažiavote savo stotelę	You have missed your stop	ju həv 'mist jo: 'stɔp
Jūs įlipote ne į tą autobusą	You have taken the wrong bus	ju həv 'teikn ðə 'rɔŋ 'bas
Dabar jums reikia išlipti	This is your stop	'ðis iz jo: 'stɔp

Metro	**Underground / Tube / amer. Subway**	'andəgraund / 'tju:b / 'sabwei
eskalatorius	escalator	'eskəleitə
galinė stotelė	terminus	'tə:minəs
išėjimas į miestą	exit	'eksit
į traukinius	to the trains	tə ðə 'treinz
keitimo automatai	coin change machines	'kɔin čeindž mə'ši:nz
metro linijų planas	underground / tube / amer. subway map	'andəgraund / 'tju:b / 'sabwei mæp
perėjimas į žiedinę liniją	transfer for the circle line	'trænsfə: tə ðə 'sə:kl lain
perėjimas į stotį	way to station	'wei tə 'steišn
persėdimas	change [of trains]	'čeindž [əv 'treinz]
platforma	platform	'plætfo:m
traukinys	train	trein
vagonas	carriage; amer. car	'kæridž; ka:
žiedinė linija	circle line	'sə:kl lain
Kur artimiausia metro stotis?	Where is the nearest underground / tube / amer. subway station?	'wéər iz ðə 'niərist 'andəgraund / 'tju:b / 'sabwei steišn?
Į kurią pusę važiuoti iki...?	What direction should I take to ...?	'wɔt di'rekšn šəd ai 'teik tə...?
Kur persėsti į...?	Where do I change for...?	'wéə du ai 'čeindž fə...?

Ar šis traukinys vyksta į...?	Does this train go to...?	'daz ðis 'trein 'gou tə...?
Ar aš teisingai važiuoju ...?	Is this the right way for...?	'iz ðis ðə 'rait 'wei fə...?
Prašom pasakyti man, kai bus stotis...	Please let me know when we come to ... station	'pli:z 'let mi 'nou wen wi 'kam tə... 'steišn
Kokia kita stotis?	What is the next station?	'wɔt iz ðə 'nekst 'steišn?
Jūs išlipate?	Are you getting off?	'a: ju 'getiŋ o(:)f?
Ar aš einu teisinga kryptimi...?	Am I going in the right direction ...?	'æm ai 'gouiŋ in ðə 'rait di'rekšn...?
persėsti	to change lines	tə 'čeindž 'lainz
išeiti į miestą	for the way out	fə ðə 'wei 'aut
Išlipkite kitoje stotyje	Get off at the next station	'get 'o(:)f ət ðə 'nekst 'steišn
Jums reikia persėsti į žiedinę liniją	You need to change to the circle line	ju 'ni:d tə 'čeindž tə ðə 'sə:kl lain
Kita stotelė jūsų	The next station is yours	ðə 'nekst 'steišn iz 'jo:z

Taksi — **Taxi** — **'tæksi**

adresas	address	ə'dres
aerouostas	airport	'ėəpo:t
autostrada	highway; *amer.* motorway	'haiwei; 'moutəwei
bagažas	luggage; *amer.* baggage	'lagidž; 'bægidž
kilometras	kilometre	'kiləmi:tə
mylia	mile	mail
skaitiklis	meter	'mi:tə
stotelė	stop	stɔp
stotis	station	'steišn

94

taksi	taxi, cab	'tæksi, kæb
taksi vairuotojas	taxi / cab driver	'tæksi / 'kæb draivə
Kur taksi stovėjimo vieta?	Where's the taxi rank / stand?	'wêəz ðə 'tæksi ræŋk / stænd?
Prašom iškviesti taksi	Please call a taxi / cab	'pli:z 'ko:l ə 'tæksi / 'kæb
Ar taksi laisvas?	Is this taxi / cab free?	'iz ðis 'tæksi / kæb 'fri:?

Man reikia patekti į ...
  stotį
  aerouostą
  viešbutį
	I want to go to the ...
	  station
	  airport
	  hotel
		ai 'wɔnt tə 'gou tə ðə...
		  'steišn
		  'èəpo:t
		  hou'tel

Prašom nuvežti mane šiuo adresu	Please take me to this address	'pli:z 'teik mi tə 'ðis ə'dres
Prašom paskubėti, aš vėluoju	Please hurry up, I'm late	'pli:z hari 'ap, aim 'leit
Prašom sustoti, aš čia išlipsiu	Please stop! I'll get off here	'pli:z 'stɔp! ail 'get 'o(:)f 'hiə
Prašom čia sustoti	Please stop here	'pli:z 'stɔp 'hiə
Malonėkite manęs palaukti	Wait for me, please	'weit fə mi, pli:z
Prašom sustoti už kampo	Please stop around the corner	'pli:z 'stɔp əraund ðə 'ko:nə
Jūsų taksi numeris	The number of your taxi is ...	ðə 'nambər əv jo: 'tæksi iz...
Taksi Nr. ... laukia jūsų prie viešbučio	Taxi No ... is waiting for you at the hotel	'tæksi nambə[r]... iz 'weitiŋ fə ju ət ðə hou'tel
Aš užimtas	I'm engaged / occupied	aim in'geidžd / 'ɔkjupaid
Prašom sėstis	Get in, please	'get 'in, pli:z
Kur?	Where to?	'wèə tu?

Kur norite važiuoti?	Where do you wish to go?	'wὲə də ju 'wiš tə 'gou?
Kiek moku?	How much do I owe you?	'hau 'mač du ai 'ou ju?
Mokate ... dolerių (svarų)... centų (pensų)	You owe ... dollars (pounds) ... cents (pence)	ju 'ou... 'dɔləz ('paundz) ... 'sents ('pens)

Bažnyčia. Religija   Church. Religion   čə:č. ri'lidžn

Adventas	Advent	'ædvənt
altorius	altar	'o:ltə
didysis altorius	grand altar	grænd 'o:ltə
angelas	angel	'eindžl
arkivyskupas	archbishop	a:č'bišəp
ateistas(-ė)	atheist	'eiθiist
atgaila	repention	ri'penšn
Atpirkėjas	Redeemer	ri'di:mə
auka	sacrifice	'sækrəfis
aukoti (bažnyčiai)	offer	'ɔfə
aukoti Šv. Mišias	celebrate Mass	'selibreit 'mæs
bažnyčia	church	čə:č
bažnyčios lankytojas	churchgoer	'čə:čgouə
Biblija	the Bible, the Holy Bible / Scripture	ðə 'baibl, ðə 'houli 'baibl / 'skripčə
breviorius	breviary	'breviəri
celibatas	celibacy	'selibəsi
cerkvė	Orthodox church	'o:θədɔks čə:č
dangiškas	celestial, heavenly	si'lestiəl, 'hevnli
dangus	heaven	'hevn
dvasininkas	priest; ecclesiastic	pri:st; ikli:zi'æstik
gavėnia	Lent	lent
giesmė	chant; song	'ča:nt; sɔŋ
islamas	Islam	iz'la:m
išpažintis	confession	kən'fešn
eiti išpažinties	go to confession	'gou tə kən'fešn

judaizmas	Judaism	'džu:deiizəm
Kalėdos	Christmas	'krisməs
kankinys	martyr	'ma:tə
kapinės	cemetery; (*prie baž-nyčios*) churchyard	'semətri; 'čə:čja:d
kardinolas	cardinal	'ka:dinl
katalikas(-ė)	Catholic	'kæθəlik
(Romos) katalikų baž-nyčia	(Roman) Catholic Church	('roumən) 'kæθəlik 'čə:č
katedra	cathedral	kə'θi:drəl
katekizmas	catechism	'kætəkizəm
klausykla	confessional, stall	kə'fešənl, sto:l
klebonas	dean, rector, vicar	di:n, 'rektə, 'vikə
klebonija	vicarage, rectory, par-sonage	'vikəridž, 'rektəri, 'pa:s-nidž
komunija	the Holy Communion / Eucharist	ðə 'houli kə'mju:niəm / 'ju:kərist
priimti Šv. Komuniją	receive the Holy Communion / Eu-charist	ri'si:v ðə 'houli kə'm-ju:niən / 'ju:kərist
koranas	the Koran	kə'ra:n
krikščionybė	Christianity	kristi'ænəti
krikščionis(-ė)	Christian	'krisčən
krikštas	christening, baptism	'krisniŋ, 'bæptizəm
krikštyti	christen	'krisn
kryžius	cross; crucifix	krɔs; 'kru:sifiks
laidotuvės	funeral, burial	'fju:nərəl, 'beriəl
litanija	litany	'litəni
malda	prayer	prɛə
maldaknygė	prayer book	'prɛə buk
mečetė	mosque	mɔsk
melstis	pray	prei
Mesijas	Messiah	mi'saiə
mirtis	death	deθ
misionierius	missionary	'mišənri
mišiolas	missal, Mass Book	'misl, 'mæs buk
mišios	Mass, mass	mæs
iškilmingos mišios	solemn Mass	'sɔləm mæs

laikyti mišias	say Mass	'sei mæs
išklausyti mišias	hear Mass	'hiə mæs
mišparai	vespers	'vespəz
musulmonas	Muslim	'muzlim
nuodėmė	sin	sin
nuodėmių atleidimas	absolution	æbsə'lu:šn
nuodėmklausys	confessor	kən'fesə
ostija	the Host	ðə 'houst
palaiminimas	benediction	benidikšn
palaiminti	pronounce benediction	prə'nauns benidikšn
pamaldus	pious	'paiəs
pamokslas	sermon	'sə:mən
pamokslininkas	preacher	'pri:čə
parapija	parish	'pæriš
parapijietis (-ė)	parishioner	pə'rišənə
paskutinis patepimas	extreme unction	iks'tri:m 'aŋkšn
pasninkas	fast, fastening	fa:st, 'fa:sniŋ
pasninkauti	(keep the) fast	('ki:p ðə) 'fa:st
patarnautojas (*mišių*)	server	'sə:və
pragaras	hell	hel
prisikėlimas	resurrection	rezə'rekšən
procesija	procession	prə'sešn
protestantas	Protestant	'prɔtəstənt
psalmė	psalm	sa:m
rabinas	rabbi	'ræbi
religija	religion	ri'lidžn
religingas	religious; (*pamaldus*) pious	ri'lidžəs; 'paiəs
rožančius	rosary	'rouzəri
sakykla	pulpit	'pulpit
sakramentas	sacrament	'sækrəment
Švenčiausiasis sakramentas	the Blessed Sacrament	ðə 'blest 'sækrəmənt
seminarija	seminary	'seminəri
seminaristas	seminarist	'seminərist
sinagoga	synagogue	'sinəgɔg

skaistykla	purgatory	'pə:gətəri
suolai (*bažnyčioje*)	pews, seating	pju:z, 'si:tiŋ
sutana	soutane, cassok	su:'ta:n, 'kæsək
suma	(midday) Mass on holidays	('middei) ma:s ɔn 'hɔlideiz
šventas	holy, sacred	'houli, 'seikrid
šventasis (-oji)	Saint (*sutr.* St.)	seint (snt.)
šventikas	priest	pri:st
Talmudas	Talmud	'tælmud
Testamentas	Testament	'testəmənt
Senasis Testamentas	the Old Testament	ði 'ould 'testəmənt
Naujasis Testamentas	the New Testament	ðə 'nju: 'testəmənt
tikėjimas	faith	feiθ
tikėti	believe	bi'li:v
tikyba	faith, religion	feiθ, ri'lidžən
tikintysis (-čioji)	believer	bi'li:və
varpinė	belfry	'belfri
vėlė	soul; ghost	soul; goust
vienuolė	nun	nan
vienuolynas	cloister; (*katalikų*) abbey, friary; (*moterų*) nunnery, convent	'kloistə; 'æbi, 'fraiəri; 'nanəri, 'kɔnvənt
vienuolis	monk, friar	maŋk, 'fraiə
vyskupas	bishop	'bišəp
zakristija	sacristy, vestry	'sækristi, 'vestri
zakristijonas	sexton, sacristan	'sekstən, 'sækristən
žegnotis	cross oneself	'krɔs wanself
Kur yra čia artimiausia katalikų (protestantų) bažnyčia?	Where is the nearest Catholic (Protestant) church?	wɛər iz ðə 'niərist 'kæθəlik ('prɔtestənt) 'čə:č?
Prašom pasakyti, kaip ten nueiti?	Can you tell me how to get there?	'kæn ju 'tel mi hau tə 'get ðɛə?
Ar ši bažnyčia lankoma turistų?	Is this church visited by tourists?	'iz ðis 'čə:č 'vizitid bai 'tuərists?

99

Kurią valandą...?	When is...?	'wen iz...?
rytinės mišios	the morning Mass	ðə 'mo:niŋ mæs
suma	the Grand / midday Mass	ðə 'grænd / mid'dei mæs
mišparai	the vespers	ðə 'vespəz

Ar turistams draudžiama įeiti pamaldų metu? — Are tourists admitted during the service? — a: 'turists əd'mitid djuəriŋ ðə 'sə:vis?

Kokia religija vyraujanti...?	What kind of religion is most common in ...?	'wɔt kaind əv ri'lidžən iz 'moust 'kɔmən in...?
jūsų šalyje	your country	jo: 'kantri
jūsų valstijoje	your state	jo: 'steit
jūsų grafystėje	your county	jo: 'kaunti

Ar daug yra lankančių bažnyčią? — Are there many churchgoers here? — 'a: ðɛə 'meni 'čə:čgouəz hiə?

Ar visų religijų laisvė garantuota? — Is freedom of religious faith guaranteed by the law? — 'iz 'fri:dəm əv ri'lidžəs 'feiθ gærən'ti:d bai ðə 'lo:?

Ar bažnyčia atskirta nuo valstybės? — Is the church disestablished? — 'iz ðə 'čə:č disis'tæblišt?

Ar tikyba dėstoma mokykloje? — Is scripture / divinity taught at schools? — 'iz 'skripčə / di'vinəti 'to:t ət 'sku:lz?

Ar daug bažnyčių jūsų mieste? — Are there many churches in your town / city? — a: ðɛə 'meni 'čə:čiz in jo: 'taun / 'siti?

Ar statomos naujos bažnyčios? — Are new churchcs built? — a: 'nju: 'čə:čiz 'bilt?

Kokio jos stiliaus? — What are the styles of the new churches? — 'wɔt a: ðə 'stailz əv ðə 'nju: 'čə:čiz?

Kokia tikinčiųjų draugijų veikla? — What are the activities of the religious associations? — 'wɔt a: ði ək'tivətiz əv ðə ri'lidžəs əsouši'eišnz?

Policija	Police	pə'li:s
Pareigūne, ar galite man padėti?	Officer, can you help me?	'ɔfisə, 'kæn ju 'help mi:?
Aš užsienietis	I'm a foreigner	aim ə 'fɔrinə
Mane... apiplėšė primušė	I was... robbed mugged	ai wəz... 'rɔbd 'magd
Man pavogė dokumentus	My documents were stolen	mai 'dɔkjumənts wə 'stoulən
Pavogė pinigus	My money was stolen	mai 'mani wəz 'stoulən
Noriu pranešti apie nusikaltimą	I want to report a crime	ai 'wɔnt tə ri'po:t ə 'kraim
Man grasino peiliu (pistoletu)	I was θreatened with a knife (gun)	ai wəz 'θretənd wið ə 'naif (gan)
Mane užpuolė	I was attacted	ai wəz ə'tækt
Radinių biuras	Lost Property Office; Lost and Found	'lɔst 'prɔpəti 'ɔfis; 'lɔst ənd 'faund
Kur yra radinių biuras?	Where is the lost property office?	'wèər iz ðə 'lɔst 'prɔpəti 'ɔfis?
Kaip paskambinti į radinių biurą?	How can I phone the lost property office?	'hau kən ai 'foun ðə 'lɔst 'prɔpəti 'ɔfis?
Aš palikau (pamiršau) tai...	I've left (forgotten) it...	aiv 'left (fə'gɔtn) it...
vagone	in the carriage / *amer.* car	in ðə 'kæridž / 'ka:
stoties salėje	in the foyer of the station	in ðə 'fɔiei əv ðə 'steišn
perone	on the platform	ən ðə 'plætfo:m
metro	in the underground / tube / *amer.* subway	in ði 'andəgraund / 'tju:b / 'sabwei

troleibuse	in the trolleybus	in ðə 'trɔlibas
Aš pamečiau ...	I've lost my...	aiv 'lɔst mai...
skėtį	umbrella	am'brelə
krepšį	handbag	'hændbæg
piniginę	purse	'pə:s
fotoaparatą	camera	'kæmərə
lagaminą	suitcase	'su:tkeis
Krepšys (lagaminas) yra... spalvos	My handbag (suitcase) is...	mai 'hændbæg ('su:t-keis) iz...
Fotoaparatas yra ... markės	The camera is a ... (is ... make)	ðə 'kæmərə iz ə... (iz... 'meik)
Krepšyje (piniginėje) buvo...	In the handbag (purse) there...	in ðə 'hændbæg ('pə:s) ðéə...
pinigai	was a sum of money	wez ə 'sam əv 'mani
dokumentai	were documents	wéə 'dɔkjumənts
Tai atsitiko šįryt (šiandieną, vakar vakare)	It happened this morning (this afternoon; yesterday evening)	it 'hæpənd 'ðis 'mo:niŋ ('ðis a:ftə'nu:n, 'jestədi 'i:vniŋ)
Jei daiktas bus surastas, prašom man pranešti	If it is found, please let me know	'if it iz 'faund, pli:z 'nou
Mano telefonas [yra] ...	My phone number is ...	mai 'foun 'nambər iz ...
Mano adresas [yra]...	My address is...	mai ə'dres iz...

RESTORANAS. KAVINĖ. BARAS — **RESTAURANT. CAFÉ. BAR** — 'restrɔnt. 'kæfei. 'ba:

Bendroji dalis — **General part** — 'dženərəl pa:t

administratorius	the manager	ðə 'mænidžə
arbatinukas	tea-pot	'ti:pɔt
barmenas	barman, bartender	'ba:mən, 'ba:tendə
butelis	bottle	'bɔtl

cukrus	sugar	'ʃugə
daržovės	vegetables	'vedžtəblz
dešrelės (*karštos*)	hot dogs	'hɔt 'dɔgz
druska	salt	so:lt
duona	bread	bred
gėrimai	drinks, beverages	driŋks, 'bevəridžiz
kavinukas	coffee-pot	'kɔfipɔt
lėkštė	plate	pleit
lėkštutė	saucer	'so:sə
lenčas (*antrieji pusry-čiai*)	lunch	lanč
meniu	menu	'menju:
padavėja	waitress	'weitris
padavėjas	waiter	'weitə
padažas	sauce	so:s
patiekalas	dish	diš
peilis	knife	naif
pietūs	dinner	'dinə
pipirai	pepper	'pepə
pusryčiai	breakfast	'brekfəst
sąskaita	bill	bil
servetėlė	napkin, serviette	'næpkin, sə:vi'et
staltiesė	table-cloth	'teiblklɔθ
stiklinė	glass	gla:s
šakutė	fork	fo:k
šaukštas	tablespoon, soupspoon	'teiblspu:n, 'su:pspu:n
šaukštelis	teaspoon	'ti:spu:n
taurė	(wine)glass	('wain)gla:s
užkandis (*šaltas*)	appetizer	'æpitaizə
vakarienė	supper	'sapə
valgis	meal, dish	'mi:l, diš

Meniu	**Menu**	'menju:
Šalti užkandžiai	Hors d'oe(u)v-res	o: 'də:v(rə)
daržovės	vegetables	'vedžtəblz
šviežios daržovės	fresh vegetables	'freš vedžtəblz

marinuotos (sūdy-tos) daržovės	pickled vegetables	'pikld vedžtəblz
dešra	sausage	'sɔsidž
rūkyta dešra	smoked sausage	'smoukt sɔsidž
grybai	mushrooms	'mašrumz
marinuoti (sūdyti) grybai	pickled mushrooms	'pikld mašrumz
ikrai	caviar	'kævia:
juodieji ikrai	black caviar	'blæk kævia:
raudonieji ikrai	red caviar	'red kævia:
kumpis	ham	hæm
paštetas	paté, pie	'pætei, pai
salotos	salad	'sæləd
daržovių salotos	vegetable salad	'vedžtəbl sæləd
mėsos salotos	meat salad	'mi:t sæləd
žuvies salotos	fish salad	'fiš sæləd
krabų salotos	crab salad	'kræb sæləd
silkė	herring	'heriŋ
sviestas	butter	'batə
žalumynai	greens; green vegetab-les	gri:nz; 'gri:n 'vedžtəblz
žuvis	fish	fiš
rūkyta žuvis	smoked fish	'smoukt 'fiš

Pirmieji patie-kalai (Sriubos) | **First Course (Soups)** | 'fə:st 'ko:s (su:ps)

sriuba	soup	su:p
daržovių sriuba	vegetable soup	'vedžtəbl su:p
grybų sriuba	mushroom soup	'mašrum su:p
kopūstų sriuba	cabbage soup	'kæbidž su:p
mėsos / mėsiška sriu-ba	meat soup; *amer.* ve-getable beef soup	'mi:t su:p; 'vedžtəbl 'bi:f su:p
pieniška sriuba	cream / milk soup	'kri:m / 'milk su:p
ryžių sriuba	rice soup	'rais su:p
sultinys	broth, consommé	brɔθ; kən'sɔmei; *amer.* kɔnsə'mei
vištienos sultinys	chicken broth	'čikin brɔθ

104

Antrieji patie-kalai	Second Course	'sekənd 'ko:s
Žuvis	*Fish*	fiš
eršketas	sturgeon	'stə:džn
karpis	carp	ka:p
lydeka	pike	paik
lašiša	salmon	'sæmən
sterkas	pike-perch	'paikpə:č
tunas	tunn	tan
ungurys	eel	i:l
upėtakis	trout	traut
vėžys	lobster	'lɔbstə
Mėsa	*Meat*	mi:t
aviena	mutton	'matn
bifšteksas	(beef)steak	('bi:f)steik
filė	fillet	fi'lei
jautiena	beef	bi:f
kepenys	liver	'livə
kiauliena	pork	po:k
kotletai	cutlets	'katlits
mušti kotletai	chops	čɔps
kapoti kotletai	grilled chops	'grild 'čɔps
jautienos kotletai (*malti*)	hamburgers	'hæmbə:gəz
veršiena	veal	vi:l
Paukštiena	*Poultry*	'poultri
antiena	duck	dak
kalakutiena	turkey	'tə:ki
vištiena	chicken	'čikin
žąsiena	goose	gu:s
Miltų, kruopų ir pieniški patiekalai	*Farinaceous and dairy foods / dishes*	færi'neišəs ənd 'dèəri fu:dz / dišiz
grietinė	sour cream	'sauə kri:m
grietinėlė	cream	kri:m

105

košė	cereal	'siəriəl
avižinė košė	porridge; *amer.* oatmeal	'pɔridž; 'outmi:l
bulvių košė	mashed potatoes	'mæšt pə'teitouz
manų košė	cooked semolina	'kukt semə'li:nə
ryžių košė	rice pudding	'rais pudiŋ
omletas	omelet(te)	'ɔmlit
pienas	milk	milk
sklindžiai	pancakes	'pænkeiks
varškė	cottage cheese, curds	'kɔtidž či:z, kə:dz
Daržovės	*Vegetables*	'vedžtəblz
agurkai	cucumbers	'kju:kəmbəz
bulvės	potatoes	pə'teitouz
keptos bulvės	fried potatoes; French fried chips	'fraid pə'teitouz; 'frenč 'fraid 'čips
virtos bulvės	boiled potatoes	'bɔild pə'teitouz
kalafiorai	cauliflower	'kɔliflauə
kopūstai	cabbage	'kæbidž
morkos	carrots	'kærəts
pipirai	pepper	'pepə
pomidorai	tomatoes	tə'ma:touz
pupelės	kidney beans	'kidni bi:nz
pupos	green beans	'gri:n bi:nz
keptos pupos	baked beans	'beikt bi:nz
salotos (*šviežios*)	lettuce	'letis
svogūnai	onions	'aniənz
špinatai	spinach	'spinidž
žirneliai	green peas	'gri:n pi:z
Tretieji patiekalai	Third Course; Dessert	'θə:d 'ko:s; di'zə:t
citrina	lemon	'lemən
kompotas	fruit compote; stewed fruit	'fru:t 'kɔmpət; 'stju:d 'fru:t
ledai	ice-cream	ais'kri:m
šokoladiniai ledai	chocolate ice-cream	'čɔklit ais'kri:m

pyragaitis	cake	keik
pyragas	pie	pai
plakta grietinėlė su ...	whipped cream with ...	'wipt 'kri:m wið...
riešutais	nuts	'nats
šokoladu	chocolate	'čəklit
vaisiais	fruit	'fru:t
pudingas	pudding	'pudiŋ
tortas	cake	keik
uogienė	jam	džæm
vaisiai	fresh fruit	'freš 'fru:t

| Gėrimai | Drinks, Beverages | driŋks, 'bevəridžiz |

Šalti gėrimai — *Cold drinks* — 'kould driŋks

gaivinamieji gėrimai	soft drinks	'sɔft driŋks
sultys	juice	džu:s
apelsinų sultys	orange juice	'ɔrindž džu:s
pomidorų sultys	tomato juice	tə'ma:tou džu:s
vaisių sultys	fruit juice	'fru:t džu:s
vanduo	water	'wo:tə
gazuotas vanduo	soda water	'soudə wo:tə
mineralinis vanduo	mineral water	'minərəl wo:tə

Karšti gėrimai — *Hot drinks* — 'hɔt 'driŋks

arbata	tea	ti:
arbata su citrina	tea with lemon	'ti: wið 'lemən
arbata su pienu	tea with milk	'ti: wið 'milk
juodoji arbata	black tea	'blæk 'ti:
žalioji arbata	green tea	'gri:n 'ti:
kakava	cocoa	'koukou
kava	coffee	'kɔfi
juoda kava	black coffee	'blæk kɔfi
kava su pienu	coffee with milk	'kɔfi wið 'milk
kava su grietinėle	coffee with cream	'kɔfi wið 'kri:m
kava su ledais	coffee with ice-cream topping	'kɔfi wið 'aiskri:m 'tɔpiŋ
turkiška kava	Turkish coffee	'tə:kiš kɔfi
šokoladas	hot chocolate	'hɔt 'čɔklit

Alkoholiniai gėrimai	Alcoholic beverages / drinks	ælkə'hɔlik 'bevəridžiz / 'driŋks
alus	beer; (*šviesus*) ale	biə; eil
degtinė	vodka	'vɔdkə
konjakas	brandy, cognac	'brændi, 'kɔnjæk
likeris	liqueur	li'kjuə
portveinas	port	po:t
punšas	punch	panč
sidras	cider	'saidə
šampanas	champagne	šæm'pein
vynas	wine	wain
sausas (pussausis) vynas	dry (semi-dry) wine	'drai ('semidrai) wain
raudonas (baltas) vynas	red (white) wine	'red ('wait) wain
viskis	whisky	'wiski
Aš alkanas	I'm hungry	aim 'haŋgri
Gal norėtumėt ko nors užvalgyti?	Would you like something to eat?	'wud ju 'laik 'samθiŋ tu 'i:t?
Norėčiau ...	I'd like ...	aid 'laik...
užkąsti	to have a snack	tə 'hæv ə 'snæk
pavalgyti	something to eat	'samθiŋ tu 'i:t
išgerti	to have a drink	tə 'hæv ə 'driŋk
papusryčiauti	to have breakfast	tə 'hæv 'brekfəst
papietauti	to have dinner	tə 'hæv 'dinə
pavakarieniauti	to have supper	tə 'hæv 'sapə
Aš ištroškau	I'm thirsty	aim 'θə:sti
Ar nenorėtumėt su mumis kartu papietauti?	Would you like to join us at dinner?	'wud ju 'laik tə 'džɔin əs ət 'dinə?
Eime papusryčiauti (papietauti, pavakarieniauti) į restoraną (kavinę, užkandinę)	Let's have breakfast (dinner, supper) at a restaurant (cafe, snack-bar)	'lets hæv 'brekfəst ('dinə, 'sapə) ət ə 'restrɔnt ('kæfei, 'snækba:)

Kur galėčiau greit užkąsti?	Where can I have a fast / quick meal?	'wéə kən ai 'hæv ə 'fa:st / 'kwik 'mi:l?
Kur artimiausia(s) restoranas (valgykla, užkandinė, kavinė)?	Where is the nearest restaurant (dining-room, snack-bar, café)?	'wêər iz ðə 'niərist 'restrɔnt ('dainiŋrum, 'snækba:, 'kæfei)?
Norėčiau užsakyti stalą šiam vakarui (šiai dienai, rytdienai)	I want to order / book a table for this evening (for today, for tomorrow)	ai 'wɔnt tu 'o:də / 'buk ə 'teibl fə ðis 'i:vniŋ (fə tə'dei, fə tə'mɔrou)
Norėčiau (norėtume) stalo dviem (trims, keturiems, penkiems)	I (we) would like a table for two (three, four, five)	ai (wi) wəd 'laik ə 'teibl fə 'tu: ('θri:, 'fo:, 'faiv)
Ar ši vieta laisva?	Is this place taken / free?	'iz ðis 'pleis 'teikən / 'fri:?
Prašom atnešti meniu	Please bring the menu	'pli:z 'briŋ ðə 'menju:
Prašom mums atnešti dar vieną valgomąjį komplektą	Please bring us another cover (*arba* place setting)	'pli:z 'briŋ əs ə'naðə 'kavə ('pleis 'setiŋ)
Prašom mums atnešti šakutę (šaukštą, peilį, stiklinę, taurę vynui)	Please bring us a fork (a spoon, a knife, a tumbler, a wineglass)	'pli:z 'briŋ əs ə 'fo:k (ə 'spu:n, ə naif, ə 'tamblə, ə 'waingla:s)
Ko pageidautumėt užsakyti?	What would you like to order?	'wɔt wəd ju 'laik tu 'o:də?
Prašom priimti užsakymą	Please take my order	'pli:z 'teik mai 'o:də
Ką jūs rekomenduotumėt?	What would you recommend?	'wɔt wəd ju rekə'mend?
Aš nevalgau mėsiško (pieniško)	I don't eat meat (dairy products)	ai 'dount 'i:t 'mi:t ('dè-əri prɔdəkts)
Kokių firminių (nacionalinių, mėsiškų, žu-	What kind of special (national, meat, fish,	'wɔt 'kaind əv 'speʃl ('næʃnəl, 'mi:t, 'fiš,

109

vies, pieniškų, daržovių) patiekalų turite?	dairy, vegetable) dishes do you have?	'dɛəri, 'vedžtəbl) dišiz də ju 'hæv?
Prašom man atnešti...	Please bring me...	'pli:z 'briŋ mi...
Aš (mes) valgysiu (valgysime)...	I'll (we'll) have...	ail (wi:l) 'hæv...
Ar galima ...	Can we have ...	'kæn 'wi 'hæv...
vieną porciją (dvi, tris porcijas) ...?	one portion (two, three portions) of...?	'wan 'po:šn ('tu:, 'θri: 'pošnz) əv...?
du butelius / bokalus alaus	two bottles / glasses of beer	'tu: 'bɔtlz / 'gla:siz əv 'biə
butelį sauso vyno	a bottle of dry wine	ə 'bɔtl əv 'drai 'wain

Už stalo

At the Table

æt ðə 'teibl

Gero apetito!	A pleasant meal!	ə 'pleznt 'mi:l!
Ačiū	Thank you; Thanks	'θæŋk ju; 'θæŋks
Prašom paduoti garstyčių (druskos, pipirų, acto, padažo)	Please pass me the mustard (salt, pepper, vinegar, sauce)	'pli:z 'pa:s mi ðə 'mastəd ('so:lt, 'pepə, 'vinigə, 'so:s)
Prašom duoti man salotų (žuvies, mėsos)	I'll have some salad (fish, meat)	ail 'hæv sam 'sæləd ('fiš, 'mi:t)
Gal išgersite truputį ...?	Will you have a little ...?	'wil ju 'hæv ə litl ...?
sauso vyno	dry wine	'drai 'wain
gazuoto vandens	soda water	'soudə 'wo:tə
mineralinio vandens	mineral water	'minərəl 'wo:tə
Ar galima jums pasiūlyti...?	May I treat you to ...?	'mei ai 'tri:t ju tə ...?
žuvies	some fish	səm 'fiš
salotų	some salad	səm 'sæləd
Gal norėtumėt...?	Would you like some ...?	'wud ju 'laik səm ...?
Ačiū, daugiau nenoriu	No more, thank you	'nou 'mo:, 'θæŋk ju

110

Nieko daugiau, ačiū	Nothing else, thank you	'naθiŋ 'els, 'θæŋk ju
Ar mėgstate žuvies patiekalus?	Do you like fish dishes?	'du: ju 'laik 'fiš dišiz?
Kokį vyną labiau mėgstate?	Which wine do you prefer?	'wič 'wain də ju pri'fə:?
Ar galima jums įpilti vyno?	May I pour you some wine?	'mei ai 'po: ju səm 'wain?
Tik truputį	Just a little	'džast ə 'litl
Nemėgstu alkoholinių gėrimų	I don't like alcoholic drinks	ai 'dount laik ælkə-'hɔlik driŋks
Į jūsų sveikatą!	(To) your health!; Cheers!	(tə) 'jo: 'helθ!; 'čiəz!
Ar jums patinka šis vynas (patiekalas)?	Do you like this wine (dish)?	'du: ju 'laik ðis 'wain ('diš)?
Šis patiekalas (gėrimas) labai skanus	This dish (drink) tastes good	ðis 'diš ('driŋk) teists 'gud
Šis valgis buvo labai skanus	The meal was delicious	ðə 'mi:l wəz di'lišəz
Norėčiau suvalgyti karštos sriubos	I'd like to have some hot soup	aid 'laik tə 'hæv səm 'hɔst 'su:p
Prašom dar vaišintis ...	Please help yourself to some more...	'pli:z 'help jo:self tə səm 'mo: ...
Mielai!	With pleasure!	wið 'pležə!
Ar galima sąskaitą?	May I have the bill, please?	'mei ai 'hæv ðə 'bil, pli:z?
Kiek esu (esame) skolingas (-i)?	How much do I (we) owe you?; How much is it?	'hau 'mač du ai (wi:) 'ou ju?; 'hau 'mač 'iz it?
... dolerių (svarų) ir ... centų (pensų)	... dollars (pounds) and ... cents (pence)	... 'dɔləz ('paundz) ənd ... 'sents ('pens)
Ačiū	Thank you; Thanks	'θæŋk ju; 'θæŋks

111

Bare	In the Bar	'in ðə 'ba:
Kada atidaro (uždaro) barą?	When does the bar open (close)?	'wen dəz ðə 'ba:r 'oupən ('klouz)?
Sėskime ... prie baro prie stalo	Let's take our seats at the counter / bar at the table	'lets 'teik auə 'si:ts ət ðə 'kauntə / 'ba: ət ðə 'teibl
Ar galima stiklą ...?	May I have a glass of...?	'mei ai 'hæv ə 'gla:s əv...?
stipresnio alaus šviesaus alaus vaisių sulčių mineralinio (gazuoto) vandens	stout light ale / *amer.* beer fruit juice mineral (soda) water	'staut 'lait 'eil / 'biə 'fru:t 'džu:s 'minərəl ('soudə) 'wo:tə
Norėčiau truputį viskio (džino) – prašom neskiesti	I'd like a small whisky (gin) – straight / neat, please	aid 'laik ə 'smo:l 'wiski ('džin) – 'streit / 'ni:t, pli:z
Prašom ... du kokteilius džino su tonizuojančiu gėrimu vieną viskio su gazuotu vandeniu bokalą alaus sauso vyno ir vaisių sumuštinį su kumpiu truputį riešutų	Please... two cocktails of gin and tonic a whisky and soda a glass of beer some dry wine and some fruit a ham sandwich some peanuts	pli:z 'tu: 'kɔkteilz əv 'džin ənd 'tɔnik ə 'wiski ənd 'soudə ə 'gla:s əv 'biə səm 'drai 'wain ənd səm 'fru:t ə 'hæm 'sænwidž səm 'pi:nats
RYŠIŲ PRIEMONĖS	MEANS OF COMMUNICATION	'mi:nz əv kəmju:ni'keišn
Paštas. Telegrafas	Post Office. Telegraph Office	'poust ɔfis. 'teligra:f ɔfis
adresas atgalinis adresas	address return address	ə'dres ri:'tə:n ə'dres

112

adresatas	addressee	ædrə'si:
atvirukas	postcard; *amer.* mailingcard	'poustka:d; 'meiliŋka:d
banderolė	book [and small parcel] post / mail	'buk [ənd 'smɔ:l 'pa:sl] 'poust / 'meil
blankas	form	fɔ:m
kvitas	receipt	ri'si:t
laiškas	letter	'letə
laiškai iki pareikalavimo	poste restante	'poust 'resta:nt
registruotas laiškas	registered letter	'redžistəd 'letə
paštas	Post Office	'poust ɔfis
oro paštas	airmail	'ɛəmeil
pašto dėžutė	post-box; *amer.* mailbox	'poustbɔks; 'meilbɔks
pašto perlaida	money-order	'maniɔ:də
pašto ženklas	(post) stamp	(poust) stæmp
siuntimo mokestis	postage	'poustidž
siuntinys	parcel	'pa:sl
telegrama	telegram, cable	'teligræm, 'keibl
vokas	envelope	'enviloup
Kur artimiausias paštas?	Where is the nearest Post Office?	'wɛər iz ðə 'niərist 'poust ɔfis?
Kelintą valandą atidaromas (uždaromas) paštas?	What time does the Post Office open (close)?	'wɔt 'taim dəz ðə 'poust ɔfis 'oupən ('klouz)?
Kur priimami registruoti laiškai?	Where can I send registered letters?	'wɛə kən ai 'send 'redžistəd 'letəz?
Norėčiau pasiųsti šį laišką registruotą	I want to register this letter	ai 'wɔnt tə 'redžistə ðis 'letə
Kiek kainuoja pasiųsti laišką oro paštu į Lietuvą?	What are the postage rates for an airmail letter to Lithuania?	'wɔt a ðə 'poustidž 'reits fər ən 'ɛəmeil 'letə tə liθju'einiə?
Prašom man keturis (du) pašto ženklus po...	Please give me four (two) ... (post) stamps	'pli:z 'giv mi 'fɔ: ('tu:)... ('pəust) 'stæmps

113

tris pensus	threepenny	'θrepəni
dešimt pensų	tenpenny	'tenpəni
penkis centus	five-cent	'faivsent
dešimt centų	ten-cent	'tensent
Kur išduodami laiškai iki pareikalavimo?	Where is the poste restante counter?	'wèər iz ðə 'poust 're-sta:nt kauntə?
Ar man yra laiškų?	Are there any letters for me?	'a: ðèər eni 'letəz fɔ mi?
Štai mano pasas	Here's my passport	'hiəz mai 'pa:spo:t
Kur priimamos telegramos?	Where are telegrams handed in?	'wèər a 'teligræmz 'hændid 'in?
Kur galėčiau gauti telegramos blanką?	Where can I get a telegram form?	'wèə kən ai 'get ə 'teligræm fo:m?
Kiek reikia mokėti už vieną žodį?	What is the rate per word?	'wɔt iz ðə 'reit pə 'wə:d?

Telefonas* — **Telephone** — 'telifoun

Kaip paskambinti vidiniu (miesto) telefonu?	How can one use the house (city / public) telephone?	'hau kən wan 'ju:z ðə 'haus ('siti / 'pablik) 'telifoun?
Čia tiesioginis ryšys ar per komutatorių?	Can I dial directly or do I have to go through an operator?	di'rektli o: 'du: ai 'hæv tə 'gou θru: ən 'ɔpə-reitə?
Koks papildomas numeris?	What's your extension number?	'wɔts jo:r ik'stenšən 'nambə?
Koks jūsų telefono numeris?	What's your phone number?	'wɔts jo: 'foun nambə?

**Užsakant pokalbį telefonu reikia ištarti kiekvieną skaitmenį atskirai. Nulis (0) tariamas [ou]. Pvz.: 3668 – 'θri:, 'siks, 'siks, 'eit; 667 – 'siks, 'siks, 'sevn. Sakant numerius, kur priekyje yra kodo skaičius, pvz., (01), po jo ir kitų trijų skaitmenų daromos pauzės (‖): 01-629-845 – 'ou 'wan ‖ 'siks 'tu: 'nain ‖ 'eit 'fo: 'faiv ‖...*

Kuriuo telefonu galima paskambinti...?	What phone may I use to call...?	'wɔt 'foun mei ai 'ju:z tə 'ko:l...?
Kokį numerį aš turiu surinkti?	What number should I dial?	'wɔt 'nambə šəd ai 'daiəl?
Prašom duoti man telefonų knygą	May I use a phone directory, please	'mei ai 'ju:z ə 'foun di'rektəri, pli:z
Kaip paskambinti į ...?	How can I phone the ...?	'hau kən ai 'foun ðə ...?
miesto informaciją viešbučio informacijos biurą	city information information desk at the hotel	'siti infə'meišn infə'meišn desk at ðə hou'tel
Kuriuo numeriu galima užsisakyti pasikalbėjimą su ...?	What number shall dial to book / *amer.* order a call to...?	'wɔt 'nambə šəl ai 'daiəl tə 'buk / 'o:dər ə 'ko:l tə ...?
Man reikia paskambinti į...	I have to call...	ai 'hæv tə 'ko:l ...
Prašom priimti užsakymą pokalbiui su ...	Would you please book me a call to *arba* put a call througt to ...	'wud ju pli:z 'buk mi: ə 'ko:l tə; 'put ə 'ko:l 'θru: tə ...
Aš noriu kalbėti iš savo kambario	I want to make a call from my room	ai 'wɔnt tə 'meik ə 'ko:l frəm mai 'rum
Kiek kainuoja trijų minučių pokalbis?	How much do you charge for a threeminute call?	'hau 'mač də ju 'ča:dž fər ə 'θri: minit 'ko:l?
Aš noriu užmokėti už pokalbį telefonu	I want to pay for the telephone call	ai 'wɔnt tə 'pei fər ðə 'telifoun ko:l
Kalba... Atleiskite, kad trukdau jus	...speaking. I'm sorry to bother you	... 'spi:kiŋ, aim 'sɔri tə 'bɔðə ju
Aš klausau	Hello	he'lou
Aš jus blogai girdžiu	I can't hear you very well	ai 'ka:nt 'hiə ju 'veri 'wel
Prašom kalbėti garsiau	Speak louder, please	'spi:k 'laudə, pli:z

Kur artimiausias telefonas-automatas?	Where is the nearest public phone?	'weər iz ðə 'niərist 'pablik 'foun?
Atsiprašau, ar čia kalba misteris...?	Excuse me, please. Is that Mr. ... speaking?	ik'skju:z mi, pli:z. 'iz 'ðæt 'mistə ... 'spi:kiŋ?
Laba diena, misteri ...	Good afternoon Mr. ...	gud a:ftə'nu:n, 'mistə ...
Skambina ... iš Vilniaus	This is ... from Vilnius	'ðis iz ... frəm 'vilnjus
Malonu girdėti. Aš jus puikiai prisimenu. Kuo galėčiau jums padėti?	I'm pleased to hear from you. I do remember you. What could I do for you?	aim 'pli:zd tə 'hiə frəm ju. ai 'du: ri'membə ju. 'wot kud ai 'du: fɔ ju?
Norėčiau su jumis susitikti rytoj	I'd like to meet you tomorrow	aid 'laik tə 'mi:t ju tə'mɔrou

Radijas ir televizija — Radio and Television — 'reidiou ənd 'telivižn

antena	aerial	'eəriəl
bangos	wave	weiv
ilgosios bangos	long wave	'loŋ weiv
vidutiniosios bangos	medium wave	'mi:diəm weiv
trumposios bangos	short wave	'šo:t weiv
ultratrumposios bangos	UHF (ultra high frequency) wave	'ju: 'eič 'ef ('altrə 'hai 'fri:kwənsi) weiv
baterijos	batteries	'bætəriz
dažnis	frequency	'fri:kwənsi
diktorius (-ė)	announcer, newsreader	ə'naunsə, 'nju:zri:də
garsas	sound	saund
garsiakalbis	loudspeaker	'laudspi:kə
kanalas	channel	'čænl
laida	broadcast; telecast	'bro:dka:st; 'telika:st
lempa (radijo)	valve; amer. tube	vælv; tu:b
mikrofonas	microphone, mike	'maikrəfoun, maik
naujienos	latest news	'leitist 'nju:z
programa	program[me]	'prougræm

116

laidų programa	program[me] of broadcasts	'prougræm əv 'bro:dka:sts
rankenėlė	knob	nɔb
skalė	scale	skeil
nustatymo skalė	tuning scale	tju:niŋ skeil
stiprintuvas	amplifier	'æmplifaiə
stiprumas	volume	'vɔlju:m
televizorius	TV set; television set	ti: 'vi: set; 'televižn set
televizoriaus ekranas	TV screen	'ti:'vi: skri:n
nespalvotas (spalvotas) televizorius	black-and-white (colo[u]r) television set	'blækənd'wait ('kalə) 'telivižn set
tranzistorius	radio transistor	'reidiou træn'zistə
vaizdas	image	'imidž

Kokios gamybos šis radijo aparatas?	What make / *amer.* brand is this radio?	'wɔt 'meik / 'brænd iz 'ðis 'reidiou?
Ar šis radijo aparatas gerai veikia?	Is this radio in good condition?	'iz 'ðis 'reidiou in 'gud kən'dišn?
Ar galėčiau pažiūrėti šio radijo aparato instrukciją?	Could I please have a look at the directions to this radio?	'kud ai pli:z 'hæv ə 'luk ət ðə di'rekšnz tə ðis 'reidiou?
Prašom įjungti (išjungti) radiją	Please switch / turn on (switch / turn off) the radio	'pli:z 'swiš / 'tə:n 'ɔn ('swič / 'tə:n 'ɔ(:)f) ðə 'reidiou
Nustatykite radijo aparato ... bangas	Adjust the radio for... wave	ə'džast ðə 'reidiou fə ... 'weiv
trumpąsias	short	'šo:t
ilgąsias	long	'lɔŋ
vidutiniąsias	medium	'mi:diəm
Pagarsinkite (pritildykite) radiją	Turn up (down) the radio	'tə:n 'ap ('daun) ðə 'reidiou
Noriu nusipirkti tranzistorinį radijo aparatą	I want to buy a transistor (radio)	ai wɔnt tə 'bai ə træn'zistə ('reidiou)

Lithuanian	English	Pronunciation
Noriu pažiūrėti tele- vizorių	I want to watch TV	ai 'wɔnt tə 'wɔč ti:'vi:
Kada rodoma(s)...?	When is a ... on?	'wen iz ə ... 'ɔn?
žinių laida	news bulletin	'nju:z 'bulətin
sporto laida	sports broadcast	'spo:ts bro:dka:st
muzikinė laida	musical broadcast	'mju:zikl bro:dka:st
koncertas	concert	'kɔnsət
TV filmas	TV film	ti:'vi: film
Prašom duoti mums radijo ir televizijos lai- dų programą	Please give us a radio and TV guide	'pli:z 'giv əs ə 'reidiou ənd ti:'vi: gaid
Ar dažnai žiūrite tele- vizorių?	Do you often watch TV?	'du: ju 'ɔfn 'wɔč ti:'vi:
Ar bus šį vakarą rodo- mas koncertas?	Will they broadcast a concert tonight?	'wil ðei 'bro:dka:st ə 'kɔnsət tə'nait?
Norėčiau pasiklausyti muzikinių laidų	I'd like to listen to mu- sical program[me]s	aid 'laik tə 'lisn tə 'mju:- zikl prougræmz
Ar klausėtės paskuti- niųjų žinių?	Did you hear the latest news?	'did ju 'hiə ðə 'leitist 'nju:z?
Šiandien ... valandą [po pietų] bus transliuo- jama nauja TV pjesė	Today at... p.m. they will broadcast a new TV play	tə'dei ət ... pi:'em ðei wil 'bro:dka:st ə 'nju: ti:'vi plei
Ar norėtumėt pažiū- rėti...?	Would you like to see the ...?	'wud ju 'laik tə 'si: ðə ...?
programą vaikams	children's program- [me]	'čildrənz prougræm
sporto laidą	sports news	'spo:ts nju:z
Šiandien aštuntą va- landą vakaro bus TV filmas	There is a TV film to- night at eight p.m.	ðeər iz ə ti:'vi: film tə'nait ət 'eit pi:'em
Prašom perjungti kitą kanalą	Switch over to the other channel (*arba* Change channels), please	'swič 'ouvə tə ði 'aðə 'čænl ('čeindž 'čænlz), pli:z

118

Prašom paderinti...	Please adjust the ...	'pli:z ə'dʒast ðə...
kontrastą	contrast	'kɔntra:st
kadrus	frame	'freim
šviesumą	brightness	'braitnis

Kur galėčiau suremon-tuoti...?	Where can I go to get my... repaired?	'wɛə kən ai 'gou tə 'get mai ... ri'pɛəd?
radijo aparatą	radio	'reidiou
televizorių	television set	'telivižn set

| Mano tranzistorius sugedo | My transistor (radio) is out of order | mai træn'zistə 'reidiou iz 'aut əv 'o:də |

BUITIES TARNYBOS — EVERYDAY SERVICES — 'evridei 'sə:visiz

baltiniai	linen	'linən
batai	shoes	šu:z
batų raištelis	shoe lace	'šu: leis
batų tepalas	shoe polish	'šu: pɔliš
batsiuvys	shoemaker	'šu:meikə
dėmė	stain	stein
dėmių ėmiklis	stain remover	'stein rimu:və
fotoaparatas	camera	'kæmərə
fotografas	photographer	fə'tɔgrəfə
kelnės	trousers; *amer.* pants	'trauzəz; pænts
kulnas	heel	hi:l
lagaminas	suitcase	'su:tkeis
marškiniai	shirt	šə:t
nuotrauka	photo	'foutou
paltas	coat, overcoat, greatcoat	kout, 'ouvəkout, 'greitkout
pamušalas	lining	'lainiŋ
puspadis	sole	soul
saga	button	'batn
skaidrė	slide	slaid
skalbykla	laundry	'lo:ndri
suknelė	dress, frock	dres, frɔk
švarkas	jacket	'džækit

119

| valymas | dry-cleaning | 'draikli:niŋ |
| vinis | nail | neil |

Kirpykla — **The Hairdresser's / Barber's** — ðə 'hèədresəz / ba:bəz

antakiai	eyebrows	'aibrauz
barzda	beard	biəd
blakstienos	eyelashes	'ailæšiz
galvos plovimas	shampoo	šæm'pu:
kirpėjas	(*moterų*) hairdresser; (*vyrų*) barber	'hèədresə; 'ba:bə
kirpimas	haircut	'hèəkat
kosmetikos kabinetas / salonas	beauty parlo(u)r / salon	'bju:ti 'pa:lə / 'sælɔn
kremas	cream	kri:m
manikiūras	manicure	'mænikjuə
masažas	massage	'mæsa:ž
moterų kirpykla	hairdresser's	'hèədresəz
nagai	nails	neilz
odekolonas	eau-de-Cologne	oudəkə'loun
pedikiūras	pedicure	'pedikjuə
perukas	wig	wig
plaukai	hair	hèə
plaukų lakas	hairspray	'hèəsprei
plaukų pakirpimas	haircut	'hèəkat
plaukų (pa)kirpimas žirklėmis	scissor-cut	'sizəkat
plaukų (pa)kirpimas skustuvu	razor-cut	'reizəkat
plaukų perskyrimas	part(ing)	'pa:t(iŋ)
plaukų segtukas	hairpin, hair grip	'hèəpin, 'hèə grip
plaukų sušukavimas	set	set
skustuvas	razor	'reizə
skutimosi peiliukas	razor-blade	'reizəbleid
šukuosena	hair-do, hairstyle	'hèədu:, 'hèəstail

120

ūsai	moustache; *amer.* mustache	mə'sta:š; 'mastæš
veidrodis	mirror	'mirə
vyrų kirpykla	the barber's; *amer.* barber shop	ðə 'ba:bəz; 'ba:bə 'šɔp

Vyrų kirpykla — **The Barber's; *amer.* Barber Shop** — ðə 'ba:bəz; 'ba:bə 'šɔp

Atleiskite, ar nepasakytumėte, kur vyrų kirpykla?	Excuse me, can you tell me where the barber's (*amer.* barber shop) is?	ik'skju:z mi, kæn ju 'tel mi wèə ðə 'ba:bəz ('ba:-bə 'šɔp) iz?
Norėčiau nusikirpti	I want a haircut	ai 'wɔnt ə hèəkat
Prašom pakirpti [plaukus] ...	A haircut, please ...	ə 'hèəkat, pli:z
priekyje	at the front	ət ðə 'frant
iš šonų	at the sides	ət ðə 'saidz
pakaušyje	at the back	ət ðə 'bæk
Prašom ne per trumpai	Not too short, please	'nɔt 'tu: 'šo:t, pli:z
Prašom patrumpinti	Make it shorter, please	'meik it 'šo:tə, pli:z
Norėčiau išsiplauti galvą	I'd like a schampoo, please	aid 'laik ə šæm'pu: pli:z
Perskirkite plaukus...	Make the part(ing)...	'meik ðə 'pa:t(iŋ)...
per vidurį	in the middle	in ðə 'midl
iš šono	at the side	ət ðə 'said
iš dešinės pusės	at the right side	ət ðə 'rait said
iš kairės pusės	at the left side	ət ðə 'left said
Prašyčiau patrumpinti (pakirpti) ūsus (barzdą)	Please trim my moustache / *amer.* mustache (beard)	'pli:z 'trim mai mə'sta:š / 'mastæš ('biəd)
Norėčiau nusiskusti	I want a shave, please	ai 'wɔnt ə 'šeiv, pli:z
Kiek moku?	How much do I owe you?	'hau 'mač du ai 'ou ju?

Moterų kirpykla. Grožio salonas	The Hairdresser's. The Beauty Parlo(u)r / Salon	ðə 'hèədresəz ðə 'bju:ti 'pa:lə
Norėčiau pasikirpti ir pasidaryti šukuoseną	I want a (hair)cut and set, please	ai 'wɔnt ə ('hèə)kat ənd 'set, pli:z
Norėčiau tiktai pasikirpti plaukus	I only want a (hair)cut	ai 'ounli 'wɔnt ə ('hèə)kat
Norėčiau, kad pakirptumėt plaukus skustuvu (žirklėmis)	I want a razor-cut (a scissor-cut)	ai 'wɔnt ə 'reizəkat (ə 'sizəkat)
Norėčiau pasidaryti šukuoseną	I'd like it shaped	aid 'laik it 'šeipt
Prašom papurkšti laku	Use a hair-spray, please	'ju:z ə 'hèəsprei, pli:z
Prašom nepurkšti lako	Please don't use a hairspray	'pli:z 'dount 'ju:z ə 'hèəsprei
Norėčiau nusidažyti plaukus	I'd like to have my hair tintend	aid 'laik tə 'hæv mai 'hèə 'tintid
Kokia spalva norite nusidažyti?	What colo(u)r do you want your hair tinted?	'wɔt 'kalə də ju 'wɔnt jo: hèə 'tintid?
Norėčiau ... vario (sidabro) atspalvio kaštoninės (juodos) spalvos	I would like ... a copper (silver) shade chestnut (black)	ai wəd 'laik ... ə 'kɔpə ('silvə) šeid 'česnat ('blæk)
Kur kosmetikos kabinetas?	Where is the beauty parlo(u)r / salon?	'wèər iz ðə 'bju:ti 'pa:lə / 'sælɔn?
Man reikia pasidaryti ... masažą kaukę	I want a ... massage face-pack	ai 'wɔnt ə ... 'mæsa:ž 'feispæk
Prašom nudažyti man antakius (blakstienas)	Pensil my eye-brows (brush my eyelashes), please	'pensl mai 'aibrauz ('braš mai 'ailæšiz), pli:z

122

Prašom truputį paryškinti antakius	Darken my eye-brows a little, please	'da:kən mai 'aibrauz ə 'litl, pli:z
Ar čia yra manikiūro (pedikiūro) skyrius?	Have you a manicure (pedicure) service here?	'hæv ju ə 'mænikjuə ('pedikjuə) 'sə:vis hiə?
Prašom padaryti manikiūrą	Give me a manicure, please	'giv mi: ə 'mænikjuə, pli:z
Kokios spalvos nagų lako pageidaujate?	What nail varnish / polish do you want?	'wɔt 'neil va:niš / pɔliš də ju 'wɔnt?
Prašom užtepti šviesaus (tamsaus) nagų lako	Please use a light (dark) nail varnish / polish	'pli:z 'ju:z ə 'lait ('da:k) 'neil va:niš / pɔliš
Prašyčiau nuvalyti šį laką	Pleasc remove this varnish / polish	'pli:z ri'mu:v ðis 'va:niš / 'pɔliš

Skalbykla. Valykla

Laundry. Dry-Cleaning — 'lo:ndri. 'draikli:niŋ

Kur galima atiduoti daiktus ...?	Where can I have my things ...?	'wɛə kən ai 'hæv mai 'θiŋz...?
išvalyti	dry-cleaned	'draikli:nd
išskalbti	washed	'wɔšt
išlyginti	pressed	'prest
Prašom atiduoti į skalbyklą šiuos ...	Please take these ... to the laundry	'pli:z 'teik ði:z ... tə ðə 'lo:ndri
drabužius	clothes	'klouðz
marškinius	shirts	'šə:ts
Prašom atiduoti valyti ...	Pleasc take this ... to the dry-cleaner's	'pli:z 'teik ðis ... tə ðə 'draikli:nəz
šį kostiumą	suit	'su:t
šį paltą	overcoat	'ouvəkout
šią suknelę	dress / frock	'dres / 'frɔk
Kur artimiausia skalbykla (drabužių valykla)?	Where is the nearest laundry (dry-cleaner's)?	'wɛər iz ðə 'niərist 'lo:ndri ('draikli:nəz)?

Prašom išlyginti mano ...	Can I have my ... pressed?	'kæn ai 'hæv mai ... 'prest?
suknelę	dress / frock	'dres / 'frɔk
kelnes	trousers / *amer.* pants	'trauzəz / 'pænts
marškinius	shirt	'šə:t
Prašom išimti šią dėmę	Please remove this stain	'pli:z ri'mu:v ðis 'stein
Kada galėčiau atsiimti savo drabužius (daiktus)?	When can I have my clothes (things) back?	'wen kən ai 'hæv mai 'klouðz ('θiŋz) 'bæk?
Mano daiktai man bus reikalingi ...	I need my things...	ai 'ni:d mai 'θiŋz...
šiandien	today	tə'dei
rytoj	tomorrow	tə'mɔrou
poryt	the day after tomorrow	ðə 'dei a:ftə tə'mɔrou
Tai ne mano daiktai	This is not mine	'ðis iz 'nɔt 'main
Batų taisykla	**The Shoemender's**	ðə 'šu:mendəz
Man reikia pasitaisyti batus	I need to have my shoes mended / repaired / *amer.* fixed	ai 'ni:d tə 'hæv mai 'šu:z 'mendid / ri'pèəd / 'fikst
Kur artimiausia batų taisykla?	Where is the nearest shoemender's?	'wèər iz ðə 'niərist 'šu:mendəz?
Prašom prikalti mano batui kulną	Please mend / *amer.* fix the heel of my shoe	'pli:z 'mend / 'fiks ðə 'hi:l əv mai 'šu:
Ar galėtumėt pataisyti man pusbačius?	Can you repair / mend / *amer.* fix my shoes?	'kæn ju rei'pèə / 'mend / 'fiks mai 'šu:z?
Kiek tai truks?	How long will it take?	'hau 'lɔŋ wil it 'teik?
Kada bus gatavi?	When will they be ready?	'wen wil ðei bi 'redi?
Man reikėtų batų kuo greičiau	I need my shoes as soon as possible	ai 'ni:d mai 'šu:z əz 'su:n əz 'posəbl

124

Ar galėčiau palaukti, kol jūs juos pataisysite?	Could you repair / mend / *amer.* fix them while I wait?	'kud ju 'ripèə / 'mend / 'fiks ðəm wail ai 'weit?
Kiek moku?	How much is it?	'hau 'mač 'iz it?
Rūbų taisykla	**At the Clothing Mender's**	ət ðə 'klouðiŋ mendəz
Prašom atiduoti... siuvėjui	Take... to the tailor's, please	'teik ... tə ðə 'teiləz, pli:z
šį švarką	this jacket	ðis 'džækit
šį sijoną	this skirt	ðis 'skə:t
šias kelnes	these trousers /*amer.* pants	ði:z 'trauzəz / 'pænts
šią palaidinukę	this blouse	ðis 'blauz
šiuos marškinius	this shirt	ðis 'šə:t
Kur yra siuvykla?	Where is the Tailor's?	'wèər iz ðə 'teiləz?
Norėčiau ...	I would like ...	ai wəd 'laik ...
prisisiūti sagas	these buttons sewn on	'ði:z 'batnz 'soun 'ɔn
pasikeisti šį užtrauktuką	this zip(per) changed	ðis 'zip(ə) 'čeindžd
Sutrumpinkite (pailginkite)...	Make ... shorter (longer)	'meik ... 'šo:tə ('lɔŋgə)
šį paltą	this coat	ðis 'kout
šias kelnes	these trousers /*amer.* pants	ði:z 'trauzəz / 'pænts
šį sijoną	this skirt	ðis 'skə:t
šį kostiumą	this suit	ðis 'su:t
Kada bus gatava(s)?	When will it be ready?	'wen wil it bi 'redi?
Ar galėčiau čia palaukti, kol jūs pataisysite?	Can you do it while I wait?	'kæn ju 'du: it wail ai 'weit?
Ar bus gatava(s) rytoj (po... valandų)?	Will it be ready tomorrow (in ... hours)?	'wil it bi 'redi tə'mɔrou (in ... 'auəz)?

125

Kiek tai kainuoja?	How much does it cost?	'hau 'mač dəz it 'kɔst?
Fotografas	**The Photographer's**	ðə fə'tɔgrəfəz
Kur yra foto ateljė?	Where is the photographer's?	'wɛ̇ər iz ðə fə'tɔgrəfəz?
Norėčiau, kad išryškintumėt šią juostą	I'd like to have this film developed	aid 'laik tə 'hæv ðis 'film di'veləpt
Prašyčiau pagaminti iš šios juostos nuotraukas	Please make prints from this film	'pli:z 'meik 'prints frəm 'ðis 'film
Kada bus padaryta?	When will it be ready?	'wen wil it bi 'redi?
Norėčiau jas gauti iki pirmadienio	I'd like to have them by Monday	aid 'laik tə 'hæv ðəm bai 'mandi
Fotoaparatų remontas	**Repairing a Camera**	ri'pɛ̇əriŋ ə 'kæmərə
Mano fotoaparatas sugedo. Kur galėčiau jį pataisyti?	My camera is not working. Where could I have it repaired?	mai 'kæmərə iz 'nɔt 'wə:kiŋ. 'wɛ̇ə kəd ai 'hæv it ri'pɛ̇əd?
Apžiūrėkite mano fotoaparatą. Kažkas jam nutiko	Please look at my camera. There is something wrong with it	'pli:z 'luk ət mai 'kæmərə. ðɛ̇ər iz 'samθiŋ 'rɔŋ wið it
Ar galėtumėte pataisyti mano fotoaparatą?	Could you repair my camera?	'kud ju ri'pɛ̇ə mai 'kæmərə?
Ar verta taisyti?	Is it worth repairing?	'is it 'wə:θ ri'pɛ̇əriŋ?
Laikrodžių taisykla	**Watch repair**	'wɔč ripɛ̇ə
Kur artimiausia laikrodžių taisykla?	Where is the nearest watchrepair shop?	'wɛ̇ər iz ðə 'niərist 'wɔčripɛ̇ə šɔp?
Mano laikrodis sustojo	My watch has stopped	mai 'wɔč həz 'stɔpt
Aš jį sutrenkiau (išmečiau)	I banged it (dropped it)	ai 'bæŋd it ('drɔpt it)

126

Aprasojo stiklas	The face has sweated	ðə 'feis həz 'swetid
Mano laikrodis tai sustoja, tai vėl eina	My watch keeps stopping	mai 'wɔč ki:ps 'stɔpiŋ
Mano laikrodis skuba (vėlinasi) ... minučių per parą	My watch is gaining (losing) ... minutes a day	mai 'wɔč iz 'geiniŋ ('lu:ziŋ) ... 'minits ə 'dei
Sulūžo stikliukas	The glass is broken	ðə 'gla:s iz 'broukən
Nutrūko rodyklė	The hand has broken off	ðə 'hænd həz 'broukən 'o:f
Blogai veikia kalendorius	The calendar doesn't work properly	ðə 'kælində 'daznt 'wə:k 'prɔpəli
Vos įžiūriu skaitmenis	The hour markings are hard to see	ði 'auə 'ma:kiŋz ə 'ha:d tə 'si:

Lietsargių taisykla	**Umbrella repair**	am'brelə ripéə
Kur artimiausia lietsargių taisykla?	Where is the nearest shop that repairs umbrellas?	'wéər iz ðə 'niərist 'šɔp ðət ri'péəz am'brelez?
Man sugedo lietsargis	My umbrella is broken	mai am'brelə iz 'broukən
Ar galite jį pataisyti?	Can you fix it?	'kæn ju 'fiks it?
Neveikia automatas	The automatic opener does not work	ði o:tə'mætik 'oupnə dəz 'nɔt 'wə:k
Lietsargis neužsidaro	The umbrella does not lock	ði am'brelə dəz 'nɔt lɔk
Lietsargis neatsidaro	The umbrella does not open	ði am'brelə dəz 'nɔt 'oupən
Nutrūko rankenėlė	The handle has come off	ðə 'hændl həz 'kam 'o:f
Nulūžo (sulinko, atplyšo) virbas	A rib has broken (been torn off, bent)	a 'rib həz 'broukən (bi:n 'to:n 'o:f, 'bent)

127

MEDICINOS PAGAL-BA	MEDICAL HELP	'medikl 'help
alpimas	fainting fit / spell	'feintiŋ fit / spel
apendicitas	appendicitis	əpendi'saitis
apsinuodijimas mais-tu	food-poisoning	'fu:dpɔizniŋ
greitoji pagalba	first aid	fə:st 'eid
gripas	flu	flu:
infekcija	infection	in'fekšn
išnarinimas, išnirimas	sprain	sprein
ištinimas	swelling	'sweliŋ
karštis	fever	'fi:və
komplikacija	complications, after-effect	kɔmpli'keišnz, 'a:ftər-ifekt
kraujas	blood	blad
kraujospūdis	blood pressure	'blad prešə
laboratorija	lab, laboratory	læb, lə'bɔrətri; *amer.* 'læbrəto:ri
liga	illness, disease	'ilnis, di'zi:z
ligoninė	hospital	'hɔspitl
ligonis	patient	'peišnt
lūžis	fracture	'frækčə
medpunktas	first-aid post / station	'fə:steid 'poust / 'steišn
nudegimas	burn	bə:n
optika	optician's (*parduotu-vė*); optical instru-ments	ɔp'tišnz; 'ɔptikl 'instru-mənts
patempimas	sprain	sprein
peršalimas	chill	čil
poliklinika	clinic	'klinik
pūlinys	abscess	'æbses
pulsas	pulse	pals
receptas	prescription	pri'skripšn
rentgeno kabinetas	X-ray room	'eksrei 'rum
skausmas	pain, ache	pein, eik
galvos skausmas	headache, pain in the head	'hedeik, 'pein in ðə 'hed

128

skrandžio skausmas	stomachache, pain in the stomach	'staməkeik, 'pein in ðə 'stamək
sloga	cold [in the head]; head cold	'kould [in ðə 'hed]; 'hed kould
spazmas	spasm	'spæzəm
širdies priepuolis	heart attack	'ha:t ətæk
trauma	trauma	'tro:mə; amer. 'traumə
uždegimas	inflammation	inflə'meišn
vaistai	medicine	'medsin
vaistinė	the chemist's (shop); pharmacy; amer. drug-store	ðə 'kemists (šɔp); 'fa:-məsi; 'dragsto:

Medicinos darbuotojai	**Medical Workers / Staff**	'medikl 'wə:kəz / 'sta:f
akių gydytojas	occulist	'ɔkjulist
ausų-nosies-gerklės ligų specialistas	ENT specialist / doctor	'i:en'ti: 'spešəlist / 'dɔktə
chirurgas	surgeon	'sə:džən
dantų gydytojas	dentist	'dentist
gydytojas	doctor, physician	'dɔktə, fi'zišn
ginekologas	gyn(a)ecologist	gaini'kɔlədžist
medsesuo	sister, nurse	'sistə, nə:s
neuropatologas	neurologist	njuə'rɔlədžist
pediatras	pediatrician	pediə'trišn
sanitaras	hospital attendant	'hɔspitl ə'tendənt
terapeutas	physician	fi'zišn
urologas	urologist	juə'rɔlədžist
vyriausiasis gydytojas	chief doctor	'či:f dɔktə

Kūno dalys ir pagrin-diniai organai	**Parts of the Body and the Main Organs**	'pa:ts əv ðə 'bɔdi ənd ðə 'mein 'o:gənz
akis	eye	ai
alkūnė	elbow	'elbou
ausis	ear	iə
burna	mouth	mauθ

129

dantenos	gums	gamz
dantis	tooth (*dgs.* teeth)	tu:θ (*dgs.* ti:θ)
galva	head	hed
gerklė	throat	θrout
inkstai	kidneys	'kidniz
kaklas	neck	nek
kakta	forehead	'fɔrid
kelis	knee	ni:
kepenys	liver	'livə
koja (*iki pėdos*)	leg	leg
krūtinė, krūtinės ląsta	chest	čest
liežuvis	tongue	taŋ
nervas	nerve	nə:v
nosis	nose	nouz
nugara	the back	ðə 'bæk
oda	skin	skin
pėda	foot (*dgs.* feet)	fut (*dgs.* fi:t)
petys	shoulder	'šouldə
pilvas	abdomen	'æbdəmən
pirštas	finger	'fiŋgə
plautis	lung	laŋ
ranka	arm (*iki plaštakos*); hand	a:m; hænd
raumuo	muscle	'masl
sąnarys	joint	džɔint
sėdynė	buttock	'batək
skrandis	stomach	'stamək
strėnos	the small of the back	ðə 'smo:l əv ðə 'bæk
stuburas	backbone	'bækboun
širdis	heart	ha:t
šonas	side	said
žarnynas	bowels	'bauəlz
Pas gydytoją	**At the Doctor's**	ət ðə 'dɔktəz
Aš nesveikuoju	I feel ill / *amer.* sick	ai 'fi:l 'il / 'sik
Aš blogai jaučiuosi	I'm not well	aim 'nɔt 'wel

130

Prašom pakviesti...	Please call...	'pli:z 'kɔ:l ...
gydytoją	a doctor	ə 'dɔktə
medseserį	a sister / nurse	ə 'sistə / 'nə:s
greitąją pagalbą	an ambulance	ən 'æmbjuləns

Kur artimiausia poli-klinika?	Where is the nearest clinic?	'wɛər iz ðə 'niərist 'kli-nik?

Kaip nuvykti (paskam-binti) į...	How can I get to the (phone the)...	'hau kən ai 'get tə ðə ('foun ðə)...
polikliniką	clinic	'klinik
ligoninę	hospital	'hɔspitl
vaistinę	chemist's / pharmacy / amer. drugstore	'kemists / 'fa:məsi / 'dragsto:

Man reikia pas...	I want to see a ...	ai 'wɔnt tə 'si: ə...

Ar galima užeiti pas...?	Can I see a ...?	'kæn ai 'si: ə...?
terapeutą	physician	fi'zišn
neuropatologą	neurologist	njuə'rɔlədžist
dantų gydytoją	dentist	'dentist

Man...	I have a...	ai 'hæv ə...
kyla temperatūra	high temperature	'hai 'temprəčə
labai skauda galvą	bad headache	'bæd 'hedeik
širdies priepuolis	heart attack	'ha:t ətæk
užkietėjo viduriai	constipation	kɔnsti'peišn

Jaučiu, kad man ...	I feel...	ai 'fi:l...
labai silpna	very weak	'veri 'wi:k
svaigsta galva	dizzy	'dizi

Aš...	I have...	ai 'hæv...
karščiuoju	a fever	ə 'fi:və
kosėju	a cough	ə 'kɔf
turiu slogą	a cold in the head	ə 'kould in ðə 'hed
prakaituoju	perspiration	pəspi'reišn
sergu nemiga	insomnia	in'sɔmniə
neturiu apetito	no appetite	'nou 'æpitait
jaučiu šleikštulį	nausea	'nɔ:siə

Man skauda...	I have a...	ai 'hæv ə...
nugarą	backache	'bækeik

131

galvą	headache	'hedeik
gerklę	sore throat	'so: 'θrout
širdį	cardiac condition	'ka:diæk kən'dišn
Aš...	I've...	aiv...
įsipjoviau pirštą (ranką)	cut my finger (hand)	kat mai 'fiŋgə ('hænd)
pasitempiau riešą (kulkšnį)	sprained my wrist (ankle)	'spreind mai 'rist ('æŋkl)
Šiandien jaučiuosi geriau (blogiau)	I feel better (worse) today	ai 'fi:l 'betə ('wə:s) tə'dei

Pas dantų gydytoją — **At the Dentist's** — ət ðə 'dentists

Gydytojau, prašom apžiūrėti mano dantis	Could you please check my teeth, Doctor?	'kud ju pli:z 'ček mai 'ti:θ, dɔktə?
Man ...	I have ...	ai 'hæv ə...
sutino dantenos	swollen gums	'swoulən gamz
skauda dantį	a toothache	'tu:θeik
iškrito plomba	a filling that has come out	'filiŋ ðət həz 'kam 'aut
Prašom ...	Please...	'pli:z
užplombuoti šį dantį	fill this tooth	'fil ðis 'tu:θ
duoti man ką nors skausmui numalšinti	give me something to relieve the pain	'giv mi 'samθiŋ tə ri'li:v ðə 'pein

Vaistinėje — **At the Chemist's; In a Pharmacy / *amer.* Drugstore** — ət ðə 'kemists; in ə 'fa:məsi / 'dragsto:

Kur yra vaistinė?	Where is the Chemist's (a pharmacy / drugstore)?	'wər iz ðə 'kemists (ə 'fa:məsi / 'dragsto:)?
Ar viešbutyje yra vaistinės kioskas?	Is there a Chemist's / pharmacy in the hotel?	'iz ðеər ə 'kemists / 'fa:məsi in ðə hou'tel?
Man reikia pagaminti	I want this prescription	ai 'wɔnt ðis pri'skripšn

132

vaistus pagal šį receptą	made up	'meid 'ap
Ar galėčiau gauti šių vaistų be recepto?	Can you give me this medicine without a prescription?	'kæn ju 'giv mi ðis 'medsin wi'ðaut pri'skripšn
Malonėkite duoti man ką nors nuo ...	Please give me something for...	'pli:z 'giv mi 'samθiŋ fə(r)...
galvos skausmo	a headache	ə 'hedeik
danties skausmo	a toothache	ə 'tu:θeik
karščiavimo	my fever / temperature	mai 'fi:və / 'temprəčə
slogos	a cold	ə 'kould
nudegimo	a burn	ə bə:n
nuospaudų	corns	'ko:nz
Malonėkite duoti man ...	Please give me...	'pli:z 'giv mi...
vaistų nuo viduriavimo	something for diarrhea	'samθiŋ fə daiə'riə
skysčio gerklei skalauti	a gargle	ə 'ga:gl
vidurių paleidžiamųjų	a laxative	ə 'læksətiv
migdomųjų tablečių	some sleeping pills	səm 'sli:piŋ pilz
dezinfekuojamųjų	a disinfectant	ə disin'fektənt
raminamųjų	a sedative	ə 'sedətiv
tvarstį	a bandage	ə 'bændidž
vatos	some cotton-wool / *amer.* cotton-batting	səm 'kɔtnwul / 'kɔtnbætiŋ
jodo	some iodine	səm 'aiədi:n
tepalo	ointment / salve	'ɔintmənt / 'sæ(l)v
pleistro	some sticking-plaster; *amer.* a bandaid	səm 'stikiŋ pla:stə; ə 'bændeid
termometrą	a thermometer	ə θə:'mɔmitə
vazelino	some vaseline	səm 'væsili:n

Man reikia nusipirkti ...	I want to buy...	ai 'wɔnt tə 'bai...
šių tablečių	these pills / tablets	'ði:z 'pilz / 'tæblits
sanitarinių paketų	sanitary towels / napkins	'sænitəri 'tauəlz / 'næpkinz
šios mikstūros	this mixture	'ðis 'miksčə
Kiek kainuoja ...?	What the price of...?	'wɔts ðə 'prais əv...?
šios tabletės	these pills / tablets	'ði:z 'pilz / 'tæblits
šie milteliai	this powder	'ðis 'paudə
ši mikstūra	this mixture	'ðis 'miksčə

PIRKINIAI	**SHOPPING**	'šɔpiŋ
audiniai	fabrics, materials, textiles; *amer.* dry goods	'fæbriks, mə'tiəriəlz, 'tekstailz; drai 'gudz
avalynė	footwear	'futwɛə
bakalėja (*parduotuvė*)	grocer's; grocery shop / *amer.* store	'grousəz; 'grousəri šɔp / sto:
baldai	furniture	'fə:ničə
dovana	present; souvenir	'preznt; 'su:vəniə
drabužiai	clothes; clothing	klouðz; 'klouðiŋ
elektros prekės	electric appliances	i'lektrik ə'plaiənsiz
fotoaparatas	camera	'kæmərə
fotopopierius	photographic paper	foutə'græfik 'peipə
galanterija	haberdashery	'hæbədæšəri
gėlės	flowers	'flauəz
instrumentai	tools	tu:lz
juvelyriniai dirbiniai	jewellery	'džu:əlri
kailis	fur	fə:
kanceliarinės prekės	stationery	'steišənri
kepurė	cap	kæp
kojinės	stockings; (*trumpos*) socks	'stɔkiŋz; sɔks
krištolas	crystal	'kristl
laikrodis (*rankinis*)	watch	wɔč
laikrodžio apyrankė	watch bracelet	'wɔč breislit
laikrodžio dirželis	watch strap	'wɔč stræp

134

marškiniai	shirt	šə:t
medžioklės reikmenys	hunting equipment / gear	'hantiŋ i'kwipmənt / giə
medžioklinis šautuvas	sporting / hunting gun	'spo:tiŋ / 'hantiŋ gan
megztinis	sweater, jumper, jersey, pullover	'swetə, 'džampə, 'džə:si, 'pulouvə
natos	sheet music	'ši:t mju:zik
optika (*parduotuvė*)	optician's; optical instruments	ɔp'tišnz; 'ɔptikl 'instrumənts
parduotuvė	shop; *amer.* store	šɔp; sto:
daržovių parduotuvė	greengrocer's; *amer.* greengrocery store	'gri:ngrousəz; 'gri:ngrousəri sto:
dovanų parduotuvė	souvenir shop	su:və'niə šɔp
gėlių parduotuvė	flower shop, florist; *amer.* flower store	'flauə šɔp, 'flo:rist; 'flauə sto:
komiso parduotuvė	second-hand store	'sekəndhænd sto:
maisto prekių parduotuvė	food / grocer's shop; *amer.* food / grocery store	'fu:d / 'grousəz šɔp; 'fu:d / 'grousəri sto:
savitarnos parduotuvė	self-service schop; (*stambi*) supermarket	'self'sə:vis šɔp; 'sju:pəma:kit
universalinė parduotuvė	department store	di'pa:tmənt sto:
vaisių parduotuvė	fruit-shop	'fru:tšɔp
parfumerija	perfumes	'pə:fju:mz
pėdkelnės	tights: *amer.* pantyhoses	taits; 'pæntihouziz
porcelianas	china	'čainə
rašomoji mašinėlė	typewriter	'taipraitə
savitarna	self-service	self'sə:vis
skrybėlė	hat	hæt
sporto prekės	sports goods / equipment	'spo:ts gudz / i'kwipmənt
stiklo dirbiniai	glassware	'gla:swèə
trikotažas	knitted garments	'nitid 'ga:mənts
žadintuvas	alarm[clock]	ə'la:m[klɔk]
žaislai	toys	tɔiz

Bendroji dalis	General part	'dženərəl pa:t
Man reikia apsipirkti	I want to go shopping	ai 'wɔnt tə 'gou 'šɔpiŋ
Ar negalėtumėte parodyti kelio į prekybos centrą?	Could you show me the way to the Shopping Centre?	'kud ju 'šou mi ðə 'wei tə ðə 'šɔpiŋ sentə?
Kokios parduotuvės yra šioje gatvėje?	What shops are there on this street?	'wɔt 'šɔps 'a: ðêər ɔn ðis 'stri:t?
Noriu užsukti į gatavų drabužių parduotuvę (skyrių)	I'd like to go to a shop / store (department) of (ready-to-wear) clothes	aid 'laik tə 'gou tu ə 'šɔp / 'sto: (di'pa:tmənt) əv ('reditə'wêə) 'klouðz
Kada atidaroma (uždaroma) parduotuvė?	When do they open (close) the shop / store?	'wen də ðei 'oupən ('klouz) ðə 'šɔp / 'sto:?
Kuriame aukšte parduodama (-i) ...?	On what floor do they sell...?	ɔn 'wɔt 'flo: də ðei 'sel ...?
avalynė	footwear / shoes	'futwêə / 'šu:z
audiniai	fabrics / cloths	'fæbriks / 'klɔθs
baltiniai	linen	'linən
galanterija	haberdashery	'hæbədæšəri
parfumerija	perfumes	'pə:fju:mz
kailiai	furs	'fə:z
juvelyriniai dirbiniai	jewellery	'džu:əlri
laikrodžiai	watches	'wɔčiz
Kokios prekės parduodamos... aukšte?	What is sold on the ... floor?	'wɔt iz 'sould ɔn ðə... 'flo:?
Kur yra eskalatorius (liftas)?	Where is the escalator (lift / *amer*. elevator)?	'wêər iz ði 'eskəleitə ('lift / 'eliveitə)?
Prašom pasakyti, kaip surasti... skyrių?	Please tell me how to get to the ... department	'pli:z 'tel mi 'hau tə 'get tə ðə... di'pa:tmənt
elektros prekių	electric appliances	i'lektrik ə'plaiənsiz
radijo prekių	radio	'reidiou

136

fotoprekių	photography	fou'tɔgrəfi
ūkinių prekių	household goods	'haushould gudz
žaislų	toy	'tɔi

Tai per brangu	It's too expensive	its 'tu: ik'spensiv
Prašom parodyti ką nors pigiau (geriau)	Please show me something cheaper (better)	'pli:z 'šou mi samθiŋ 'či:pə ('betə)
Kada čia vyks išpardavimas?	When will there be a sale here?	'wen wil ðėə bi: ə 'seil hiə?
Ar duodate garantiją?	Is there a guarantee?	'iz ðėər ə gærən'ti:?
Kur mokėti?	Where should I pay?	'wėə šəd ai 'pei?
Kur kasa?	Where is the cashier's?	'wėər iz ðə kæ'šiəz?
Prašom duoti...	Will you please give me a...	'wil ju pli:z 'giv mi: ə...
kvitą	receipt	ri'si:t
čekį	check	'ček
sąskaitą	bill	'bil
Prašom supakuoti mano pirkinius	Please wrap up my purchases	'pli:z ræp 'ap mai 'pə-čəsiz
Prašom mano pirkinius pristatyti į viešbutį...	Please deliver my purchases to my hotel...	'pli:z di'livə mai 'pə:-čəsiz tə mai hou'tel...
Ar galima pirkinį grąžinti (pakeisti)?	May I return (change) the purchase?	'mei ai ri'tə:n ('čeindž) ðə 'pə:čəs?

Maisto prekės — **Food / Grocer's Shop;** *amer.* **Food / Grocery Store** — 'fu:d / 'grousəz šɔp; 'fu:d / 'grousəri sto:

bandelė	roll	roul
cukrus	sugar	'šugə
daržovės	vegetables	'vedžtəblz
dešra	sausage	'sɔsidž
duona	bread	bred
kava	coffee	'kɔfi
obuoliai	apples	'æplz

137

sausainiai	(sweet) biscuits; *amer.* cookies	('swi:t) 'biskits; 'kukiz
slyvos	plums	plamz
sūris	cheese	či:z
sviestas	butter	'batə
šampanas	champagne	šæm'pein
tortas	cake	keik
ungurys	eel	i:l
vaisiai	fruit	fru:t
vynas	wine	wain
žuvis	fish	fiš
Kur artimiausia ... parduotuvė?	Where is the nearest...?	'wèər iz ðə 'niərist ...?
maisto prekių	food / grocer's shop; *amer.* food / grocery store	'fu:d / 'grousəz šɔp; 'fu:d / 'grousəri sto:
duonos	baker's (shop); *amer.* bakery	'beikəz (šɔp); 'beikəri
konditerijos	confectioner's; *amer.* candy store	kən'fekšənəz; 'kændi sto:
mėsos	butcher's; *amer.* meat shop / store	'bučəz; 'mi:t šɔp / sto:
savitarnos	self-service shop / store; (*stambi*) supermarket	'self'sə:vis šɔp / sto:; 'sjupəma:kit
vaisių ir daržovių	greengrocer's; *amer.* greengrocery store	'gri:ngrousəz; 'gri:ngrousəri sto:
gėrimų	liquor shop / store	'likə šɔp / sto:
Prašom duoti man ...	Please give me ...	'pli:z 'giv mi....
kepaliuką juodos duonos	a loaf of rye bread	ə 'louf əv 'rai bred
dvi bandeles	two rolls	'tu: 'roulz
tris pyragaičius	three pastries	'θri: 'peistriz
tortą	a cake	ə 'keik
pakelį sausainių	a package of biscuits / *amer.* cookies	ə 'pækidž əv 'biskits / 'kukiz

138

Prašom atsverti man ...	Please weigh ...	'pli:z 'wei...
du svarus* mėsos	two pounds of meat	'tu: 'paundz əv 'mi:t
svarą sviesto	a pound of butter	ə 'paund əv 'batə
pusę svaro sūrio	half a pound of cheese	'ha:f ə 'paund əv 'či:z
pusę svaro dešros (kumpio)	half a pound of sausage (ham)	'ha:f ə 'paund əv 'sɔsidž ('hæm)
vištą	a chicken	ə 'čikn
Ar turite...?	Have you ...?	'hæv ju...?
rūkyto ungurio	smoked eel	'smoukt 'i:l
rūkytos dešros	frankfurter	'fræŋkfə:tə
mėsos (žuvies) konservų	tinned / canned meat (fish)	'tind / 'kænd 'mi:t ('fiš)
jautienos nugarinės	sirloin	'sə:lɔin
Prašom man...	Please let me have...	'pli:z 'let mi 'hæv...
svarą šokolado	a pound of chocolate	ə 'paund əv 'čɔklit
svarą obuolių	a pound of apples	ə 'paund əv 'æplz
pusę svaro džiovintų slyvų	half a pound of prunes	'ha:f ə 'paund əv 'pru:nz
Man reikia...	I want...	ai wɔnt...
trijų pakelių grybų sriubos	three packages of mushroom soup	'θri: 'pækidžiz əv 'mašrum su:p
pakelio cukraus	a box / bag of sugar	ə 'bɔks / 'bæg əv 'šugə
butelio šampano	a bottle of champagne	ə 'bɔtl əv šæm'pein
butelio sauso (desertinio) vyno	a bottle of dry (dessert) wine	ə 'bɔtl əv 'drai (di'zə:t) 'wain
Ar parduotuvėje yra užsakymų stalas?	Is there an office / section of orders in this shop / *amer.* store?	'iz ðeər ən 'ɔfis / 'sekšn əv 'o:dəz in ðis šɔp / sto:?

---

*1 svaras = 0,454 kg

Prašom priimti užsakymą rytdienai	May I place an order for tomorrow?	'mei ai 'pleis ən 'ɔ:də fə tə'mɔrou?
Kiek aš moku?	How much is it?	'hau 'mač 'iz it?
Aš sumokėsiu už užsakytas prekes dabar kasoje	I'll pay the order now at the cashier's	ail 'pei ði 'ɔ:də 'nau ət ðə 'kæšiəz
Prašom pristatyti užsakytas prekes man į namus...	Please deliver the order to my place...	'pli:z di'livə ði 'ɔ:də tə mai 'pleis...
Sumokėsiu pristačius	I'll pay on delivery	ail 'pei ən di'livəri

Gatavi drabužiai	**Ready-to-Wear Clothes**	'reditə'wēə klouðz
džinsai	jeans	dži:nz
kailiniai	fur coat	'fə: kout
kelnės	trousers; *amer.* pants	'trauzəz; pænts
kostiumas	suit	su:t
palaidinukė	blouse	blauz
suknelė	dress; frock	dres; frɔk
striukė	wind-cheater; *amer.* windbreaker	'windči:tə; 'windbreikə
švarkas	jacket	'džækit
Aš noriu nusipirkti...	I want to buy ...	ai 'wɔnt tə 'bai...
vyrišką paltą	a man's coat	ə 'mænz 'kout
moterišką paltą	a woman's coat	ə 'wumənz 'kout
vaikišką paltuką	a child's coat	ə 'čaildz 'kout
apsiaustą	an overcoat	ən 'ouvəkout
vyrišką kostiumą	a man's suit	ə 'mænz 'su:t
moterišką kostiumą	a woman's suit	ə 'wumənz 'su:t
švarką	a jacket	ə 'džækit
kelnes	a pair of trousers / *amer.* pants	ə 'pēər əv 'trauzəz / 'pænts
suknelę	a dress	ə 'dres
palaidinukę	a blouse	ə 'blauz
sijoną	a skirt	ə 'skə:t

140

vyrišus marškinius	a man's shirt	ə 'mænz 'šə:t
striukę	a windcheater / *amer.* windbreaker	ə 'windči:tə / 'windbreikə
liemenę	a waist / *amer.* shirt-waist	ə 'weist / 'šə:tweist
moterišką megztu-ką	a woman's jacket	ə 'wumənz 'džækit
megztinį	a sweater / jersey / pullover	ə 'swetə / 'džə:si / 'pulouvə

Ar turite naujausių vy-riškų (moteriškų) dra-bužių modelių?	Have you the latest models / styles in men's (women's) clothing?	'hæv ju ðə 'leitist 'mɔdəlz / 'stailz in 'menz ('wiminz) 'klouθiŋ?
Ar turite paltą su kai-line apykakle?	Have you an overcoat with a fur collar?	'hæv ju ən 'ouvəkout wið ə 'fə: 'kɔlə?
Man reikia apsiausto (vasarinio palto)	I want a cloak (light overcoat for summer wear)	ai 'wɔnt ə 'klouk ('lait 'ouvəkout fə 'samə wɛə)
Norėčiau pasimatuoti ...	I'd like to try this ... on	aid 'laik tə 'trai 'ðis ... 'ɔn
šį kostiumą	suit	'su:t
šią vilnonę suknelę	woolen dress	'wuln 'dres
šį džinsinį sijoną	jeans skirt	'dži:nz 'skə:t
šią šilkinę palaidi-nukę	silk blouse	'silk 'blauz
šias velvetines kelnes	pair of velvet trou-sers / *amer.* pants	'pɛər əv 'velvit 'trau-zəz / 'pænts
Nežinau savo dydžio. Prašyčiau mane pama-tuoti	I don't know my size. Could you measure me for size?	ai 'dount 'nou mai 'saiz. 'kud ju 'mežə mi fə 'saiz?
Ar galima įeiti į pasi-matavimo kabiną?	May I go to the fitting room / fitting booth?	'mei ai 'gou tə ðə 'fi-tiŋrum / 'fitiŋbu:θ?
...guli gerai (blogai)	The ... fits well (doesn't fit me)	ðə ... 'fits 'wel ('daznt 'fit mi)
Kostiumas	suit	'su:t
Suknelė	dress	'dres

141

Paltas	overcoat	'ouvəkout
Jis (ji) man (ne)patinka	I (don't) like it	ai ('dount) 'laik it
Aš norėčiau suknelės (sijono) su kišenėmis	I'd like to have a dress (skirt) with pockets	aid 'laik tə 'hæv ə 'dres ('skə:t) wið 'pɔkits
Man labiau patinka paprastas kirpimas	I prefer a simple cut	ai pri'fə:r ə 'simpl 'kat
Ši spalva man nepatinka	This colo[u]r doesn't suit me	'ðis 'kalə 'daznt 'su:t mi
Prašom duoti geltoną (šviesiai žalią) palaidinukę	Please give me the yellow (light-green) blouse	'pli:z 'giv mi ðə 'jelou ('laitgri:n) blauz
Sijonas per ilgas (per trumpas)	The skirt is too long (too short)	ðə 'skə:t iz 'tu: 'lɔŋ ('tu: 'šo:t)
Švarkas per laisvas (per ankštas)	The jacket is too loose (too tight)	ðə 'džækit iz 'tu: 'lu:s ('tu: 'tait)
Rankovės per ilgos (per trumpos)	The sleeves are too long (too short)	ðə 'sli:vz a 'tu: 'lɔŋ ('tu: 'šo:t)
Ar negalėtumėt...? truputį patrumpinti (pailginti) šį paltą čia truputį susiaurinti (praplatinti) persiūti sagas	Could you ...? make this coat a little shorter (longer) narrow (widen) it here resew the buttons	'kud ju ...? 'meik ðis 'kout ə 'litl 'šo:tə ('lɔŋgə) 'nærou ('waidn) it hiə ri:'sou ðə 'batnz
Prašom dar kartą pamatuoti ilgį	Please measure the length again	'pli:z 'mežə ðə 'leŋθ ə'gen
Kiek kainuos?	How much will it cost?	'hau 'mač wil it 'kɔst?
Avalynė	**Footwear, Shoes**	'futwéə, 'šu:z
Man reikia... vyriškų pusbačių	I want a pair of... man's shoes	ai 'wɔnt ə 'pèər əv 'mænz šu:z

moteriškų vakarinių batelių	woman's evening shoes	'wumənz 'i:vniŋ šu:z
vaikiškų batukų	baby / child's shoes	'beibi / 'čaildz šu:z
Man reikia pusbačių žemu (aukštu) kulnu	I want a pair of shoes with a high (low) heel	ai 'wɔnt ə 'pѐər əv 'šu:z wið ə 'hai ('lou) 'hi:l
Prašom parodyti vasarinius pusbačius	Please show me a pair of summer shoes	'pli:z 'šou mi: ə 'pѐər əv 'samə šu:z
Prašom man duoti...	Please give me a pair of...	'pli:z 'giv mi: ə 'pѐər əv...
basutes	sandals	'sændlz
šlepetes	slippers	'slipəz
Noriu pasimatuoti šiuos pusbačius	I want to try these shoes on	ai 'wɔnt tə 'trai 'ði:z 'šu:z 'ɔn
Man jie kaip tik	They fit me	ðei 'fit mi
Pusbačiai truputį spaudžia (per dideli)	The shoes are a little too tight (too loose / big)	ðə 'šu:z ar ə 'litl 'tu: 'tait ('tu: 'lu:s / 'big)
Prašom duoti numeriu didesius (mažesnius)	Please give me a size larger (smaller)	'pli:z 'giv mi: ə 'saiz 'la:džə ('smo:lə)
Šie pusbačiai man nepatinka	I don't like these shoes	ai 'dount 'laik ði:z 'šu:z
Man nepatinka fasonas (spalva)	I don't like the style (the colo[u]r)	ai 'dount 'laik ðə 'stail (ðə 'kalə)
Kur galima nusipirkti...?	Where could I buy ..?	'wѐə kəd ai 'bai...?
klumpes	a pair of clogs	ə 'pѐər əv 'klɔgz
raištelių	shoe-laces	'šu:leisiz
batų šepetį	a shoe-brush	ə 'šu:braš
batų tepalo	some shoe-polish	səm 'šu:pɔliš
Ar yra netoliese batų taisykla?	Is there a shoe-repair shop in the neighbourhood?	'iz ðѐər ə 'šu:ripѐə šɔp in ðə 'neibəhud?

Audiniai	**Fabrics, Materials, Textiles;** *amer.* **Dry Goods**	'fæbriks, mə'tiəriəlz, 'tekstailz; drai 'gudz
audeklas	cloth	klɔθ
kartūnas	cotton-print	'kɔtnprint
medvilnė	cotton	'kɔtn
medžiaga	fabric, material	'fæbrik, mə'tiəriəl
satinas	satin	'sætin
šilkas	silk	silk
velvetas	velvet	'velvit
vilna	wool	wul
Man reikia medžiagos vyriškam (moteriškam) paltui	I want some material / cloth for a man's (woman's) coat	ai 'wɔnt səm mə'tiəriəl / 'klɔθ fər ə 'mænz ('wumənz) 'kout
Kokia tai medžiaga?	What sort of material is it?	'wɔt 'sɔ:t əv mə'tiəriəl 'iz it?
Ar tai gryna vilna?	Is it pure wool?	'iz it 'pjuə 'wul?
Man reikia tamsesnės (šviesesnės) medžiagos	I want somewhat darker (lighter) material	ai 'wɔnt səmwɔt 'da:kə ('laitə) mə'tiəriəl
Ši medžiaga per stora (per plona)	This cloth is too thick (too thin)	'ðis 'klɔθ iz 'tu: 'θik ('tu: 'θin)
Koks šios medžiagos plotis?	What is the width of this material?	'wɔt iz ðə 'widθ əv 'ðis mə'tiəriəl?
Kiek jardų* reikia ...?	How many yards do I need for a...?	'hau meni 'ja:dz du ai 'ni:d fər ə...?
paltui	coat	'kout
kostiumui	suit	'su:t
suknelei	dress	'dres
Kokio turite natūralaus (dirbtinio) šilko?	What kind of natural (synthetic) silk do you have?	'wɔt 'kaind əv 'næčrəl (sin'θetik) 'silk də ju 'hæv?

---

*1 jardas = 0,91 m

Prašom parodyti medžiagą vasarinei suknelei	Please show me some material for a summer dress	'pli:z 'šou mi səm mə'tiəriəl fər ə 'samə dres
Šis raštas per ryškus	This pattern is too bright	ðis 'pætən iz 'tu: 'brait
Man reikia ramesnės spalvos	I want more subdued colo[u]r	ai 'wɔnt 'mo: səb'dju:d 'kalə
Ar turite kitokios spalvos [medžiagos]?	Have you another colo[u]r?	'hæv ju ə'naðə kalə?
Man reikia ... medžiagos	I want some ... cloth	ai 'wɔnt səm ... klɔθ
dryžuotos	striped	'straipt
languotos	checked / checkerboard	'čekt / 'čekəbo:d
taškuotos	dotted	'dɔtid
Norėčiau ... medžiagos	I'd like to have some ... material	aid 'laik tə 'hæv səm ... mə'tiəriəl
margos	motley / particolo[u]red	'mɔtli / 'pa:tikaləd
vienspalvės	solid colo[u]r	'sɔlid kalə
lengvos	light	'lait
plonos	thin	'θin
Ar turite ... medžiagų?	Have you any ... materials?	hæv ju eni ... mə'tiəriəlz?
lininių	linen	'linən
flanelinių	flannel	'flænl
Man reikia velveto sportiniam kostiumui	I want some velvet for a sporting suit	ai 'wɔnt səm 'velvit fər ə 'spo:tiŋ su:t
Ar turite šilkinio pamušalo?	Have you any silk lining?	'hæv ju eni 'silk lainiŋ?
Imu šios medžiagos du su puse jardo	I'll take two and a half yards of this material	ail 'teik 'tu: ənd ə 'ha:f 'ja:dz əv 'ðis mə'tiəriəl
Kiek kainuoja jardas?	How much does one yard cost?	'hau 'mač dəz 'wan 'ja:d 'kɔst?

Marškiniai ir baltiniai	Shirts and Linen	'šə:ts ənd 'linən
Kur parduodami... baltiniai?	Where are ... shirts and linen sold?	'wéər a ... 'šə:ts ənd 'linən 'sould?
vyriški	men's	'menz
moteriški	women's / ladies	'wiminz / 'leidiz
vaikiški	children's	'čildrənz
Prašom parodyti ...	Please show me ...	'pli:z 'šou mi ...
marškinėlius	a vest	ə 'vest
glaudes	swimming trunks	'swimiŋ traŋks
apatinuką	a slip	ə 'slip
liemenėlę	a bra / brassiere	ə 'bra: / 'bræsiə
Noriu pirkti ...	I want to buy ...	ai 'wɔnt tə 'bai ...
lovos baltinių	bed linen	'bed linən
dvi paklodes	two sheets	'tu: 'ši:ts
keturis užvalkalus	four pillow-cases	'fo: 'piloukeisiz
Ar turite lininių staltiesių (servetėlių)?	Have you any linen tablecloths (napkins)?	'hæv ju eni 'linən teibl-klɔθs ('næpkinz)?
Prašom man du rankšluosčius	Please give me two towels	'pli:z 'giv mi 'tu: 'tauəlz

Galanterija	Haberdashery	'hæbədæšəri
akiniai	a pair of glasses	ə 'péər əv 'gla:siz
akiniai nuo saulės	sun-glasses	'sangla:siz
krepšys	bag	bæg
nosinė	haridkerchief	'hæŋkəčif
pirštinės	gloves	glavz
skarelė	kerchief	'kə:čif
skėtis	umbrella	am'brelə
smeigtukai	studs; pins	stadz; pinz
šepetys, šepetėlis	brush	braš
dantų šepetėlis	toothbrush	'tu:θbraš
žiebtuvėlis	cigarette lighter	sigə'ret laitə
Ar turite pirštinių?	Have you any gloves?	'hæv ju eni 'glavz?

Man reikia ... numerio	My size is ...	mai 'saiz iz ...
Prašom parodyti ...	Please show me a pair of...	'pli:z 'šou mi: ə 'pèər əv...
odines pirštines	leather gloves	'leðə 'glavz
zomšines pirštines	chamois gloves	'šæmi 'glavz
vilnones kumštines pirštines	woolen mittens	'wuln 'mitnz
megztas pirštines	knitted gloves	'nitid 'glavz
Prašom parodyti...	Please show me ...	'pli:z 'šou mi:...
portfelį	a briefcase	ə 'bri:fkeis
rankinuką	a handbag / amer. purse	ə 'hændbæg / 'pə:s
lagaminą	a suitcase	ə 'su:tkeis
piniginę	a purse	ə 'pə:s
skėtį	an umbrella	ən am'brelə
Kiek kainuoja ...?	How much is it for a ...?	'hau 'mač 'iz it fər ə ...?
tuzinas nosinių	dozen handkerchieves	'dazn 'hæŋkəčifs
šalikėlis	scarf	'ska:f
skarelė	kerchief / headscarf	'kə:čif / 'hedska:f
šiltas šalikas	warm scarf	'wo:m 'ska:f
Aš noriu pirkti gražų kaklaraištį	I want to buy a nice tie	ai 'wɔnt tə 'bai ə 'nais 'tai
Prašom parodyti...	Please show me ...	'pli:z 'šou mi ...
nelabai ryškų	a less gaudy one	ə 'les 'go:di wan
tamsesnį	a darker one	ə 'da:kə wan
iš kitokios medžiagos	one of different material	'wan əv 'difrənt mə'tiəriəl
Prašom duoti man...	Please give me ...	'pli:z 'giv mi:...
petnešas	[a pair of] braces / amer. suspenders	[ə 'pèər əv] 'breisiz / səs'pendəz
diržą	a belt	ə 'belt
sagtį	a buckle / clasp	ə 'bakl / 'kla:sp

147

užtrauktuką	a zip[per]	ə 'zip[ə]
žirkles	[a pair of] scissors	[ə 'pėər əv] 'sizəz
nagų dildelę	a nail-file	ə 'neilfail
veidrodį	a mirror	ə 'mirə
Man reikia ...	I want...	ai 'wɔnt...
vyriškų puskojinių	a pair of man's socks	ə 'pėər əv 'mænz 'sɔks
šviesių (tamsių) kojinių	a pair of light (dark) stockings	ə 'pėər əv 'lait ('da:k) 'stɔkiŋz
dantų šepetėlio	a toothbrush	ə 'tu:θbraš
šukų	a comb	ə 'koum
plaukų segtukų	hair-pins / *amer.* bobbypins	'hėəpinz / 'bɔbipinz
Ar turite...?	Do you have...?	'du: ju 'hæv ...?
skutimosi reikmenų rinkinį	shaving equipment	'šeiviŋ i'kwipmənt
peiliukų rinkinį	a pack / *amer.* package of razorblades	ə 'pæk / 'pækidž əv 'reizəbleidz
skutimosi šepetėlį	a shaving-brush	ə 'šeiviŋbraš
skustuvą	a razor	ə 'reizə
elektrinę skutimosi mašinėlę	an electric razor	ən i'lektrik 'reizə

Parfumerija ir kosmetika

Parfumerija ir kosmetika	Perfumes and Cosmetics	'pə:fu:mz ənd kɔz'metiks
Prašom parodyti ...	Please show me ...	'pli:z 'šou mi...
kvepalų	some perfume / scent	səm 'pə:fju:m / 'sent
dovanų rinkinį	a gift package	ə 'gift pækidž
odekolono	some [eaude-]Cologne	səm ['oudə]kə'loun
Šių kvepalų kvapas per aštrus	This perfume is too strong	ðis 'pə:fju:m iz 'tu: 'strɔŋ
Man reikia ...	I want some ...	ai 'wɔnt səm...
kremo sausai (riebiai) odai	cream for dry (greasy) skin	'kri:m fə 'drai ('gri:zi) 'skin

148

pudros	powder	'paudə
lūpų dažų	lipstick	'lipstik
losjono	lotion	'loušn

Kokių turite ...?	What have you got in the way of...?	'wɔt həv ju 'gɔt in ðə 'wei əv...?
veido kremų	skin creams	'skin kri:mz
rankų kremų	hand creams	'hænd kri:mz
maitinančių kremų	nourishing / moisturing creams	'narišiŋ / 'mɔisčəriŋ kri:mz

| Norėčiau tamsesnės pudros (tamsesnių lūpų dažų) | I'd like to have a darker powder (lipstick) | aid 'laik tə 'hæv ə 'da:kə 'paudə ('lipstik) |

Kiek kainuoja ...?	How much is it for..?	'hau 'mač 'iz it fə...?
nagų lakas	nail-varnish / nail-polish	'neilva:niš / 'neilpɔliš
skystis lakui nuimti	nail-varnish / nail-polish remover	'neilva:niš / 'neilpɔliš ri'mu:və

| Ar turite šampūno sausiems (riebiems) plaukams? | Have you any shampoo for dry (greasy) hair? | 'hæv ju eni šæm'pu: fə 'drai ('gri:zi) 'hêə? |

Prašom duoti...	Please give me ...	'pli:z 'giv mi...
gabalėlį muilo	a bar / cake of soap	ə 'ba: / 'keik əv 'soup
dantų pastos	some toothpaste	səm 'tu:θpeist

| **Plokštelės** | **[Gramophone] Records** | ['græməfoun] 'rekɔ:dz |

Norėčiau nusipirkti liaudies muzikos plokštelių	I'd like to buy some records of folk music	aid 'laik tə 'bai səm 'rekɔ:dz əv 'fouk mju:zik
Ar turite ilgai grojančių (stereo) plokštelių?	Have you longplaying (stereo) records?	'hæv ju 'lɔŋpleiiŋ ('stiəriou) 'rekɔ:dz?
Aš domiuosi... muzika	I'm interested in ... music	aim 'intrəstid in ... 'mju:zik
simfonine	symphonic	sim'fɔnik

operos	opera	'ɔpərə
lengvąja	light / pop	'lait / 'pɔp
šokių	dancing	'da:nsiŋ
džiazo	jazz	'džæz

Ar galima paklausyti šią plokštelę?	May I hear (*arba* listen to) this record?	'mei ai 'hiə ('lisn tə) ðis 'reko:d?
Kokių jūs turite... įrašų?	What records have you by...?	'wɔt 'reko:dz 'hæv ju bai ...?
Kiek kainuoja ši kasetė?	How much does this casette cost?	'hau 'mač dəz ðis kə'set 'kɔst?
Kur galėčiau gauti...?	Where could I get...?	'wɛə kəd ai 'get...?
muzikos instrumentų	musical instruments	'mju:zikl 'instrumənts
natų	sheet music	'ši:t mju:zik
kompaktinių plokštelių	compact discs	'kɔmpækt 'disks

Žaislai / Toys / 'tɔiz

Prašom parodyti žaislų ...	Please show me some toys for ...	'pli:z 'šou mi səm 'tɔiz fə...
kūdikiams	babies	'beibiz
darželinukams	nursery-school children	'nə:sərisku:l 'čildrən
ikimokyklinio amžiaus vaikams	pre-school children	'pri:sku:l 'čildrən
jaunesniojo mokyklinio amžiaus vaikams	junior / young schoolchildren	'džu:njə / 'jaŋ 'sku:lčildrən
Kokių turite ... žaislų?	What kind of... toys have you got?	'wɔt 'kaind əv ... 'tɔiz həv ju 'got?
elektrinių	electronic	ilek'trɔnik
guminių	rubber	'rabə
plastmasinių	plastic	'plæstik
Prašom duoti...	May I have...?	'mei ai 'hæv ...?

150

lėlę	a doll	ə 'dɔl
kaladėles	blocks	'blɔks
konstruktorių	a building set	ə 'bildiŋ set
Kiek kainuoja ...?	What is the price of the...?	'wɔt iz ðə 'prais əv ðə...?
elektrinis geležin-kelis	electric railway / *amer.* railroad	i'lektrik 'reilwei / 'reilroud
garvežiukas	locomotive	'loukəmətiv
vagonėlis	carriage / *amer.* car	'kæridž / 'ka:
automobiliukas	motorcar / *amer.* automobile	'moutəka: / 'o:təmə-bi:l
laivelis	boat	'bout

Radijo-kino prekės. Fotoprekės

Sound Equipment. Cine-photo

'saund i'kwipmənt. 'sini-'foutou

kompaktinė plokštelė	compact disc	'kɔmpækt 'disk
diktofonas	dictophone	'diktəfoun
fotoaparatas	camera	'kæmərə
fotoblyksnis	flash bulb	'flæš balb
fotojuosta	film	film
garsiakalbis	loudspeaker	'laudspi:kə
garso kolonėlė	speaker	'spi:kə
kasetė	cassette	kə'set
magnetofono kase-tė	audiocassette	'o:dioukaset
videokasetė	videocassete	'vidioukaset
laidas	wire / cord	'waiə / ko:d
sujungimo laidas	connecting cord	kə'nektiŋ ko:d
magnetinė juosta	magnetic tape	mə'gnetik 'teip
magnetofonas	tape player / recorder	'teip pleiə / ri'ko:də
magnetofonas auto-mobiliui	car tape deck	'ka: 'teip dek
magnetola	tape player with a ra-dio	'teip pleiə 'wið ə 'reidiou
radiotranzistorius	(radio) transistor	('reidiou) træn'zistə
skaidrės	slides	slaidz

stereopatefonas	stereo record player	'steriə 'reko:d pleiə
tranzistorius	transistor	træn'zistə
videomagnetofonas	video recorder	'vidiou ri'ko:də

Kur ... skyrius?	Where is the ... department?	'wèər iz ðə ... dipa:tmənt?
radioaparatūros	radio	'reidiou
videoaparatūros	video	'vidiou
fotoprekių	photo	'foutou

Prašom duoti man...	Please give me a ...	'pli:z 'giv mi ə...
fotojuostą	film	film
kasetę	cassette	kə'set
juostą su įrašu	recorded tape	ri'ko:did 'teip

Man reikia ...	I want a ...	ai 'wɔnt ə ...
magnetofono	tape recorder / player	'teip riko:də / 'pleiə
radijo	radio	'reidiou
patefono	record player	'reko:d pleiə
magnetofono automobiliui	car tape deck	'ka: 'teip dek

Ar galima paklausyti, kaip jis veikia?	May I hear it playing?	'mei ai 'hiər it 'pleiiŋ?

Kiek kainuoja ...?	How much is ...?	'hau mač iz ...?
ritė juostos	a reel of tape	ə 'ri:l əv 'teip
kasetė	a cassette	ə kə'set
stiprintuvas	an amplifier	ən 'æmplifaiə
mikrofonas	a microphone	ə 'maikrəfoun
fotoaparatas	a camera	ə 'kæmərə

Tabako gaminiai	**Tobacconist's**	tə'bækənists

Noriu pirkti...	I want to buy some ...	ai 'wɔnt tə 'bai səm ...
cigarečių	cigarettes	sigə'rets
cigarų	cigars	si'ga:z
tabako pypkei	pipe tobacco	'paip tə'bækou

Prašom duoti pakelį	Please give me a pack /	'pli:z 'giv mi: ə 'pæk /

cigarečių (dėžutę cigarų)	packet of cigarettes (a box of cigars)	'pækit əv si'ga:z)
Ar turite stipresnio tabako?	Have you any stronger tobacco?	'hæv ju eni 'strɔŋgə tə'bækou?
Prašom parodyti...	Please show me ...	'pli:z 'šou mi: ...
gerą pypkę	a good pipe	ə 'gud 'paip
portsigarą	a cigarette-case	ə sigə'retkeis
peleninę	an ash-tray	ən 'æštrei
kandiklį	a cigarette-holder	ə sigə'rethouldə
Kiek kainuoja...?	How much does ... cost?	'hau 'mač dəz ... 'kɔst?
žiebtuvėlis	a cigarette-lighter	ə sigə'retlaitə
akmenėlis	a flint	ə 'flint
benzinas (žiebtuvėliui)	lighter fluid	'laitə flu:id
tabakas	tobacco	tə'bækou
dėžutė degtukų	a box / pack of matches	ə 'bɔks / 'pæk əv 'mæčiz

PRAMOGOS. AKTYVUS POILSIS

AMUSEMENTS. RECRIATION

ə'mju:zmənts. rekri'eišn

Kinas

The Cinema; amer. Movies

ðə 'sinəmə; 'mu:viz

afiša	poster, placard	'poustə, 'plæka:d
ekranas	screen	skri:n
filmas	film	film
animacinis filmas	cartoon [film]	ka:'tu:n [film]
dokumentinis filmas	documentary [film]	dɔkju'mentəri [film]
dubliuotas filmas	dubbed film	'dabd film
mokslo populiarinimo filmas	(popular) science film	('pɔpjulə) 'saiəns film
pilnametražis filmas	full-length film	'fulleŋθ film
vaidybinis filmas	feature film	'fi:čə film

153

filmavimas	film-shooting, filming	'filmšu:tiŋ, 'filmiŋ
kasa	box-office	'bɔksɔfis
išankstinio bilietų pardavimo kasa	advance box-office	ə'dva:ns 'bɔksɔfis
kinas	cinema, pictures, talkies; *amer.* movies	'sinəmə, 'pikčəz, 'to:kiz; 'mu:viz
kino aktorius (aktorė)	film actor (actress)	'film æktə (æktris)
kino festivalis	film festival	'film festivəl
kino kronika	newsreel	'nju:zri:l
kino režisierius	film director	'film di'rektə
kino studija	film company	'film kampəni
kino teatras	cinema, pictures; *amer.* moviehouse	'sinəmə, 'pikčəz; 'mu:vihaus
kino žvaigždė	film star	'film sta:
operatorius	cameraman	'kæmərəmən
scenarijus	script	skript
scenarijaus autorius	script-writer	'skriptraitə
seansas	show[ing]	'šou[iŋ]
dieninis seansas	afternoon show[ing]	'a:ftənu:n šou[iŋ]
vakarinis seansas	evening show[ing]	'i:vniŋ šou[iŋ]
seansų pradžia	showing times	'šouiŋ taims
skambutis	bell	bel
vaidmuo	role, part	roul, pa:t
pagrindinis vaidmuo	the main / starring role	ðə 'mein / 'sta:riŋ 'roul
Eime šįvakar (rytoj dieną) į kiną	Let's go to the pictures / movies / cinema tonight (tomorrow afternoon)	'lets 'gou tə ðə 'pikčəz / 'mu:viz / 'sinəmə tə'nait (tə'mɔrou a:ftə'nu:n)
Kokie filmai jums labiausiai patinka?	What kind of films do you like best?	'wɔt kaind əv 'filmz də ju laik 'best?
Mane domina istoriniai (muzikiniai, kome-	I'm interested in historical (musical, come-	aim 'intrestid in [h]is'tɔrikəl ('mju:zikl, 'kɔ-

154

diniai, nuotykių, animaciniai) filmai	dy, adventure, cartoon) films	mədi, əd'venčə, ka:'tu:n) films
Kas šiandien rodoma ... kino teatre?	What's on at the ...?	'wɔts 'ɔn ət ðə ...?
Mes norime pažiūrėti naujausią filmą	We want to see the latest film	wi 'wɔnt tə 'si: ðə 'leitist 'film
Kas šio filmo režisierius?	Who directed this film?	'hu: di'rektid ðis 'film?
Kas parašė scenarijų (muziką)?	Who wrote the script (music)?	'hu: 'rout ðə 'skript ('mju:zik)?
Kuri kino studija pastatė šį filmą?	In which company was the film shot?	in 'wič 'kampəni wəz ðə 'film 'šɔt?
Ar tai spalvotas (dokumentinis, vaidybinis, mokslo populiarinimo) filmas?	Is it a colo(u)r (documentary, feature, science) film?	'iz it ə 'kalə (dɔkju'mentəri, 'fi:čə, 'saiəns) film?
Ar šis filmas dubliuotas ispanų (rusų, vokiečių) kalba?	Is the film dubbed in Spanish (Russian, German)?	'iz ðə 'film 'dabd in 'spæniš ('rašn, 'džə:mən)?
Kiek laiko tęsiasi filmas?	How long does the film last?; How long is the film?	'hau 'lɔŋ dəz ðə 'film 'la:st?; 'hau 'lɔŋ iz ðə 'film?
Kada dieninių (vakarinių) seansų pradžia?	When does the afternoon (evening) show[ing] begin?	'wen dəz ði a:ftə'nu:n ('i:vniŋ) šou[iŋ] bi'gin?
Kada prasideda kitas seansas?	When does the next show[ing] start?	'wen dəz ðə 'nekst šou[iŋ] 'sta:t?
Prašom du bilietus ketvirtos valandos (vienuoliktos valandos) seansui	Two tickets for the 4.00 p.m. (11 a.m.) show[ing], please	'tu: 'tikits fə ðə 'fo:r əklɔk 'pi: 'em (i'levn əklɔk 'ei 'em) 'šou[iŋ], pli:z
Man vieną bilietą šiam seansui	One ticket, please, for this show[ing]	'wan 'tikit, pli:z, fə 'ðis 'šou[iŋ]

155

Teatras	The Theatre	ðə ˈθiətə
administratorius	manager	ˈmænidʒə
aktorius	actor	ˈæktə
aktorė	actress	ˈæktris
amfiteatras	amphitheatre	ˈæmfiθiətə
aplodismentai	applause	əˈploːz
arija	aria	ˈaːriə
atlikėjai	cast	kaːst
pagrindinio vaid- mens atlikėja(s)	leading lady (man)	ˈliːdiŋ ˈleidi (ˈmæn)
aukštas	circle	ˈsəːkl
balerina	ballerina	bæləˈriːnə
baletas	ballet	ˈbælei
baleto šokėjas, -a	ballet dancer	ˈbælei daːnsə
baletmeisteris	ballet master	ˈbælei maːstə
balkonas	balcony	ˈbælkəni
beletažas	dress circle	ˈdres səːkl
bilietas	ticket	ˈtikit
bufetas	refreshment stand; snack-bar	riˈfreʃmənt stænd; ˈsnækbaː
choras	chorus, choir	ˈkoːrəs, ˈkwaiə
chormeisteris	choir-master	ˈkwaiəmaːstə
dailininkas	stage designer	ˈsteidʒ dizainə
dainininkas (-ė)	singer	ˈsiŋə
dekoracijos	scenery design	ˈsiːnəri diˈzain
dirigentas	conductor	kənˈdaktə
drama	drama	ˈdraːmə
dramaturgas	playwright	ˈpleirait
eilė	row	rou
kasa	box-office	ˈbɔksɔfis
komedija	comedy	ˈkɔmədi
kompozitorius	composer	kəmˈpouzə
koncertas	concert	ˈkɔnsət
kostiumas	costume	ˈkɔstjuːm
libretas	libretto	liˈbretou
ložė	box	bɔks
masinės scenos	crowd scenes	ˈkraud siːnz

156

opera	opera	'ɔpərə
operetė	musical comedy; operetta	'mju:zikl 'kɔmədi; ɔpə'retə
parteris	the stalls	ðə 'stɔ:lz
pertrauka	interval, intermission	'intəvəl, intə'mišn
pjesė	play	plei
premjera	première	'premiėə
programa	program[me]	'prougræm
repertuaras	repertoire	'repətwa:
režisierius	director	di'rektə
scena	scene	si:n
skambutis	bell	bel
solistas	soloist	'soulouist
spektaklis	performance	pə'fo:məns
vakarinis spektaklis	evening performance	'i:vniŋ pəfo:məns
dieninis spektaklis	matinée	'mætinei
teatras	theatre	'θiətə
dramos teatras	drama theatre	'dra:mə θiətə
estrados teatras	variety theatre	və'raiəti θiətə
operos ir baleto teatras	opera and ballet theatre; Opera-House	'ɔpərə ənd 'bælei θiətə; 'ɔpərə haus
operetės teatras	operetta theatre	ɔpə'retə θiətə
trupė	company	'kampani
uvertiūra	overture	'ouvətjuə
uždanga	curtain	'kə:tn
vaidyba	acting	'æktiŋ
vaidmuo	role, part	roul, pa:t
veikėjas	character	'kærəktə
pagrindinis veikėjas	the hero	ðə 'hiərou
veiksmas	act	ækt
vieta	seat	si:t
žiūronai	opera-glasses	'ɔpərəgla:siz
Į kokį teatrą jūs patartumėte nueiti?	What theatre do you recommend?	'wɔt 'θiətə də ju rekə'mend?
Aš norėčiau nueiti į...	I feel like going to...	ai 'fi:l laik 'gouiŋ tu ...

157

operos teatrą	the opera	ði 'ɔpərə
dramos teatrą	a (drama) theatre	ə ('dra:ma) 'θiətə
operetės teatrą	an operetta	ən ɔpə'retə
cirką	the circus	ðə 'sə:kəs

Aš norėčiau pamatyti ...	I'd like to see ...	aid 'laik tə 'si:...
komediją	a comedy	ə 'kɔmədi
dramą	a drama	ə 'dra:mə
baletą	a ballet	ə 'bælei

Kas šiandien rodoma ...?	What's on tonight at the ...?	'wɔts 'ɔn tə'nait ət ðə (ði)...?
operos teatre	opera house	'ɔpərə haus
dramos teatre	theatre	'θiətə

Kada prasideda (baigiasi) dieninis (vakarinis) spektaklis?	When does the matinée (evening) performance begin (end)?	'wen dəz ðə 'mætinei ('i:vniŋ) pə'fo:məns bi'gin ('end)?

Ar jūs turite bilietų šios dienos (rytdienos)...?	Have you got tickets for today (tomorrow)...?	'hæv ju 'gɔt 'tikits fə tə'dei (tə'mɔrou)...?
vakariniam spektakliui	for the evening performance	fə ði 'i:vniŋ pə'fo:-məns
dieniniam spektakliui	for the matinée	fə ðə 'mætinei

Prašom duoti man du (tris) bilietus ...	Please give me two (three) tickets ...	'pli:z 'giv mi 'tu: ('θri:) 'tikits ...
parteryje (pirmoje eilėje)	for the stalls (first row)	fə ðə 'sto:lz ('fə:st 'rou)
ložėje	for a box	fər ə 'bɔks
balkone	for the upper circle; *amer.* for the balcony	fə ði 'apə sə:kl; fə ðə 'bælkəni

Kiek kainuoja bilietai?	How much are the tickets?	'hau 'mač a ðə 'tikits?

Prašom pasakyti, kur yra rūbinė?	Where is the cloakroom, please?	'wɛər iz ðə 'kloukrum, pli:z?

Prašom duoti man žiūronus	I would like opera-glasses, please	ai wəd 'laik 'ɔpərəgla:siz, pli:z
Kur yra ložės?	Where are the boxes, please?	'wėər a ðə 'bɔksiz, pli:z?
Prašom parodyti mano vietą	Would you please show me to my seat?	'wud ju pli:z 'šou mi tə mai 'si:t?
Prašom programą (libretą)	A program[me] (libretto), please	ə 'prougræm (li'bretou), pli:z
Kas atlieka pagrindinį vaidmenį?	Who is playing the leading role?	'hu: iz 'pleiiŋ ðə 'li:diŋ 'roul?
Kas šios pjesės autorius?	Who is the author of the play?	'hu: iz ði 'o:θər əv ðə 'plei?
Kas šiandien ...?	Who is... today?	'hu: iz ... tə'dei?
vaidina	acting	'æktiŋ
šoka	dancing	'da:nsiŋ
dainuoja	singing	'siŋiŋ
Ar jums patinka šios aktorės (šio aktoriaus) vaidyba?	Do you like this actress' (actor's) performance?	'du: ju 'laik ðis 'æktrisiz ('æktəz) pə'fo:məns?

Koncertas / The Concert / ðə 'kɔnsət

akompaniatorius	accompanist	ə'kampənist
ansamblis	company	'kampəni
dainų ir šokių ansamblis	folk-song and dance company	'fouksɔŋ ənd 'da:ns kampəni
saviveiklos ansamblis	amate(u)r company	'æmətə: kampəni
arfa	harp	ha:p
arija	aria	'a:riə
atlikėjas	performer	pə'fo:mə
baritonas	baritone	'bæritoun
bosas	bass	beis
choras	chorus, choir	'ko:rəs, 'kwaiə
vaikų choras	children's choir	'čildrənz kwaiə

daina	song	sɔŋ
dirigentas	conductor	kən'daktə
duetas	duet	d(j)u:'et
džiazas	jazz	džæz
fleita	flute	flu:t
fortepijonas	grand piano	'grænd pi'ænou
kompozitorius	composer	kəm'pouzə
mecosopranas	mezzo-soprano	'metsousə'pra:nou
melodija	melody	'melədi
muzika	music	'mju:zik
kamerinė muzika	chamber music	'čeimbə mju:zik
klasikinė muzika	classical music	'klæsikl mju:zik
lengvoji muzika	light music	'lait mju:zik
liaudies muzika	folk music	'fouk mju:zik
simfoninė muzika	symphonic music	sim'fɔnik mju:zik
muzikantas	musician	mju:'zišn
orkestras	orchestra	'ɔ:kistrə
partitūra	score	skɔ:
pianinas	piano	pi'ænou
pianistas (-ė)	pianist	'piənist
rečitalis	recital	ri'saitl
repertuaras	repertoire	'repətwa:
simfonija	symphony	'simfəni
smuikas	violin	vaiə'lin
pirmasis smuikas	first violin	'fə:st vaiə'lin
smuikininkas (-ė)	violinist	'vaiəlinist
solo	solo	'soulou
sonata	sonata	sə'na:tə
sopranas	soprano	sə'pra:nou
tenoras	tenor	'tenə
trio	trio	'tri:ou
vargonai	organ	'ɔ:gən
vargonininkas (-ė)	organist	'ɔ:gənist
violončelė	cello	'čelou
Ar mėgstate muziką?	Do you like music?	'du: ju 'laik 'mju:zik?
Kas jūsų mėgstamiausias ...?	Who is your favourite ...?	'hu: iz jo: 'feivərit ...?

160

kompozitorius	composer	kəm'pouzə
pianistas	pianist	'piənist
dainininkas	singer	'siŋə

| Ar dažnai lankote kon-certus? | Do you often go to concerts? | 'du: ju 'ɔfn 'gou tə 'kɔn-səts? |

| Ar grojate kokiu nors instrumentu? | Do you play any musical instrument? | 'du: ju 'plei eni 'mju:-zikl 'instrumənt? |

| Aš skambinu pianinu | I play the piano | ai 'plei ðə pi'ænou |

Aš groju ...	I can play...	ai kən 'plei ...
smuiku	the violin	ðə vaiə'lin
violončele	the cello	ðə 'čelou
akordeonu	the accordion	ði ə'ko:diən

| Man patinka negrų liaudies dainos | I like Black folk songs | ai 'laik blæk 'fouk soŋz |

| Kokias angliškas dai-nas jūs žinote? | What English songs do you know? | 'wət 'iŋgliš 'sɔŋz də ju 'nou? |

| Ar nenorėtumėte su mumis nueiti į kon-certą? | Would you like to go to a concert with us? | 'wud ju 'laik tə 'gou tu ə 'kɔnsət wið əs? |

| Kokia šiandien prog-rama? | What's the program-(me) today? | 'wɔts ðə 'progræm tə-'dei? |

| Kur aš galėčiau pasi-klausyti klasikinės mu-zikos? | Where could I hear classical music? | 'wɛə kəd ai 'hiə 'klæsikl 'mju:zik? |

| Kas jums labiau pa-tinka: klasikinė ar šiuo-laikinė muzika? | Do you prefer classical or modern music? | 'du: ju pri'fə: 'klæsikl o: 'mɔdən mju:zik? |

Aš noriu paklausyti ...	I want to go to a con-cert of... music	ai 'wɔnt tə 'gou tu ə 'kɔnsət əv ... mju:zik
muzikos koncerto		
kamerinės	chamber	'čeimbə
liaudies	folk	'fouk
lengvosios	light	'lait
vargonų	organ	'o:gən

Lithuanian	English	Transcription
Kas veda programą?	Who is the announcer?	'hu: iz ði ə'naunsə?
Kas diriguoja?	Who is conducting?	'hu: iz kən'daktiŋ?
Kas solistas?	Who is the soloist?	'hu: iz ðə 'soulouist?
Kas akompanuoja?	Who is the accompanist?	'hu: iz ði ə'kampənist?
Ar jums patiko koncertas?	Did you like the concert?	'did ju 'laik ðə kɔnsət?
Kuriuos programos numerius turėjo kartoti?	Which items / pieces were encored?	'wič 'aitəmz / 'pi:siz wər 'ɔŋko:d?

Muziejus	**The Museum**	ðə mju:'ziəm
akvarelė	water-colo(u)r	'wo:təkalə
bilietas	entrance ticket	'entrəns tikit
dailė	fine arts; painting	'fain 'a:ts, 'peintiŋ
dailės akademija	Academy of Art	ə'kædəmi əv 'a:t
taikomoji dailė	applied art	ə'plaid a:t
dailininkas	artist	'a:tist
eksponatas	exhibit	ig'zibit
etiudas	study	'stadi
freska	fresco, mural	'freskou, 'mjuərəl
galerija	gallery	'gæləri
paveikslų galerija	picture-gallery	'pikčəgæləri
gidas	guide	gaid
gobelenas	tapestry	'teipistri
grafika	graphic arts	'græfik a:ts
graviūra, estampas	engraving, print	in'greiviŋ, print
karikatūra	caricature, cartoon	kærikə'tjuə, ka:'tu:n
kolekcija	collection	kə'lekšn
paveikslų (monetų) kolekcija	collection of paintings (coins)	kə'lekšn əv 'peintiŋz ('kɔinz)
privati kolekcija	private collection	'praivit kə'lekšn
koloritas	colouring	'kaləriŋ
menas	art	a:t
antikinis menas	the art of antiquity	æn'tikwəti

Rytų menas	Oriental art	o:ri'entl 'a:t
vaizduojamasis me-nas	the fine arts	ðə 'fain 'a:ts
fotografijos menas	photographic art	foutə'græfik a:t
meno kūrinys	work of art	'wə:k əv 'a:t
Vakarų Europos me-nas	Western European art	'westən juərə'piən 'a:t
miniatiūra	miniature	'miničə
mozaika	mosaic	mou'zeiik
muziejus	museum	mju:'ziəm
dailės muziejus	museum of fine arts	mju:'ziəm əv 'fain 'a:ts
taikomosios dailės	museum of applied art	mju:'ziəm əv ə'plaid 'a:t
Rytų meno muziejus	museum of Oriental art	mju:'ziəm əv o:ri'entl 'a:t
istorijos muziejus	history museum	'histəri mju:'ziəm
literatūros muzie-jus	literary museum	'litərəri mju:'ziəm
gamtos muziejus	natural history mu-seum	'næčrəl 'histəri mju:-'ziəm
memorialinis muzie-jus	memorial house	mi'mo:riəl haus
natiurmortas	still life	stil 'laif
ofortas	etching	'ečiŋ
pano	panel	'pænl
paroda	exhibition	eksi'bišn
parodos salė	exhibition hall	eksi'bišn ho:l
parodų rūmai	exhibition palace	eksi'bišn pælis
paveikslas	picture	'pikčə
peizažas	landscape	'lændskeip
piešinys	drawing	'dro:iŋ
plakatas	poster	'poustə
portretas	portrait	'po:trit
radinys	find, discovery	'faind, dis'kavəri
archeologinis radi-nys	archeological find	a:kiə'lɔdžikl 'faind
raižinys	carving, fretwork	'ka:viŋ, 'fretwə:k

medžio raižinys	woodcut	'wudkat
lino raižinys	linocut	'lainoukat
reprodukcija	reproduction	ri:prə'dakšn
restauruotojas	restorer	ri'sto:rə
skulptūra	sculpture	'skalpčə
tapyba	painting	'peintiŋ
tapytojas	painter, artist	'peintə, 'a:tist
vadovas (*knyga*)	guidebook	'gaidbuk
vitražas	stained-glass window	'steindgla:s windou

Ar jūsų mieste yra ... muziejus?	Is there ... museum in your town?	'iz ðèər ... mju:'ziəm in jo: 'taun?
istorijos	a history	ə 'histəri
archeologijos	an archeological	ən a:kiə'lɔdžikl
etnografijos	an ethnographic	ən eθnə'græfik
gamtos	a natural history	ə 'næčrəl 'histəri

| Mes norėtume pirmiausia aplankyti Britų muziejų? | We'd like to visit the British Museum first | wi:d 'laik tə 'vizit ðə 'britiš mju:'ziəm fə:st |

| Kuriame muziejuje galima susipažinti su JAV istorija? | Which museum deals with the history of the USA? | 'wič mju:'ziəm 'di:lz wið ðə 'histəri əv ðə 'ju: es 'ei? |

| Kiek kainuoja bilietas? | How much is the entrance fee? | 'hau 'mač iz ði 'entrəns fi:? |

| Mes norėtume gauti vadovą | We'd like to get a guide | wi:d 'laik tə 'get ə 'gaid |

Mes norime aplankyti ir ...	We'd like to visit... too	wi:d 'laik tə 'vizit ... 'tu:
Šekspyro gimtinę	Shakespeare's birthplace	'šeikspiəz 'bə:θpleis
Bernso namelį	Burns' Cottage	'bə:nziz 'kɔtidž
Šiuolaikinio meno muziejų	Museum of Modern Art	mju:'ziəm əv 'mɔdən 'a:t

| Kurį dailės muziejų jūs rekomenduojate aplankyti? | Which museum of fine arts do you recommend? | 'wič mju:'ziəm əv 'fain 'a:ts də ju rekə'mend? |

Kur galima susipažinti su taikomosios dailės kūriniais?	Where can I (we) see works of applied art?	'wɛə kən ai (wi) 'si: 'wə:ks əv ə'plaid 'a:t?
Kur saugomi senovės meno eksponatai?	Where are the antiques exhibited?	'wɛər a ði æn'ti:ks ig'zibitid?
Kur galima pamatyti ... tapybos mokyklos paveikslų?	Where can I see pictures of the ... school of painting?	'wɛə kən ai 'si: 'pikčəz əv ðə (ði)... 'sku:l əv 'peintiŋ?
britų	British	'britiš
amerikiečių	American	ə'merikən
olandų	Dutch	'dač
flamandų	Flemish	'flemiš
ispanų	Spanish	'spæniš
italų	Italian	i'tæljən
Aš domiuosi dabartine tapyba	I'm interested in modern painting	aim 'intrəstid in 'mɔdən 'peintiŋ
Ar jūs susipažinę su lietuvių tapyba?	Are you acquainted with Lithuanian painting / amer. art?	'a: ju ə'kweintid wið liθju:'einiən 'peintiŋ / 'a:t?
Kas nutapė šį paveikslą?	Who painted this picture?; Who is the artist?	'hu: 'peintid 'ðis 'pikčə?; 'hu: iz ði 'a:tist?
Kur galima gauti paveikslų reprodukcijų?	Where can one get reproductions?	'wɛə kən wan 'get ri:prə'dakšnz?
Kur galima susipažinti su senųjų meistrų paveikslais?	Where can one see the paintings of old masters?	'wɛə kən wan 'si: ðə 'peintiŋz əv 'ould 'ma:stəz?
Su kokiomis tapybos mokyklomis supažindinama Nacionalinėje galerijoje?	What schools of painting / amer. art are represented in the National Gallery?	'wɔt 'sku:lz əv 'peintiŋ / 'a:t a repri'zentid in ðə 'næšnəl 'gæləri?
Kur galima gauti galerijos paveikslų katalogą?	Where can I get a catalogue of the picture-gallery?	'wɛə kən ai 'get ə 'kætələg əv ðə 'pikčəgæləri?

165

Ar jūs buvote ...?	Have you been to the ...?	'hæv ju 'bi:n tə ðə...?
Čiurlionio paveikslų galerijoje Kaune Ermitaže Sankt Peterburge	Čiurlionis Picture-Gallery in Kaunas Hermitage in St Petersburg	čur'lo:nis 'pikčəgæləri in 'kaunas 'hə:mitidž in snt 'pi:təzbə:g
Kur yra ... salė?	Where is the ... exhibition?	'wêər iz ðə ... eksi'bišn?
graviūrų plakatų karikatūrų	engravings poster-works caricature	in'greiviŋz 'poustəwɔ:ks kærikə'tjuə
Kieno šis darbas?	Whose work is this?	'hu:z wə:k iz 'ðis?
Kokia ... pavardė? dailininko skulptoriaus architekto restauruotojo	What's the ... name? painter's sculptor's architect's restorer's	'wɔts ðə ... 'neim? 'peintəz 'skalptəz 'a:kitekts ri'sto:rəz
Kada jis gyveno?	When did he live?	'wen did hi 'liv?
Kokiai mokyklai jis priklauso?	What school does he belong to?	'wɔt 'sku:l dəz hi bi'lɔŋ tu?
Ar tai originalas, ar kopija?	Is it the original or a copy / replica?	'iz it ði ɔ'ridžənl o:r ə 'kɔpi / 'replikə?
Man (ne)patinka ši(s) ...	I (don't) like this ...	ai ('dount) 'laik ðis...
paveikslas siužetas kompozicija spalvų derinys	picture subject composition combination of colo(u)rs	'pikčə 'sabdžikt kɔmpə'zišn kɔmbi'neišn əv 'kaləz
Aš domiuosi... taikomąja daile miniatiūromis freskomis mozaikomis	I'm interested in ... applied art miniatures frescoes mosaics	aim 'intrəstid in ... ə'plaid 'a:t 'minič̌əz 'freskouz mou'zeiiks

166

monetų kolekcijomis	coin collections	ˈkɔin kəˈlekšnz
Kas jums labiausiai patiko?	What did you like best?	ˈwɔt did ju ˈlaik ˈbest?
Kas jums paliko įspūdį?	What impressed you?	ˈwɔt imˈprest ju?

Paroda — **The Exhibition** — ði eksiˈbišn

aparatūra	apparatus, devices	æpəˈreitəs, diˈvaisiz
automatizacija	automatization	oːtəmətaiˈzeišn
bilietas	ticket	ˈtikit
parodos bilietas	entrance ticket / fee	ˈentrəns tikit / fiː
ekskursija	excursion	ikˈskəːšn
ekskursijų vadovas	guide	gaid
ekspozicija	exhibition	eksiˈbišn
eksponatas	exhibit	igˈzibit
informacija	information section / *amer.* booth	infoːˈmeišn sekšn / buːθ
katalogas	catalogue	ˈkætələg
mašinos	machinery	məˈšiːnəri
mechanizacija	mechanization	mekənaiˈzeišn
paroda	exhibition	eksiˈbišn
parodos salė	exhibition room / hall	eksiˈbišn rum / hoːl
paviljonas	pavilion	pəˈviliən
prospektas (*leidinys*)	pamphlet, prospectus	ˈpæmflit, prəˈspektəs
technologija	technology	təkˈnɔlədži
transportas	transport	ˈtrænspoːt

Norėtume pamatyti ... parodą	We'd like to see an exhibition of...	wiːd ˈlaik tə ˈsiː ən eksiˈbišn əv ...
žemės ūkio technikos	agricultural equipment	ægriˈkalčərəl iˈkwipmənt
medicinos aparatūros	medical equipment	ˈmedikl iˈkwipmənt
kosmetikos gaminių	cosmetics	kɔzˈmetiks
automobilių	cars / *amer.* automobiles	ˈkaːz / ˈoːtəməbiːlz

skaičiavimo technikos	computing devices	kəm'pju:tiŋ di'vaisiz
automatinių staklių	automatic machine-tools	o:tə'mætik mə'ši:ntu:lz
Kiek kainuoja...?	How much is...?	'hau 'mač iz ...?
bilietas [į parodą]	the entrance ticket / fee	ði 'entrəns tikit / fi:
parodos prospektas	the pamphlet / prospectus	ðə 'pæmflit / prə'spektəs
parodos planas	the plan	ðə 'plæn
Prašau duoti mums du (tris) bilietus ir parodos prospektą	Please give us two (three) tickets and a pamphlet	'pli:z 'giv əs 'tu: ('θri:) 'tikits ənd ə 'pæmflit
Mums reikia ekskursijos vadovo	We would like to get a guide	wi wəd 'laik tə 'get ə 'gaid
Kiek tai kainuos?	How much will it cost?	'hau 'mač wil it 'kɔst?
Kur yra... skyrius (paviljonas)?	Where is the... section (pavilion)?	'wêər iz ðə ... 'sekšn (pə'viliən)?
Norėtume pamatyti ...	We'd like to see...	wi:d 'laik tə 'si: ...
naujausius traktorius	the latest tractors	ðə 'leitist 'træktəz
naujausias stakles	the latest machine-tools	ðə 'leitist mə'ši:ntu:lz
štampavimo automatą	a punching press	ə 'pančiŋ pres
automatines linijas	automatic lines	o:tə'mætik 'lainz
naujausius rentgeno aparatus	the latest X-ray devices	ðə 'leitist 'eksrei di'vaisiz
Kas konstruktorius?	Who is the designer?	'hu: iz ðə di'zainə?
Kur galima paskaityti...?	Where could I read the ...?	'wêə kəd ai 'ri:d ðə ...?
katalogą	catalogue	'kætəlɔg
prospektą	pamphlet	'pæmflit
techninę dokumentaciją	technical papers	'teknikl 'peipəz

168

Ar galėčiau susipažinti su ...?	Could I see the ...?	'kud ai 'si: ðə ...?
pagrindiniais techniniais duomenimis ir charakteristikomis	basic specifications	'beisik spesifi'keišnz
eksploatavimo instrukcija	operating instructions	'ɔpəreitiə in'strakšnz
techninio aptarnavimo instrukcija	maintenance instructions	'meintənəns in'strakšnz
atsarginių dalių, instrumentų ir prietaisų sąrašu	handbook of spare parts, instruments and appliances	'hændbuk əv 'spéə 'pa:ts, 'instrumənts ənd ə'plaiənsiz
Kur aš galėčiau pamatyti, kaip dirba...?	Where could I see ... in operation?	'wéə kəd ai 'si: ... in ɔpə'reišn?
naujausieji kompiuteriai	the latest computers	ðə 'leitist kəm'pju:təz
naujausieji robotai	the latest robots	ðə 'leitist 'roubɔts
automatinės linijos	automatic lines	o:tə'mætik 'lainz

Parkas. Zoologijos sodas — Park. Zoo — pa:k. zu:

Kaip man patekti į ...?	How do I get to ...?	'hau du ai 'get to ...?
Haid Parką	Hyde Park	'haid pa:k
Centrinį Parką	Central Park	'sentrəl pa:k
Parke yra ...	There is ... in the park	ðér iz ... in ðə 'pa:k
ežeras	a lake	ə 'leik
oranžerija	a conservatory	ə kən'sə:vətəri
fontanas	a fountain	ə 'fauntin
kavinė	a cafe	ə 'kæfei
Parke daug paukščių	There are many birds in the park	ðér a: 'meni 'bə:dz in ðə 'pa:k
Kaip nuvykti į zoologijos sodą?	How do I get to the zoo?	'hau du ai 'get tu ðə 'zu:?

169

Kada dirba zoologijos sodas?	What are the working hours of the zoo?	'wɔt a: ðə 'wə:kiŋ 'auəz əv ðə 'zu:?
Kiek kainuoja (vaikiškas) bilietas?	How much is a (children's) ticket?	'hau 'mač iz ə ('čildrənz) 'tikit?
Kaip galėčiau pamatyti...?	How can I get to ...?	'hau kən ai 'get tu...?
terariumą	reptile house	'reptail haus
jauniklių aikštelę	cubs ground	'kabz graund
paukščių voljerą	ariary	'ėəriəri
Kur galėtume pamatyti ...?	Where can we see ...?	'wėə kən wi 'si: ...?
dramblius	elephants	'elifənts
tigrus	tigers	'taigəz
vabzdžius	insects	'insekts
žuvis	fish	'fiš

Aktyvus poilsis	**Recreation**	rekri'eišn
atrakcionai (*parke, mugėje*)	side-shows	'saidšouz
beisbolas	baseball	'beisbo:l
biliardas	billiards	'biliədz
biliardo rutulys	billiard-ball	'biliədbo:l
biliardo lazda	cue	kju:
čiuožykla	skating-rink	'skeitiŋriŋk
funikulierius	funicular railway	fju'nikjulə 'reilwei
golfas	golf	gɔlf
kamuolys	ball	bo:l
kateris	motor-boat, motor-launch	'moutəbout, 'moutəlo:nč
keltuvas	cable railway; lift	'keibl reilwei; lift
kino teatras	cinema; *amer.* the movies	'sinəmə; ðə 'mu:viz
kortos	playing-cards	'pleiiŋka:dz
krepšinis	basketball	'ba:skitbo:l
medžioklė	hunting	'hantiŋ

palapinė	tent	tent
parkas	park	pa:k
rogutės	toboggan	təˈbɔgən
skaitykla	reading-room	ˈriːdiŋrum
slidės	skis	skiːz
kalnų slidės	mountain / downhill skis	ˈmauntin / ˈdaunhil skiːz
slidžių lazdos	ski-sticks; *amer.* ski poles	ˈskiːstiks; ˈskiːpoulz
slidžių tepalas	ski-wax	ˈskiːwæks
slidininkas	skier	ˈskiːə
šachmatai	chess	čes
šachmatų figūros	pieces	ˈpiːsiz
šachmatų lenta	chess-board	ˈčesbɔːd
šaškės	draughts; *amer.* checkers	draːfts; ˈčekəz
šokiai	dances	ˈdaːnsiz
tenisas	tennis	ˈtenis
teniso kamuoliukai	tennis-balls	ˈtenisbɔːlz
teniso kortas	tennis-court	ˈteniskɔːt
teniso raketės	tennis-rackets	ˈtenisrækits
stalo tenisas	table tennis, ping-pong	ˈteibl tenis, ˈpiŋpɔŋ
tinklinis	volleyball	ˈvɔlibɔːl
tinklinio aikštelė	volleyball-pitch; *amer.* vooleyball-court	ˈvɔlibɔːlpič; ˈvɔlibɔːlkɔːt
tiras	shooting-range	ˈšuːtiŋreindž
valtis	boat	bout
vandens sportas	water-sport	ˈwoːtəspoːt
vandens slidės	water skis	ˈwoːtə skiːz
Norėčiau (norėtume) eiti...	I'd (We'd) like to go...	aid (wiːd) ˈlaik tə ˈgou ...
čiuožti	skating; *amer.* ice-skating	ˈskeitiŋ; ˈaisskeitiŋ
slidinėti	skiing	ˈskiːiŋ

171

Ar galima čia išsinuomoti ...?	May we rent... here?	'mei wi 'rent ... 'hiə?
roges	a sledge / sled / toboggan	ə 'sledž / 'sled / 'tə-'bɔgən
slides	a pair of skis	ə 'pèər əv 'ski:z
pačiūžas	a pair of skates / *amer.* iceskates	ə 'pər əv 'skeits / 'ais-skeits
Kur galėtume rasti slidinėjimo trenerį?	Where could we find a skiing instructor?	'wèə kəd wi 'faind ə 'ski:iŋ in'straktə?
Ar pasikelsime...?	Should we go up by ...?	'šud wi 'gou 'ap bai ...?
kalnų geležinkeliu	mountain railway	'mauntin reilwei
funikulieriumi	funicular railway	fju'nikjulə reilwei
slidininkų keltuvu	ski-lift / ski-cable	'ski:lift / 'ski:keibl
Ar negalėtumėte parodyti man kelio į tramplianą?	Would you show me the way to the ski-jump, please?	'wud ju 'šou mi ðə 'wei tə ðə 'ski:džamp, pli:z?
Kuri čiuožykla yra geriausia mieste?	Which skating-rink (*amer.* ice skating-rink) is the best in this town?	'wič 'skeitiŋriŋk ('ais-skeitiŋriŋk) iz ðə 'best in 'ðis 'taun?
Ar yra mieste plaukymo baseinas?	Is there a swimming-pool in the town?	'iz ðèər ə 'swimiŋpu:l in ðə 'taun?
Aš plaukioju ištisus metus	I swim all year round	ai 'swim 'o:l 'jə: 'raund
Kokiu stiliumi jūs plaukiojate?	What stroke do you use?	'wɔt 'strouk də ju 'ju:z?
Kokia vandens temperatūra?	What is the temperature of the water?	'wɔt iz ðə 'temprəčə əv ðə 'wo:tə?
Aš noriu išsinuomoti ...	I want to rent...	ai 'wɔnt tə 'rent ...
vandens slides	a pair of water skis	ə 'pèər əv 'wo:tə ski:z
valtį	a row(ing) boat	'rou(iŋ) bout

Kiek tai kainuoja valandai?	What's the charge per hour?	'wɔts ðə 'ča:dž pər 'auə?
Kur teniso kortai?	Where are the tennis-courts?	'wèər a ðə 'tenisko:ts?
Ar čia yra tinklinio aikštelė?	Is there a volleyball-pitch / amer. voleyball-court here?	'iz ðèər ə 'vɔlibo:lpič / 'vɔlibo:lko:t hiə?
Ar jūs žaidžiate...? šachmatais šaškėmis biliardą	Do you play...? chess draughts / amer. checkers billiards	'du: ju 'plei ...? 'čes 'dra:fts / 'čekəz 'biliədz
Ar šiame viešbutyje yra biliardas?	Is there a billiard room in this hotel?	'iz ðèər ə 'biliəd rum in ðis hou'tel?
Prašom atnešti mums... šachmatus šaškes domino	Please bring us ... chess draughts / amer. checkers dominoes	'pli:z 'briŋ əs... 'čes 'dra:fts / 'čekəz 'dɔminouz
Kur aš galėčiau šį vakar pailsėti?	Where can I go to rest / relax this evening?	'wèə kən ai 'gou tə 'rest / ri'læks ðis 'i:vniŋ?
Kur yra didžiausias miesto parkas?	Where is the largest park in the town?	'wèər iz ðə 'la:džist 'pa:k in ðə 'taun?
Kur yra...? poilsio zona šokių aikštelė teatras po atviru dangumi restoranas kino teatras	Where is the...? recreation area dance floor open-air theatre restaurant cinema; amer. the movies	'wèər iz ðə...? rekri'eišn èəriə 'da:ns flo: 'oupənèə 'θiətə 'restrɔnt / 'restrɔŋ 'sinəmə; ðə 'mu:viz
Kaip nueiti prie upės (jūros)?	Which way is to the river (sea)?	'wič 'wei iz to ðə 'rivə ('si:)?

Eikime šita alėja	Let's take this lane	'lets 'teik 'ðis 'lein
Kur galima pašokti?	Where can we go dancing?	'wèə kən wi 'gou 'da:nsiŋ?
Leiskite pakviesti jus šokiui	May I invite you to dance?; *amer.* Would you care to dance?	'mei ai in'vait ju tə 'da:ns?; 'wud ju 'kèə tə 'dæns?
Ačiū. Aš nešoku	Thanks. I don't feel like dancing	'θæŋks. ai 'dount 'fi:l laik 'da:nsiŋ

ŠVIETIMAS. MOKSLAS

EDUCATION. SCIENCE

edju'keišn. 'saiəns

akademija	academy	ə'kædəmi
muzikos akademija	musical college / academy	'kɔlidž / ə'kædəmi
dailės akademija	academy of arts	ə'kædəmi əv 'a:ts
akademikas	member of an academy; academician	'membər əv ən ə'kædəmi; əkædə'mišn
aspirantas	post-graduate student; *amer.* graduate student	'poustgrædžuət 'stju:dnt; 'grædžuət 'stju:dnt
atostogos	vacation; holiday[s]	və'keišn; 'holədei[z]
auklėtojas (-a)	tutor	'tju:tə
klasės auklėtojas (-a)	class tutor	'kla:s tju:tə
darželio auklėtoja	nursery-school teacher	'nə:sərisku:l ti:čə
aukštesnioji mokykla	secondary technical school / college	'sekəndəri 'teknikl sku:l / 'kɔlidž
bakalauras (*žemiausias mokslinis laipsnis*)	Bachelor's degree	'bæčələz di'gri:
brandos atestatas	school-leaving certificate; *amer.* highschool diploma	'sku:lli:viŋ sə'tifikit; 'haisku:l di'ploumə
daktaras (*laipsnis*)	Doctor	'dɔktə
habilituotas	Habilitated	hæ'biliteitid

174

daktaras	Doctor	'dɔktə
dekanas	dean	di:n
diplomas	diploma	di'ploumə
direktorė	headmistress; *amer.* principal	hed'mistris; 'prinsəpl
direktorius	headmaster; *amer.* principal	hed'ma:stə; 'prinsəpl
disertacija	thesis, dissertation	'θi:sis, disə'teišn
diskusija	discussion	dis'kašn
docentas	associate professor; *amer.* assistant professor	ə'soušiət prə'fesə; ə'sistənt prə'fəsə
egzaminas	examination	igzæmi'neišn
egzaminų sesija	examination period	igzæmi'neišn piəriəd
fakultetas	faculty, department; college	'fækəlti, di'pa:tmənt; 'kɔlidž
institutas	institute, college	'institju:t, 'kɔlidž
mokslinio tyrimo institutas	research centre / institute	ri'sə:č 'sentə / 'institju:t
pedagoginis institutas / universitetas	teachers' training college / university	'ti:čəz 'treiniŋ 'kɔlidž / ju:ni'və:səti
technikos institutas / universitetas	polytechnic institute / university	pɔli'teknik 'institju:t / ju:ni'və:səti
įskaita	test, credit	test, 'kredit
išsilavinimas	education	edju'keišn
(specialusis) vidurinis išsilavinimas	secondary (special) education	'sekəndri ('spešl) edju'keišn
aukštasis išsilavinimas	higher / university education	'haiə / ju:ni'və:səti edju'keišn
katedra	department	di'pa:tmənt
konferencija	conference	'kɔnfərəns
lopšelis	day nursery; *amer.* daycare center	'dei nə:səri; 'deikèə 'sentə
magistras (*mokslinis laipsnis*)	Master (of Science / Arts)	'ma:stə[r] (əv 'saiəns / 'a:ts)
Mokslų Akademija	Academy of Sciences	ə'kædəmi əv 'saiənsiz
mokykla	school	sku:l

175

aukštoji mokykla	institution of higher education	insti'tju:šn əv 'haiər edju'keišn
mokykla-internatas	boarding-school	'bo:diŋsku:l
profesinė mokykla	trade / vocational school	'treid / vou'keišnl sku:l
mokymas	education; training	edju'keišn; 'treiniŋ
mokymo įstaiga	educational institution / establishment	edju'keišnəl insti-'tju:šn / i'stæbliš-mənt
pamoka	lesson, class	'lesn, kla:s
paskaita	lecture	'lekčə
problema	problem	'prɔbləm
profesorius	professor	prə'fesə
rektorius	rector, president	'rektə, 'prezidənt
semestras	term; *amer.* semester	tə:m; si'mestər
seminaras	seminar, class	'semina:, kla:s
stipendija	grant; scholarship	gra:nt; 'skɔləšip
studentas	student, undergraduate	'stju:dnt, andə'grædžu-ət
švietimas	education	edju'keišn
trimestras	term	tə:m
universitetas	university	ju:ni'və:səti
vadovėlis	textbook	'tekstbuk
vaikų darželis	nursery / infant school; kindergarten	'nə:səri 'infənt sku:l; 'kindəga:tn
Mane domina jūsų šalies švietimo sistema	I'm interested in the education system in your country	aim 'intrəstid in ði edju'keišn 'sistəm in jo: kantri
Mes norėtume sužinoti apie...	We'd like to learn of your...	wi:d 'laik tə 'lə:n əv jo: ...
mokyklas	schools	'sku:lz
mokyklas-internatus	boarding-schools	'bo:diŋsku:lz
koledžus	colleges	'kɔlidžiz
universitetus	universities	ju:ni'və:sətiz
mokslinio tyrimo institutus	research centres / institutes	ri'sə:č 'sentəz / 'insti-tju:ts

176

Kiek metų mokoma-si...?	How long does the ... course last?	'hau 'lɔŋ dəz ðə ... 'kɔːs 'laːst?
universitete	university	juːniˈvəːsəti
koledže	college	'kɔlidž
aukštesniojoje mo-kykloje	secondary technical school / college	'sekəndəri 'teknikl 'skuːl / 'kɔlidž
mokykloje	school	'skuːl

Vaikų darželis. Lop-šelis

Nursery / Infant School. Day Nursery; *amer.* Day-Care Center

'nəːsəri / 'infənt skuːl. 'dei nəːsəri; 'deikêə 'sentə

Norėtume apžiūrėti vaikų darželį (lopšelį)	We'd like to see a nur-sery school (day nurse-ry; *amer.* day-care cen-ter)	wiːd 'laik tə 'siː ə 'nəː-səri skuːl ('dei nəːsəri; 'deikêə 'sentə)
Ar tai privati, ar vals-tybinė įstaiga	Is it a private or a State / public institution?	'iz it ə 'praivit ɔːr ə 'steit /'pablik insti-'tjuːšn?
Kas paprastai atiduoda vaikus į darželius?	What kind of people usually send their children to nursery schools?	'wɔt 'kaind əv 'piːpl 'juːžuəli 'send ðêə čild-rən tə 'nəːsəri skuːlz?
Kokio amžiaus vaikai priimami į darželį?	At what age are the children accepted to / in the nursery school?	ət wɔt 'eidž a ðə 'čildrən ək'septid tə / in ðə 'nəː-səri skuːl?
Kiek vaikų grupėje?	How many children are there in a group?	'hau meni 'čildrən 'aː ðêər in ə 'gruːp?
Kiek auklėtojų dirba vienoje grupėje?	How many teachers work with one group?	'hau meni 'tiːčəz 'wəːk wið 'wan 'gruːp?
Kaip dažnai vaikus ap-žiūri gydytojas?	How often are the child-ren seen by a doctor?	'hau 'ɔfn ə ðə 'čildrən 'siːn bai ə 'dɔktə?
Koks dienos režimas?	What's the daily rou-tine?	'wɔts ðə 'deili ruː'tiːn?

177

Kiek laiko vaikai išbūna darželyje?	How long do the children stay at nursery school?	'hau 'lɔŋ də ðə 'čildrən 'stei ət 'nə:səri sku:l?
Kur vaikai maitinasi?	Where do the children have / eat their meals?	'weə də ðə 'čildrən 'hæv / 'i:t ðéə 'mi:lz?
Ką vaikai veikia darželyje?	What do the children do at nursery school?	'wɔt də ðə 'čildrən 'du: ət 'nəsəri sku:l?
Ar ruošiami vaikai mokyklai?	Are the children being trained for school?	'a: ðə 'čildrən bi:iŋ 'treind fə 'sku:l?
Kiek tėvai moka už vaiko išlaikymą darželyje?	How much do the parents pay per child for the nursery school?	'hau 'mač də ðə 'pèərənts 'pei pə 'čaild fə ðə 'nə:səri sku:l?
Kur rengiami ikimokyklinių įstaigų darbuotojai?	Where are preschool teachers trained?	'weər a 'pri:sku:l 'ti:čəz 'treind?

Mokykloje — **At a School** — æt ə 'sku:l

Norėtume aplankyti vidurinę mokyklą	We'd like to see a comprehensive / secondary / *amer.* high school	wi:d 'laik tə 'si: ə kɔmpri'hensiv / 'sekəndri / 'hai sku:l
Mes norėtume aplankyti...	We'd like to see a ...	wi:d 'laik tə 'si: ə ...
valstybinę mokyklą	state / *amer.* public school	'steit / 'pablik sku:l
municipalinę mokyklą	city school	'siti sku:l
privačią mokyklą	private boarding-school	'praivit 'bo:diŋsku:l
Ar šioje mokykloje mokslas nemokamas?	Is the teaching / tuition free at this school?	'iz ðə 'ti:čiŋ / tju:'išn 'fri: ət ðis 'sku:l?
Kiek trunka privalomas mokslas?	How long does compulsory education last?	'hau 'lɔŋ dəz kəm'palsəri edju'keišn 'la:st?

Kokio amžiaus vaikai priimami į mokyklą?	At what age are children accepted in / to school?	ət 'wɔt 'eidž a 'čildrən ək'septid in / tə 'sku:l?
Kada prasideda (baigiasi) mokslo metai?	When does the school-year begin (end)?	'wen dəz ðə 'sku:ljə: bi'gin ('end)?
Kada moksleiviai atostogauja?	When do the school-children have their holidays?	'wen də ðə 'sku:lčildrən 'hæv ðêə 'hɔlədeiz?
Kiek trunka atostogos?	How long do the holidays last?	'hau 'lɔŋ də ðə 'hɔlədeiz 'la:st?
Kokie dalykai dėstomi mokykloje?	What subjects are taught at school?	'wɔt 'sabdžikts a 'tɔ:t ət 'sku:l?
Kokių užsienio kalbų mokoma?	What foreign languages are taught?	'wɔt 'fɔrən 'læŋgwidžiz a 'tɔ:t?
Kiek mokinių klasėje?	What is the number of children per classroom?	'wɔt iz ðə 'nambər əv 'čildrən pə 'kla:srum?
Kokioje mokykloje mokosi jūsų vaikas?	Which school does your child go to?	'wič 'sku:l dəz jo: 'čaild 'gou tu?
Kurioje jis (ji) klasėje?	Which form / *amer.* grade is he (she) in?	'wič 'fo:m / 'greid iz hi (ši) 'in?
Kokie dalykai jūsų mokykloje specializuoti?	What are the special subjects in your school?	'wɔt a ðə 'spešl 'sabdžikts in jo: 'sku:l?
Šioje mokykloje sustiprinti (-os) ...	In this school there are special classes in...	in 'ðis 'sku:l ðêər a 'spešl 'kla:siz in ...
klasikinės kalbos humanitariniai dalykai	classical languages the humanities	'klæsikl 'læŋgwidžiz ðə hju'mænitiz
ekonominiai ir socialiniai mokslai matematika ir gamtos mokslai	economics and social sciences mathematics and natural sciences	i:kə'nɔmiks ənd 'soušl 'saiənsiz mæθi'mætiks ənd 'næčrəl 'saiənsiz

179

Ar gauna vaikai profesinį išsilavinimą?	Do the schoolchildren get vocational training?	'du: ðə 'sku:lčildrən 'get vou'keišnl 'treiniŋ?
Kur įgyjamas profesinis išsilavinimas?	Where can one get a vocational training?	'wêə kən wan 'get ə vou'keišnl 'treiniŋ?
Kur rengiami mokyklų mokytojai?	Where are schoolteachers trained?	'wêə a 'sku:lti:čəz 'treind?
Kaip organizuotas profesinis orientavimas?	How is the work in professional orientation done?	'hau iz ðə 'wə:k in prə-'fešnl ərien'teišn 'dan?

Universitete — At a University — æt ə ju:ni'və:səti

Norėtume aplankyti universitetą	We'd like to see / visit a university	wi:d 'laik tə 'si: / 'vizit ə ju:ni'və:səti
Jūs studentas?	Are you a student?	'a: ju ə 'stju:dnt?
Kokioje aukštojoje mokykloje mokotės / studijuojate?	Which university do you attend?	'wič ju:ni'və:səti də ju ə'tend?
Kiek studentų jūsų universitete?	How many students attend this university?	'hau meni 'stju:dnts ə'tend 'ðis ju:ni'və:səti?
Kokie fakultetai yra universitete?	What faculties / departments / *amer.* specialities are there at this university?	'wɔt 'fækəltiz / di'pa:tmənts / speši'ælitiz 'a: ðêər ət 'ðis ju:ni'və:səti?
Kokie dalykai studijuojami universitete?	What subjects are read / offered at the university?	'wɔt 'sabdžikts a 'red / 'ɔfəd ət ðə ju:ni'vəsəti?
Mūsų universitete dėstomi šie dalykai...	The following are the subjects read / offered at our university...	ðə 'fɔlouiŋ a ðə 'sabdžikts 'red / 'ɔfəd ət auə ju:ni'və:səti
kalbos ir literatūra	languages and literature	'læŋgwidžiz ənd 'litrəčə

180

medicina	medicine	'medsin
veterinarija	veterinary science	'vetrinri 'saiəns
matematika	mathematics / maths	mæθi'mætiks / mæθs
biologija ir gamtos mokslai	biology and natural sciences	bai'ɔlədži ənd 'næčrəl saiənsiz
technikos mokslai	engineering sciences	endži'niəriŋ 'saiənsiz
žemės ūkio mokslai	agricultural sciences	ægri'kalčərəl 'saiənsiz
teisė	law	lo:
ekonomika	economics	i:kə'nɔmiks
visuomenės mokslai	social sciences	soušl saiənsiz
geografija	geography	dži'ɔgrəfi
filosofija	philosophy	fi'lɔsəfi
fizinis lavinimas	physical training	'fizikl 'treiniŋ

Kuriame fakultete studijuojate?

In which faculty / college do you study?

in 'wič 'fækəlti / 'kɔlidž də ju 'stadi?

Kokius specialistus fakultetas rengia?

What kind of specialists does the college train?

'wɔt 'kaind əv 'spešəlists dəz ðə 'kɔlidž 'trein?

Kiek trunka mokslas universitete?

How long do the students attend the university?

'stu:dnts ə'tend ðə ju:ni'və:səti?

Kas universiteto rektorius?

Who is Rector / President of the university?

'hu: iz 'rektə / 'prezidənt əv ðə ju:ni'və:səti?

Aš domiuosi humanitarinėmis (techninėmis) aukštosiomis mokyklomis

I'm interested in the Humanities (engineering) colleges / universities

aim 'intrəstid in ðə hju-'mænitiz (endži'niəriŋ) 'kɔlidžiz / ju:ni'və:sətiz

Aš studijuoju ...
   Vilniaus universitete

I study at ...
   Vilnius University

ai 'stadi ət ...
   'vilnjus ju:ni'və:səti

Lietuvos žemės ūkio universitete — Lithuanian Agricultural University — liθju:'einiən ægri-'kalčərəl ju:ni'və:səti

Aš ... universiteto studentas — I'm a student at a(n) ... college / university — aim ə 'stju:dnt ət ə ... 'kɔlidž / ju:ni'və:səti
   pedagoginio — teacher's training — 'ti:čəz 'treiniŋ
   technikos — technical — 'teknikl
   medicinos — medical — 'medikl

Aš mokausi... — I study at the ... — ai 'stadi ət ði ...
   Muzikos akademijoje — Academy of Music; Conservatoire — ə'kædəmi əv 'mjuzik; kən'sə:vətwa:
   Dailės akademijoje — Academy of Art — ə'kædəmi əv 'a:t

Ar pas jus studijuoja ... studentai? — Do any... students study here? — 'du: eni ... 'stju:dnts 'stadi hiə?
   lietuviai — Lithuanian — liθju:'einiən
   užsienio šalių — foreign — 'fɔrən

Ar mokslas aukštojoje mokykloje nemokamas? — Is university education free? — 'iz ju:ni'və:səti edju-'keišn 'fri:?

Ar jūsų studentai gauna (valstybines) stipendijas? — Are your students given (State / Government) grants / scholarships? — 'a: jo: 'stju:dnts 'givn ('steit / 'gavənmənt) gra:nts / 'skɔləšips?

Kokią stipendiją jūs gaunate? — What grant / scholarship do you get? — 'wɔt 'gra:nt / 'skɔləšip də ju 'get?

Ar studentai gauna bendrabučius? — Are students provided with halls of residence (amer. dormatories)? — 'a: 'stju:dnts prə'vaidid wið 'hɔ:lz əv 'rezidəns ('do:mətəriz)?

Kiek mokama už bendrabutį? — How much do the students pay for residence? — 'hau 'mač də ðə 'stju:-dnts 'pei fə 'rezidəns?

Ar yra vakarinis (neakivaizdinis) mokymas? — Are there evening (correspondence) courses? — 'a: ðêər 'i:vniŋ (kɔris-'pɔndəns) 'ko:siz?

182

Aš mokausi neakivaizdiniu būdu	I study by correspondence	ai 'stadi bai kɔris'pɔndəns
Kuriame kurse jūs studijuojate?	What year are you in?	'wɔt 'jəːr a ju 'in?
Aš studijuoju pirmame kurse	I am a first-year student	aim ə 'fəːstjə: 'stjuːdnt
Kiek valandų ... turite per savaitę?	How many hours of... have you got (*amer.* do you have) a week?	'hau meni 'auəz əv ... həv ju 'gɔt (də ju 'hæv) ə 'wiːk?
paskaitų	lectures	'lekčəz
seminarų	seminars	'seminaːz
pratybų	classes	'klaːsiz
Kada prasideda mokslo metai universitete?	When does the academic year begin at this university?	'wen dəz ði ækə'demik 'jə: bi'gin at ðis juːniː'vəːsəti?
Kada pas jus vyksta žiemos (pavasario) egzaminų sesija?	When do students have their winter (summer) examinations?	'wen də 'stjuːdnts 'hæv ðéə 'wintə ('samə) igzæmi'neišnz?
Kada studentai turi žiemos (pavasario) atostogas?	When do your students have their winter (summer) vacation?	'wen də jo: 'stjuːdnts 'hæv ðéə 'wintə ('samə) və'keišn?
Kokias turite laboratorijas?	What kind of laboratories have you got?	'wɔt 'kaind əv lə'bɔrətriz həv ju 'gɔt?
Kiek vietų jūsų auditorijose?	How many seats do your classrooms have?	'hau meni 'siːts də jo: 'klaːsrums 'hæv?
Kokį universitetą baigėte?	What university / college did you graduate from?	'wɔt juːniː'vəːsəti / 'kɔlidž did ju 'grædžueit frɔm?
Jis ... bakalauras (daktaras)	He is Bachelor (Doctor) of...	hi: iz 'bæčələr ('dɔktər) əv...
medicinos	medicine	'medsin
filologijos	philology	fi'lɔlədži
istorijos	history	'histəri

183

biologijos	biology	bai'ɔlədži
chemijos	chemistry	'kemistri
fizikos	physics	'fiziks
matematikos	mathematics	mæθi'mætiks

Aš rengiu disertaciją	I'm doing a thesis / dissertation	aim 'du:iŋ ə 'θi:sis / disə'teišn
Kokias turite galimybes kvalifikacijai kelti?	What opportunities are there for improving one's skills?	'wɔt ɔpə'tju:nitiz 'a: ðêə fər im'pru:viŋ wanz 'skilz?
Mokslinio tyrimo centre	**At a Research Centre /** *amer.* **Center**	æt ə ri'sə:č 'sentə / 'sentər
Kokią problemą sprendžia jūsų mokslinio tyrimo centras / institutas?	What problem is this Research Centre concerned with?	'wɔt 'prɔbləm iz ðis ri-'sə:č sentə kən'sə:nd wið?
Ar daug dirbote, spręsdami šią problemą?	Have you worked hard on this problem?	'hæv ju 'wə:kt 'ha:d ɔn ðis 'prɔbləm?
Kada pradėjote šį darbą?	When did you begin working on it?	'wen did ju bi'gin 'wə:-kiŋ ɔn it?
Kiek laiko jau dirbate?	How long have you been working?	'hau 'lɔŋ həv ju bi:n 'wə:kiŋ?
Kas vadovauja jūsų laboratorijai?	Who is the head of your laboratory?	'hu: iz ðə 'hed əv jo: lə'bɔrətri?
Kokioje grupėje jūs dirbate?	What team / group are you working with?	'wɔt 'ti:m / 'gru:p a ju 'wə:kiŋ wið?
Dirbu grupėje, kuri sprendžia... problemą	I belong to the team / group working on ...	ai bi'lɔŋ tə ðə 'ti:m / 'gru:p 'wə:kiŋ ɔn...
Kas jūsų grupės vadovas?	Who is the head of your team / group?	'hu: iz ðə 'hed əv jo: 'ti:m / 'gru:p?
Aš dirbu vadovaujamas profesoriaus ...	I work under Prof. ...	ai 'wə:k andə prə'fesə ...

Ar girdėjote apie naujausią daktaro ... darbą?	Have you heard about the latest work of Dr. ...?	'hæv ju 'hə:d əbaut ðə 'leitist 'wə:k əv 'dɔktə ...?
Taip, aš girdėjau daug teigiamų atsiliepimų apie šį darbą	Yes, I've heard a lot of good things about this work	'jes, aiv 'hə:d ə 'lɔt əv 'gud 'θiŋz əbaut ðis 'wə:k
Ar žinote apie lietuvių mokslininkų laimėjimus šioje srityje?	Have you heard about the achievements of Lithuanian scientists in this field?	'hæv ju 'hə:d əbaut ði ə'či:vmənts əv liθju:-'einiən 'saiəntists in ðis 'fi:ld?
Ar jūsų darbas tik pradedamas, ar baigiamas?	Is your work in a preliminary or a final stage?	'iz jo: 'wə:k in ə pri'liminəri o:r ə 'fainl steidž?
Ar jūs tęsite šį darbą?	Are you going to continue this work?	'a: ju 'gouiŋ tə kən-'tinju: ðis 'wə:k?
Eksperimentas vyksta	The experiment is in progress	ði ik'sperimənt iz in 'prougres
Labai teisingai pasielgėte, pasiūlę šį eksperimentą	It was very clever of you to suggest this experiment	it wəz 'veri 'klevər əv ju tə sə'džest ðis ik'sperimənt
Aš domiuosi kai kuriais techniniais jūsų eksperimento dalykais	I'm interested in some technical points of your experiment	aim 'intrəstid in səm 'teknikl 'pɔints əv jo:r ik'sperimənt
Kokių rezultatų tikitės?	What results are expected?; What do you hope to accomplish?	'wɔt ri'zalts ər ik'spektid?; 'wɔt də ju 'houp tu ə'kɔmpliš?
Mūsų grupei pavyko gauti...	Our team / group succeeded in obtaining ...	auə 'ti:m / 'gru:p sək-'si:did in əb'teiniŋ ...
Ar turėjote sunkumų skaičiuodami šį parametrą?	Did you have any difficulty with the calculation of this parameter?	did ju 'hæv eni 'difikəlti wið ðə kælkju'leišn əv ðis pə'ræmitə?

Kaip tikitės šiuos sunkumus įveikti?	What procedures are available to circumvent this difficulty?	'wɔt prə'si:dʒəz ər ə'veiləbl tə sə:kəm'vent ðis 'difikəlti?
Tikėkimės, kad viskas baigsis gerai	Let's hope for the best	'lets 'houp fə ðə 'best
Ačiū už informaciją!	Thank you for the information!	'θæŋk ju fə ði infə'meišn!

Konferencija. Posėdis   **A Conference. A Meeting**   ə 'kɔnfərəns. ə 'mi:tiŋ

balsuoti už (prieš)	vote for (against)	'vout 'fo: (ə'geinst)
balsavimo biuletenis	ballot	'bælət
dalyvauti (kur, kame)	take part(in)	'teik 'pa:t(in)
dalyvis (konferencijos, posėdžio)	participant	pə'tisipənt
darbo grupė	working group	'wə:kiŋ gru:p
dienotvarkė	agenda	ə'dʒendə
įtraukti į dienotvarkę	place on the agenda, include in the agenda	pleis ɔn ði ə'dʒendə, in'klu:d in ði ə'dʒendə
komitetas	committee	kə'miti
organizacinis komitetas	Organizing Committee	'o:gənaiziŋ kə'miti
konferencija	conference	'kɔnfərəns
kasmetinė konferencija	annual conference	'ænjuəl kɔnfərəns
konferencijos programa	conference program(me)	'kɔnfərəns 'prougræm
pasiūlymas	proposal	prə'pouzl
priimti (atmesti) pasiūlymą	accept (turn down) a proposal	ək'sept (tə:n 'daun) ə prə'pouzl
pastaba	remark	ri'ma:k
pirmininkaujantis	chairman; in the chair	'čēəmən; in ðə 'čēə
plenarinis posėdis	plenary meeting / sitting; session	'pli:nəri 'mi:tiŋ / 'sitiŋ; sešn
posėdžio protokolas	minutes of a meeting	'minits əv ə 'mi:tiŋ

186

pranešėjas	speaker	'spi:kə
pranešimas	report, paper	ri'po:t, 'peipə
daryti pranešimą	make a report / deliver a paper	'meik ə ri'po:t / di'livə ə 'peipə
prašyti žodžio	ask for the floor	'a:sk fə ðə 'flo:
registracija	registration	redži'streišn
registracijos mokestis	registration fee	redži'streišn fi:
sekretoriatas	secretariat	sekrə'tėəriət
sekretorius	secretary	'sekrətəri
atsakingasis sekretorius	executive secretary	ig'zekjutiv 'sekrətəri
skelbimų lenta	bulletin board	'bulitin bo:d
spaudos centras	press centre / amer. center	'pres sentə / sentər
suteikti žodį	give the floor	'giv ðə 'flo:
Kur yra...?	Where is...?	'wėər iz...?
registracija	the registration desk	ðə redži'streišn desk
informacija	the information desk / bureau	ðə infə'meišn desk / 'bjuərou
organizacinis komitetas	the Organizing Committee	ði 'o:gənaiziŋ kə'miti
spaudos centras	the press centre / amer. center	ðə 'pres sentə / sentər

Kur vyks ši kasmetinė (tarptautinė) konferencija?	Where is the annual (international) conference to take place (arba to be held)?	'wėər iz ði 'ænjuəl (intə'næšnəl) 'konfərəns tə 'teik 'pleis (tə bi: 'held)?
Kada įvyko paskutinė konferencija?	When was the last conference held?	'wen wəz ðə 'la:st 'konfərəns 'held?
Kokia konferencijos tematika?	What are the subjects at the conference?	'wot a ðə 'sabdžikts ət ðə 'konfərəns?
Kiek dalyvių (delegatų) atvyks į šią konferenciją?	How many participants (delegates) will come to the conference?	'hau 'meni pa:'tisipənts ('deligəts) wil 'kam tə ðə 'konfərəns?

187

Kokia konferencijos [renginių] programa?	What is the [social] program[me] of the conference?	'wɔt iz ðə ['soušl] 'prougræm əv ðə 'kɔnfərəns?
Koks registracijos mokestis?	What is the registration fee?	'wɔt iz ðə redži'streišn fi:?
Kada atidarymas (plenarinis posėdis)?	When is the opening (plenary) session to take place?	'wen iz ði 'oupəniŋ ('pli:nəri) 'sešn tə 'teik 'pleis?
Kas organizacinio komiteto pirmininkas?	Who is the Head of the Organizing Committee?	'hu: iz ðə 'hed əv ði 'o:gənaiziŋ kə'miti?
Kas pirmininkauja šiame posėdyje?	Who is in the chair (arba Who is the chairman) at this session?	'hu: iz in ðə 'čéə ('hu: iz ðə 'čéəmən) ət 'ðis 'sešn?
Kokios yra sekcijos?	What sections are there?	'wɔt 'sekšnz 'a: ðéə?
Posėdis vyko pirmininkaujant profesoriui...	The session was chaired by Prof. ...	ðə 'sešn wəz 'čéəd bai prə'fesə ...
Šios dienos posėdžio programoje yra pakeitimų	There are some changes in the program[me] for today's session	ðéər a səm 'čeindžiz in ðə 'prougræm fə tə'deiz 'sešn
Dabar įžanginį pranešimą darys profesorius ...	Now Prof. ... is going to make an introductory report	'nau prə'fesə ... iz 'gouiŋ tə 'meik ən intrə'daktəri ri'po:t
Po to, aš manau, bus diskusijos	Afterwards, I hope there will be some discussion	'a:ftəwədz, ai 'houp ðéə wil 'bi: səm dis'kašn
Dabar pranešimą padarys profesorius...	The next report is by Prof. ...	ðə 'nekst ri'po:t iz bai prə'fesə ...
Dabar paprašysime profesorių ... padaryti pranešimą apie...	We should now like to call on Prof. ... for a talk on ...	wi šəd 'nau 'laik tə 'ko:l 'ɔn prə'fesə ... fər ə 'to:k ɔn...

Profesoriaus ... pranešimo nebus	The paper by Prof. ... will not be reported / given / presented	ðə 'peipə ... wil 'nɔt bi ri'pɔ:tid / 'givn / pri'zentid
Ar yra klausimų (pastabų)?	Any questions (comments)?	'eni 'kwesčənz ('kɔmənts)?
Po pranešimo vyko įdomi diskusija	The report was followed by an interesting discussion	ðə ri'pɔ:t wəz 'fɔloud bai ən 'intrəstiŋ dis'kašn
Ar kas nori pasisakyti?	Any discussion, please?	'eni dis'kašn, pli:z?
Galbūt mums reikėtų tai aptarti asmeniškai	We should probably discuss it privately	wi šəd 'prɔbəbli dis'kas it 'praivitli
Ar galima paklausti?	May I ask you a question?	'mei ai 'a:sk ju ə 'kwesčən?
Jeigu klausimų daugiau nėra, pereikime prie ...	If there are no more questions, we shall go on to ...	'if ðéər a 'nou 'mo: 'kwesčənz, wi šəl 'gou 'ɔn tə ...
Tai labiau teorinis klausimas	This is rather a theoretical question	ðis iz 'ra:ðər ə θiə'retikl 'kwesčən
Aš turiu keletą pastabų	I have a few points to make	ai hæv ə 'fju: 'pɔints tə 'meik
Kokios problemos (kokie pranešimai) buvo svarstomi konferencijoje?	What problems (papers) were discussed at the conference?	'wɔt 'prɔbləmz ('peipəz) wéə dis'kast ət ðə 'kɔnfərəns?
Kuris pranešimas buvo įdomiausias?	What paper attracted the greatest attention at the conference?	'wɔt 'peipə ə'træktid ðə 'greitist ə'tenšn ət ðə 'kɔnfərəns?
Kokį įspūdį jums paliko konferencija?	What's your impression of the conference?	'wɔts jo: im'prešn əv ðə 'kɔnfərəns?

Knygos. Spauda	Books. Magazines. Newspapers	'buks. mægə'zin:z. 'nju:speipəz
antikvariatas	antiquarian bookshop; second-hand bookshop / *amer.* bookstore	ænti'kwêəriən 'bukšɔp; 'sekəndhænd 'bukšɔp / 'buksto:
apsakymas	story	'sto:ri
autorius	author	'o:θə
biblioteka	library	'laibrəri
viešoji biblioteka	public library	'pablik 'laibrəri
mokslinė biblioteka	university / academy library	ju:ni'və:səti / ə'kædə-mi 'laibrəri
dramaturgija	dramatic art	drə'mætik 'a:t
egzempliorius	copy	'kɔpi
eilėraščiai	verses	'və:siz
fotografija	photo[graph]	'foutou[gra:f]
fotokorespondentas	press-photographer	'presfətɔgrəfə
fotokronika	news photographs	'nju:z 'foutəgra:fs
katalogas	catalogue	'kætəlɔg
sisteminis katalogas	systematic / card catalogue	sistə'mætik / 'ka:d 'kætəlɔg
klasika	classics	'klæsiks
knygynas	bookshop, bookstore	'bukšɔp, 'buksto:
komentarai	explanatory notes	ik'splænətri 'nouts
korespondentas	correspondent	kɔris'pɔndənt
kūrinys	work	wə:k
laikraštis	newspaper, paper	'nju:speipə, 'peipə
leidykla	publishing house	'pablišiŋ 'haus
pasikalbėjimų knygelė	phrase-book	'freizbuk
pjesė	play	plei
poetas; poetė	poet; poetess	'pouit; 'pouitis
raštai	works	wə:ks
raštų rinkinys	collection of works	kə'lekšn əv 'wə:ks
rinktiniai raštai	selected works	si'lektid 'wə:ks
redakcija	editorial office	edi'tɔ:riəl 'ɔfis
redaktorius	editor	'editə

rodyklė	index	'indeks
abėcėlinė rodyklė	alphabetical index	ælfə'betikl 'indeks
romanas	novel	'nɔvl
skaitykla	reading-room	'ri:diŋrum
skaitytojas	reader; (*bibliotekoje t. p.*) lender	'ri:də; 'lendə
spauda	press	pres
spaudos konferen-cija	press conference	'pres kɔnfərəns
spaustuvė	printing house	'printiŋ haus
straipsnis	article	'a:tikl
vedamasis straipsnis	editorial	edi'tɔ:riəl
žodynas	dictionary	'dikšənri
žurnalas	magazine, journal	mægə'zi:n, 'džə:nəl

Bibliotekoje	**At the Library**	æt ðə 'laibrəri
Kaip nuvykti į Britų muziejaus biblioteką?	How can I get to the British Museum Library?	'hau kən ai 'get tə ðə 'britiš mju:'ziəm 'laibrəri?
Kada biblioteka ati-daroma (uždaroma)?	When does the library open (close)?	'wen dəz ðə 'laibrəri 'oupən ('klouz)?
Ar knygos išduodamos į namus?	Is it a lending library?	'iz it ə 'lendiŋ laibrəri?
Ar jūsų bibliotekoje yra lietuvių autorių knygų?	Have you any books by Lithuanian authors in your library?	'hæv ju eni 'buks bai liθju:'einiən 'o:θəz in jo: 'laibrəri?
Kiek iš viso šioje bib-liotekoje knygų?	How many books are there in this library?	'hau meni 'buks 'a:ðềər in ðis 'laibrəri?
Kiek vietų skaitykloje?	What is the seating capacity of the reading-room?	'wɔt iz ðə 'si:tiŋ kə-'pæsiti əv ðə 'ri:diŋ-rum?
Kaip užsirašyti bib-liotekoje?	How can I join the lib-rary? (*amer.* How can I get a library card?)	'hau kən ai 'džɔin ðə 'laibrəri? ('hau kən ai 'get ə 'laibrəri ka:rd?)

191

Kuris rašytojas (poetas) dabar jūsų šalyje populiariausias?	Who is the most popular writer (poet) in your country?	'hu: iz ðə moust 'popjulə 'raitə ('pouit) in jo: 'kantri?

Ar turite jo kūrinių ... kalba?
  rusų
  prancūzų
  vokiečių
	Have you any of his works in ...?
	  Russian
	  French
	  German
		'hæv ju 'eni əv hiz 'wə:ks in ...?
		  'rašn
		  'frenč
		  'džə:mən

Aš skaičiau šios knygos vertimą į lietuvių (rusų) kalbą	I've read the Lithuanian (Russian) translation of this book	aiv 'red ðə liθju:'einiən ('rašn) trænz'leišn əv ðis 'buk
Kur yra sisteminis (abėcėlinis) katalogas?	Where is the systematic / *amer.* card (alphabetical) catalogue?	'wèər iz ðə sistə'mætik / 'ka:d (ælfə'betikl) 'kætələg?
Kaip naudotis katalogu?	How do I use the catalogue?	'hau du ai 'ju:z ðə 'kætələg?
Kaip užpildyti užsakymą?	How do I fill in / *amer.* out the order?	'hau du ai 'fil 'in / 'aut ði 'o:də?
Kada (kur) aš gausiu užsakytąją knygą?	When (where) shall / will I get the book I ordered?	'wen ('wèə) šəl / wil ai 'get ðə 'buk ai 'o:dəd?
Kaip patekti į periodikos salę?	How do I get to the periodicals hall?	'hau du ai 'get tə ðə peri'ɔdiklz ho:l?
Prašom duoti laikraščio ... praėjusių metų komplektą	Please give me the last year file of the newspaper ...	'pli:z 'giv mi ðə 'la:st 'jə: 'fail əv ðə 'nju:speipə ...
Man reikia žurnalo ... paskutiniojo numerio	I want the latest issue of the magazine ...	ai wɔnt ðə 'leitist 'išu: əv ðə mægə'zi:n ...
Ar turite priešpaskutinį šio žurnalo numerį?	Have you got the last but one issue (*arba* the issue before the last) of this magazine?	'hæv ju 'gɔt ðə 'la:st bət 'wan 'išu: (ði 'išu: bifo: ðə 'la:st) əv 'ðis mægə'zi:n?

Norėčiau pažiūrėti angliškų knygų katalogą... klausimais	I'd like to look through the catalogue of English books on ...	aid 'laik tə 'luk 'θru: ðə 'kætələg əv 'iŋgliš 'buks ɔn ...
istorijos	history	'histɔri
pramonės	industry	'indəstri
žemės ūkio	agriculture	'ægrikəlčə
ekonomikos	economics	i:kə'nɔmiks
literatūros	literature	'litrəčə
meno	art	'a:t

Prašom įrašyti į mano kortelę šias knygas	Please enter these books on my card	'pli:z 'entə 'ði:z 'buks ɔn mai 'ka:d

Ar turite dabartinių ... rašytojų knygų?	Have you got books by contemporary ... authors?	'hæv ju 'gɔt 'buks bai kən'tempərəri ... 'ɔ:θəz?
Anglijos	English	'iŋgliš
Amerikos	American	ə'merikən
Australijos	Australian	ɔ:'streiliən
Kanados	Canadian	kə'neidiən

Man reikia ... raštų	I want a collection of works by...	ai 'wɔnt ə kə'lekšn əv 'wə:ks bai...
Džeko Londono	Jack London	'džæk 'landən
Čarlzo Dikenso	Charles Dickens	'ča:lz 'diknz
O. Henrio	O. Henry	'ou 'henri

Prašom parodyti knygą apie Amerikos tapybą (skulptūrą)	Please show me a book on American painting (sculpture)	'pli:z 'šou mi: ə 'buk ɔn ə'merikən 'peintiŋ ('skalpčə)

Žurnalai. Laikraščiai

	Magazines. Newspapers	mægə'zi:nz. 'nju:speipəz
Kur galima nusipirkti laikraščių (žurnalų)?	Where can I buy newspapers (magazines)?	'wêə kən ai 'bai 'nju:speipəz (mægə'zi:nz)?
Kur artimiausias laikraščių kioskas?	Where is the nearest news-stand / *amer.* bookstand?	'wêər iz ðə 'niərist 'nju:zstænd / 'bukstænd?

Prašom duoti...	Please give me a copy of the...	'pli:z 'giv mi ə 'kɔpi əv ðə ...
„US Today"	„US Today"	ju:'es tə'dei
„New York Times"	„New York Times"	'nju: 'jo:k 'taimz
„Daily Miror"	„Daily Miror"	'deili 'mirə
Ar turite paskutinį žurnalo... numerį?	Have you got the latest issue of the magazine ...?	'hæv ju 'gɔt ðə 'leitist 'išu: əv ðə mægə'zi:n ...?
Kiek kainuoja šis laikraštis (žurnalas)?	How much does this newspaper (magazine) cost?	'hau 'mač dəz ðis 'nju:speipə (mægə'zi:n) 'kɔst?
Ar turite ... laikraščių (žurnalų)?	Have you ... newspapers (magazines)?	'hə:v ju ... 'nju:speipəz (mægə'zi:nz)?
angliškų	English	'iŋgliš
vokiškų	German	'džə:mən
prancūziškų	French	'frenč
Kaip dažnai šis laikraštis (žurnalas) leidžiamas?	How often does this newspaper (magazine) come out?	'hau 'ɔfn dəz 'ðis 'nju:speipə (mægə'zi:n) 'kam 'aut?
Koks šio laikraščio tiražas?	How large is the circulation of this newspaper?	'hau 'la:dž iz ðə sə:kju'leišn əv 'ðis 'nju:speipə?
Ar tai rytinis, ar vakarinis laikraštis?	Is it a morning or an evening newspaper?	'iz it ə 'mo:niŋ o:r ən 'i:vniŋ nju:speipə?
Kokius laikraščius jūs prenumeruojate?	What newspapers do you subscribe to?	'wɔt 'nju:speipəz də ju səb'skraib tu?
Kiek kainuoja šio laikraščio (žurnalo) prenumerata metams?	How much does an annual subscription to this newspaper (magazine) cost?	'hau 'mač dəz ən 'ænjuəl səb'skripšn tə 'ðis 'nju:speipə (mægə'zi:n) 'kɔst?
Ką šiandien rašo laikraštis?	What is there in the newspaper today?	'wɔt iz ðéər in ðə 'nju:speipə tə'dei?
Laikraštis skelbia ...	The paper gives ...	ðə 'peipə 'givz ...

savaitės įvykių apžvalgą	a weekly review of the events	ə 'wi:kli ri'vju: əv ði i'vents
žinias iš užsienio	news from abroad	'nju:z frəm ə'bro:d
skelbimus	advertisements	əd'və:tismənts
sporto žinias	sports news	'spo:ts nju:z
interviu su...	an interview with...	ən 'intəvju: wið...
reportažą apie...	an account of...	ən ə'kaunt əv...

Ar tai... žurnalas?	Is it a ... magazine?	'iz it ə ... mægə'zi:n?
visuomeninis-politinis	political	pɔ'litikl
mokslo	science	'saiəns
literatūrinis	literary	'litərəri
humoristinis	humorous	'hju:mərəs

| Ar tai savaitinis, ar mėnesinis žurnalas? | Is it a weekly or a monthly? | 'iz it ə 'wi:kli o:r ə 'manθli? |

Kokie žurnalai leidžiami...?	What magazines / journals are published for...?	'wɔt mægə'zi:nz / 'džə:nəlz a 'pablišt fə...?
moterims	women	'wimin
jaunimui	youth	'ju:θ
vaikams	children	'čildrən

| Prašom parodyti madų žurnalą | Please show me a fashion magazine | 'pli:z 'šou mi ə 'fæšn mægə'zi:n? |

IŠVYKOS | VISITS. TRIPS | 'vizits. trips

Gamykloje / Fabrike | In a Plant / Factory | in ə 'pla:nt / 'fæktəri

atostogos	holiday, vacation	'hɔlədei, və'keišn
mokamos atostogos	paid vacation	'peid və'keišn
cechas	shop	šɔp
darbas	work	wə:k
darbo apsauga	safety measures	'seifti mežəz
darbo užmokestis	wages	'weidžiz
darbininkas	worker	'wə:kə

195

fabrikas	factory	'fæktəri
gamykla	plant	pla:nt
inžinierius	engineer	endži'niə
konstruktorius	designer	di'zainə
liejikas	foundry worker	'faundri wə:kə
meistras	foreman	'fo:mən
mechanikas	mechanic	mi'kænik
plienas	steel	sti:l
plieno lydytojas	steel worker	'sti:l wə:kə
profsąjunga	trade union; *amer.* labor union	'treid 'ju:niən; 'leibər ju:niən
profsąjungos narys	trade / labor union member	'treid / 'leibər 'ju:niən membə(r)
profsąjungos vietos komitetas	local union	'loukl 'ju:niən
socialinis draudimas	social security	'soušl sə'kjuəriti
specialybė	occupation, trade	ɔkju'peišn, treid
suvirintojas	welder	'weldə
šaltkalvis	fitter	'fitə
technikas	technician	tek'nišn
technologas	technologist	tek'nɔlədžist
tekintojas	turner	'tə:nə

Kokios svarbiausios pramonės šakos jūsų šalyje (valstijoje)?	What are the major industries in your country (state)?	'wɔt a ðə 'meidžə 'indəstriz in jo: 'kantri ('steit)?
Norėtume aplankyti...	We'd like to visit...	wi:d 'laik tə 'vizit...
plieno gamyklą	a steel works / plant	ə 'sti:l wə:ks / pla:nt
radijo gamyklą	a radio plant / factory	ə 'reidiou pla:nt / fæktəri
mechaninę gamyklą	an engineering company	ən endži'niəriŋ kampəni
automobilių gamyklą	a car factory; *amer.* an autoplant	ə 'ka: fæktəri; ən 'o:toupla:nt
Kur jūsų šalyje plėtojama... pramonė?	Where is the ... industry developed in your country?	'wɛər iz ðə ... 'indəstri di'veləpt in jo: 'kantri?

laivų statybos	ship-building	'šipbildiŋ
staklių gamybos	machine-tool	mə'ši:ntu:l
elektrotechnikos	electrical engineering	i'lektrikl endži'niə-
.		riŋ
naftos perdirbimo	oil processing	'ɔil prousesiŋ
chemijos	chemical	'kemikl
tekstilės	textile	'tekstail
maisto	food	'fu:d

Ką jūsų šalis ekspor-	What does your coun-	'wɔt dəz jo: 'kantri ik-
tuoja?	try export?	'spo:t?
Ar jūsų šalis ekspor-	Does your country ex-	'daz jo: 'kantri ik'spo:t
tuoja ...?	port...?	...?
naftos produktus	oil products	'ɔil prɔdəkts
laivus	ships	'šips
elektros aparatūrą	electrical equipment	i'lektrikl i'kwip-
		mənt
radijo ir televizijos	radio and TV equip-	'reidiou ənd ti:'vi:
aparatūrą	ment	i'kwipmənt
stakles maisto ir	machinery for the	mə'ši:nəri fə ðə 'teks-
tekstilės pramonei	textile and food in-	tail ənd 'fu:d 'indəs-
	dustries	triz
chemijos pramonės	chemicals	'kemiklz
produktus		
žemės ūkio produk-	agricultural products	ægri'kalčərəl 'prɔ-
tus		dakts

Ar tai privati, ar vals-	Is this a private or a	'iz ðis ə 'praivit o:r ə
tybinė gamykla?	state / government	'steit / 'gavənmənt
	plant?	pla:nt?

Norėtume pakalbėti su	We'd like to speak to	wi:d 'laik tə 'spi:k tə ðə
įmonės...	the ... of the enterprise	... əv ði 'entəpraiz
direktoriumi	Director	di'rektə
techniniu direktoriu-	Technical Director	'teknikl di'rektə
mi		
inžinieriais	engineers	endži'niəz
darbininkais	workers	'wə:kəz
profsąjungos vietos	Local Union Chair-	'loukl 'ju:niən 'čéə-

komiteto pirmininku	man / Head / President	mən / 'hed / 'prezidənt
Kada pastatytas šis fabrikas (ši gamykla)?	When was this factory (plant) built?	'wen wəz ðis 'fæktəri ('pla:nt) 'bilt?
Kokią produkciją gaminate?	What do you produce?	'wɔt də ju prə'dju:s?
Kokia metinė gamybos apimtis?	What is the annual production?	'wɔt iz ði 'ænjuəl prə'dakšn?
Kuri produkcijos dalis eksportuojama?	What part of the production is exported?	'wɔt 'pa:t əv ðə prə'dakšn iz ik'spo:tid?
Koks įmonės gamybinis plotas?	How large is the production area of the plant?	'hau 'la:dž iz ðə prə'dakšn èəriə əv ðə 'pla:nt?
Iš kur gaunama žaliava?	Where do you get raw materials?	'wèə də ju 'get 'ro: mətiəriəlz?
Kiek darbininkų jūsų įmonėje?	How many workers have you in your plant?	'hau meni 'wə:kəz hæv ju in jo: 'pla:nt?
Kiek cechų šioje gamykloje?	How many workshops are there in your factory?	'hau meni 'wə:kšɔps 'a: ðèər in jo: 'fæktəri?
Norėtume apžiūrėti...	We'd like to see the...	wi:d 'laik tə 'si: ðə (ði) ...
mechaninį cechą	machine shop	mə'ši:n šɔp
liejimo cechą	foundry shop	'faundri šɔp
surinkimo cechą	assembly shop	ə'sembli šɔp
pagrindinį konvejerį	main assembly line	'mein ə'sembli lain
audimo cechą	weaving shop	'wi:viŋ šɔp
Ką gamina šis cechas?	What does this shop produce?	'wɔt dəz ðis 'šɔp prə'dju:s?
Ar galime apžiūrėti ...?	May we have a look at this ...?	'mei wi 'hæv ə 'luk ət 'ðis ...?

198

šias stakles	machine-tool	mə'ši:ntu:l
šį presą	pres	'pres
šį agregatą	unit / assembly	'ju:nit / ə'sembli
šią krosnį	furnace	'fə:nis

Prašom parodyti, kaip	Please show us this ...	'pli:z 'šou əs 'ðis ... mə-
dirba šios ... staklės	machine in operation	'ši:n in ɔpə'reišn
tekinimo	turning	'tæniŋ
frezavimo	milling	'miliŋ
gręžimo	boring	'bo:riŋ
šlifavimo	grinding	'graindiŋ

Kokia firma gamina šias stakles (šiuos agregatus)?	Which firm / company produces this machine (assembly)?	'wič 'fə:m / 'kampəni prə'dju:siz ðis mə'ši:n (ə'sembli)?

Koks staklių produktyvumas?	What is the productivity of the machine?	'wɔt iz ðə prədak'tiviti əv ðə mə'ši:n?

Kokios išdirbio normos?	What is the production quota?	'wɔt iz ðə prə'dakšn 'kwoutə?

Kokios sistemos ši elektroninė skaičiavimo mašina?	What type is this computer of?	'wɔt 'taip iz 'ðis kəm'pju:tər ɔv?

Norėtume susipažinti su ... jūsų gamykloje	We'd like to get acquainted with ... at your plant	wi:d 'laik tə 'get ə'kweintid wið ... ət jo: 'pla:nt
naujausiais technologiniais procesais	the latest engineering processes	ðə 'leitist endži'niə-riŋ 'prousesiz
gamybos automatizavimu	automation of production	o:tə'meišn əv prə'dakšn

Ar ši mašina tinka serijinei gamybai?	Is this machine suitable for mass production?	iz 'ðis mə'ši:n 'su:təbl fə 'mæs prə'dakšn?

Norėtume susipažinti su darbo sąlygomis įmonėje	We'd like to learn / observe the working conditions in your company	wi:d 'laik tə 'lə:n / əb-'zə:v ðə 'wə:kiŋ kən-'dišnz in jo: 'kampəni

Ar gamykla (fabrikas) dirba ...	Does your plant (factory) work a ... system?	'daz jo: 'pla:nt ('fæktəri) 'wə:k ə ... 'sistəm?
viena pamaina	one-shift	'wanšift
dviem pamainom	two-shift	'tu:šift
trim pamainom	three-shift	'θri:šift
Ar yra jūsų įmonėje ...?	Have you got a ... in your plant / factory?	'hæv ju 'gɔt ə ... in jo: 'pla:nt / 'fæktəri?
valgykla	lunch room / canteen / cafeteria	'lančrum / kən'ti:n 'kæfi'tiəriə
biblioteka	library	'laibrəri
poilsio kambarys	recreation room	rekri'eišn rum
Mes – Lietuvos darbininkai	We are Lithuanian workers	wi: a liθju:'einiən 'wə:kəz
Ar galima paklausti?	May we ask some questions?	'mei wi: 'a:sk səm 'kwesčənz?
Prašom pasakyti, kuo jūs vardu?	What's your name, please?	'wɔts jo: 'neim, pli:z?
Kokia jūsų specialybė?	What's your occupation?	'wɔts jo:r ɔkju'peišn?
Aš dirbu gamykloje (fabrike; versle)	I work at a plant (factory; at business)	ai 'wə:k ət ə 'pla:nt ('fæktəri; ət 'biznis)
Kokiame fabrike (ceche) jūs dirbate?	What sort of factory (shop) do you work in?	'wɔt 'so:t əv 'fæktəri ('šɔp) də ju 'wə:k 'in?
Aš dirbu ...	I work in the ...	ai 'wə:k in ðə ...
surinkimo ceche	assembly shop	ə'sembli šɔp
liejimo ceche	foundry	'faundri
Kiek valandų per ... dirbate?	How many hours do you work a...?	'hau meni 'auəz də ju 'wə:k ə...?
dieną	day	'dei
savaitę	week	'wi:k
mėnesį	month	'manθ

200

Kiek uždirbate?	How much do you earn?	'hau 'mač də ju 'ə:n?
Ar jums moka už laiką ar už išdirbį?	Are you paid by the time or by the piece?	'a: ju 'peid bai ðə 'taim o: bai ðə 'pi:s?
Ar turite išdirbio normą?	Do you have a production quota?	'du: ju 'hæv ə prə'dakšn 'kwoutə?
Ar jūsų uždarbis priklauso nuo gamybos rezultatų?	Do your wages depend on production results?	'du: jo: 'weidžiz di'pend ɔn prə'dakšn ri'zalts?
Ar esate profsąjungos narys?	Are you a union member?	'a: ju ə 'ju:niən 'membə?
Kokia jūsų profsąjunga?	What's the name of your trade / labor union?	'wɔts ðə 'neim əv 'jo: 'treid / 'leibər ju:niən?
Ar jūsų vietos komitetas sprendžia ... klausimus?	Is your local union responsible for...?	'iz jo: 'loukl 'ju:niən ri'spɔnsəbl fə...?
darbininkų priėmimo ir atleidimo	the hiring and firing of workers	ðə 'haiəriŋ ənd 'faiəriŋ əv 'wə:kəz
darbo apsaugos	labo(u)r protection	'leibə prə'tekšn
darbininkų sveikatos apsaugos	the medical care of workers	ðə 'medikl 'kéər əv 'wə:kəz
Kokią pašalpą gauna darbininkas ligos atveju?	How much sick-pay does a worker get in case of illness?	'hau mač 'sikpei dəz ə 'wə:kə 'get in 'keis əv 'ilnis?
Ar turite mokamas atostogas?	Do you have paid holidays / vacation?	'du: ju 'hæv 'peid 'hɔlədeiz / və'keišn?
Kiek trunka atostogos?	How long are the holidays?	'hau 'lɔŋ a ðə 'hɔlədeiz?
Kada darbininkas gali išeiti į pensiją?	When can a worker retire on pension?	'wen kən ə 'wə:kə ri'taiər ɔn 'penšn?
Kaip atrodo jūsų butas	What is your flat /	'wɔt iz jo: 'flæt / ə'pa:t-

(namas)?	apartment (house) like?	mənt ('haus) 'laik?
Kiek mokate nuomos?	What is the rent?	'wɔt iz ðə 'rent?
Kaip praleidžiate laisvalaikį?	How do you spend your leisure time?	'hau də ju 'spend jo: 'ležə taim?
Dėkoju už pokalbį	Thank you for the opportunity of talking to you (*arba* Thank you for your time)	'θæŋk ju fə ði ɔpə'tju:niti əv 'to:kiŋ tu ju ('θæŋk ju fə jo: 'taim)

Fermoje	**At a Farm**	æt ə 'fa:m
agronomas	agronomist	ə'grɔnəmist
akras (0,405 ha)	acre	'eikə
aras (0,0405 akro)	are	a:
bulvės	potatoes	pə'teitouz
bitynas	apiary	'eipiəri
bitininkas	specialist in bee-keeping; apiarist, bee-keeper	'speʃəlist in 'bi:ki:piŋ; 'eipiərist, 'bi:ki:pə
daržininkystė	market-gardening	'ma:kitga:dniŋ
daržovės	vegetables	'vedžtəblz
daržovių auginimas	vegetable-growing	'vedžtəblgrouiŋ
derlius	crop, yield	krɔp, ji:ld
dirva	soil	sɔil
dirvų įdirbimas	cultivation of soil	kalti'veišn əv 'sɔil
drėkinimas	irrigation	iri'geišn
drenavimas	drainage	'dreinidž
ferma	farm; *amer.* ranch	fa:m; rænč
avių ferma	sheep farm / ranch	'ši:p fa:m / rænč
kiaulių ferma	pig farm / ranch	'pig fa:m / rænč
pieno ferma	dairy farm / ranch	'dèəri fa:m / rænč
paukščių ferma	poultry farm / ranch	'poultri fa:m / rænč
galvijai	cattle	'kætl
ganykla	pasture	'pa:sčə

gyvuliai	livestock	'laivstɔk
hektaras (2,471 akro)	hectare	'hekta:
kombainas	combine (harvester)	'kɔmbain ('ha:vistə)
kombaininkas	combine driver / opera-tor	'kɔmbain draivə / ɔpə-reitə
kviečiai	wheat	wi:t
laukas	field	fi:ld
laukininkystė	field-crop cultivation	'fi:ldkrɔp kalti'veišn
linai	flax	flæks
mechanizatorius	machine operator / ser-vicer	mə'ši:n ɔpəreitə / sə:-visə
medvilnė	cotton	'kɔtn
melioratorius	specialist in land re-clamation	'spešəlist in 'lænd re-klə'meišn
melioravimas	land reclamation	'lænd reklə'meišn
piktžolės	weed	wi:d
kova su piktžolėmis	weed control	'wi:d kəntroul
rugiai	rye	rai
sodas	garden	'ga:dn
sodininkystė	gardening	'ga:dniŋ
šiltnamis	hothouse, greenhouse, glasshouse	'hɔthaus, 'gri:nhaus, 'gla:shaus
traktorininkas	tractor driver	'træktə draivə
traktorius	tractor	'træktə
trąšos	fertilizers	'fə:tilaizəz
veterinaras	veterinary surgeon; vet	'vetrinri 'sə:džn; vet
žemė	land	lænd
žemės ūkis	agriculture	'ægrikalčə
žemės ūkio koope-ratyvas	the agricultural co-operative farm	ði ægri'kalčərəl kou-'ɔpərətiv 'fa:m
žolė	grass	gra:s
pašarinės žolės	fodder grass	'fɔdə gra:s

Kokios žemės ūkio ša-kos plėtojamos šiame rajone?

What branches of agri-culture are developed in this region?

'wɔt 'bra:nčiz əv 'ægri-kalčə a di'veləpt in ðis 'ri:džn?

Ar jūsų valstija (grafys-

Does your state (coun-

'daz jo: 'steit ('kaunti)

tė) specializuojasi ...?	ty) specialize in ...?	'spešəlaiz in ...?
pienininkystėje	dairy farming	'dėəri fa:miŋ
gyvulininkystėje	cattle-breeding	'kætlbri:diŋ
paukštininkystėje	poultry	'poultri
laukininkystėje	field-crop cultivation	'fi:ldkrɔp kalti'veišn
sodininkystėje	gardening	'ga:dniŋ
daržininkystėje	market-gardening	'ma:kitga:dniŋ
gėlininkystėje	flower-growing	'flauəgrouiŋ

| Kokie žemės ūkio produktai gaminami eksportui? | What agricultural products are produced for export? | 'wɔt ægri'kalčərəl 'prɔdakts a prə'dju:st fər 'ekspo:t? |

Mes eksportuojame ...	We export ...	wi: ik'spo:t ...
pieno produktus	dairy products	'dėəri prɔdakts
veislinius gyvulius	pedigree cattle	'pedigri: kætl
daržoves	vegetables	'vedžtəblz
gėlių svogūnėlius	(flower-)bulbs	('flauə)balbz
gėles	flowers	'flauəz

| Kurioje valstijoje (grafystėje) ypač išplėtotas šiltnamių ūkis? | Which state (county) specializes in hothouse farming (*arba* market gardening; *amer.* gardentruck farming)? | 'wič 'steit ('kaunti) 'spešəlaiziz in 'hɔthaus fa:miŋ ('ma:kit ga:dniŋ; 'ga:dntrak fa:miŋ)? |

| Ar yra žemės ūkio kooperatyvų? | Have you any agricultural cooperative farms? | 'hæv ju eni ægri'kalčərəl kou'ɔpərətiv fa:mz? |

| Ar jūsų šalyje daug smulkių fermerių ūkių? | Are there many small farms in your country? | 'a: ðėə 'meni 'smo:l 'fa:mz in jo: 'kantri? |

Mes norėtume apsilankyti... fermoje	We'd like to visit a ... farm / *amer.* ranch	wi:d 'laik tə 'vizit ə ... 'fa:m / 'rænč
pieno	dairy	'dėəri
gyvulininkystės	stock-raising	'stɔkreiziŋ
paukščių	poultry	'poultri

204

Kokia šios fermos specializacija?	What does this farm specialize in?	'wɔt dəz ðis 'fa:m 'spešəlaiz 'in?
Ką gamina jūsų ferma?	What does your farm produce?	'wɔt dəz jo: 'fa:m prə'dju:s?
Kiek jūs turite ariamos žemės?	What is the total area of arable land?	'wɔt iz ðə 'toutl 'éəriə əv 'ærəbl 'lænd?
Ar jūsų žemė gera?	Is the soil good here?	'iz ðə 'sɔil 'gud hiə?
Ar jūs nuomojate šį žemės sklypą?	Do you rent this land?	'du: ju 'rent ðis 'lænd?
Koks nuomos mokestis per metus?	What is the rent per year?	'wɔt iz ðə 'rent pə 'jə:?
Kiek žmonių dirba fermoje?	How many people work on the farm?	'hau meni 'pi:pl 'wə:k ɔn ðə 'fa:m?
Ar jūs naudojate samdomąją darbo jėgą?	Do you use hired labour?	'du: ju 'ju:z 'haiəd 'leibə?
Kiek samdomųjų darbininkų fermoje?	How many hands do you hire / have on the farm?	'hau meni 'hændz də ju 'haiə / 'hæv ɔn ðə 'fa:m?
Kiek traktorių fermoje?	How many tractors do you have on the farm?	'hau meni 'træktəz də ju 'hæv ɔn ðə 'fa:m?
Kokių jūs turite žemės ūkio mašinų?	What other equipment do you have?	'wɔt 'aðər i'kwipmənt də ju 'hæv?
Kiek turite ...?	How many... do you have?	'hau meni ... də ju 'hæv?
kombainų	combines	'kɔmbainz
sėjamųjų	sowing-machines	'souiŋməši:nz
kertamųjų	mowing-machines	'mouiŋməši:nz
kuliamųjų	threshing-machines	'θrešiŋməši:nz
Kokios jūsų metinės pajamos?	What is your annual income?	'wɔt iz jo:r 'ænjuəl 'inkəm?
Kokią produkciją jūs vežate į turgų?	What production is taken to the market?	'wɔt prə'dakšn iz 'teikn tə ðə 'ma:kit?

Ar pas jus vystoma žemės ūkio kooperacija?	Are there any agricultural co-operative societies here?	'a: ðèər eni ægri'kalčərəl kou'ɔpərətiv sə-'saiətiz hiə?
Kiek laikote fermoje gyvulių?	How large is your livestock on the farm?	'hau 'la:dž iz jo: 'laivstɔk ɔn ðə 'fa:m?
Kiek laikote...?	How many... do you have?	'hau meni ... də ju 'hæv?
karvių	cows	'kauz
veršelių	calves	'ka:vz
kiaulių	pigs	'pigz
paršelių	suckling-pigs	'sakliŋpigs
avių	sheep	'ši:p
Kiek fermoje...?	How many... do you keep at your farm?	'hau meni ... də ju 'ki:p ət jo: 'fa:m?
vištų (viščiukų)	chickens	'čikinz
kalakutų	turkeys	'tə:kiz
ančių	ducks	'daks
Mes norėtume apžiūrėti...	We'd like to see the...	wi:d 'laik tə 'si: ðə
karvidę	cowshed	'kaušed
paukštidę	poultry-house	'poultrihaus
inkubatorių	incubator	'iŋkjubeitə
Kokios veislės ši karvė (višta)?	What breed is this cow (hen)?	'wɔt 'bri:d iz 'ðis 'kau ('hen)?
Koks gyvulių prieaugis?	What is the increase in weight per head of cattle?	'wɔt iz ði 'iŋkri:s in 'weit pə 'hed əv 'kætl?
Koks vidutinis metinis pieno primilžis?	What is the average annual yield of milk?	'wɔt iz ði 'ævəridž 'ænjuəl 'ji:ld əv 'milk?
Kiek pieno duoda ši karvė?	What is the yield of this cow?	'wɔt iz ðə 'ji:ld əv 'ðis 'kau?
Koks pieno riebumas?	How high is the fat content of the milk?	'hau 'hai iz ðə 'fæt kɔntent əv ðə 'milk?

Ačiū už informaciją	Thank you for the information; Thank you for your time	'θæŋk ju fə ði infə-'meišn; 'θæŋk ju fə jo: 'taim

Išvyka automobiliu — A Trip by Car — ə 'trip bai 'ka:

akceleratorius	accelerator	ək'seləreitə
akumuliatorius	battery	'bætəri
atsarginės dalys	spare parts; *amer.* auto spares	'spéə 'pa:ts; 'o:tou spé-əz
atsuktuvas	screw-driver	'skru:draivə
autobusas	bus, coach	bas, kouč
autofurgonas	van	væn
automagistralė	motor-way; *amer.* free-way, highway	'moutəwei; 'fri:wei, 'haiwei
automobilis	car	ka:
automobilistas	motorist	'moutərist
bagažinė	boot; *amer.* trunk	bu:t; traŋk
benzinas	petrol; *amer.* gas[oline]	'petrəl; 'gæs[əli:n]
benzino bakas	tank	tæŋk
benzino kolonėlė	petrol / *amer.* gas pump	'petrəl / 'gæs pamp
degalai	fuel	'fjuəl
degalinė	petrol / *amer.* gas station	'petrəl / 'gæs 'steišn
degimas	ignition	ig'nišn
dujų išmetimo vamzdis	exhaust pipe	ig'zo:st paip
garažas	garage	'gæra:ž / *amer.* 'gæridž
greitis	speed	spi:d
greičio apribojimas	speed limit	'spi:d limit
instrumentas, įrankis	tool	tu:l
kapotas	bonnet; *amer.* hood	'bɔnit; hud
karbiuratorius	carburettor	'ka:bjuretə
kelio ženklas	road sign	'roud sain
kėliklis (*domkratas*)	jack	džæk
motelis	motel	mou'tel

Koks vištų dėslumas?	What are the egglaying abilities of the hens?	'wɔt a ði 'egleiiŋ ə'bilitiz əv ðə 'henz?
Kaip mechanizuoti gyvulių (paukščių) priežiūros darbai?	How is the work of looking after the cattle (poultry) mechanized?	'hau iz ðə 'wə:k əv 'lukiŋ a:ftə ðə 'kætl ('poultri) 'mekənaizd?
Ar jūs naudojate...? melžimo aparatus mechanizuotą pašarų išdavimą žaliąją kukurūzų masę	Do you use...? milking machines mechanized transporting of fodder green maize / *amer.* corn	'du: ju 'ju:z...? 'milkiŋ məši:nz 'mekənaizd træn's-po:tiŋ əv 'fɔdə 'gri:n 'meiz / 'ko:n
Kokias pašarines žoles jūs naudojate?	What fodder grasses do you use?	'wɔt 'fɔdə gra:siz də ju 'ju:z?
Kuo jūs lesinate vištas (paukščius)?	What fodder / seed do you use for hens (poultry)?	'wɔt 'fɔdə / 'si:d də ju 'ju:z fə 'henz ('poultri)?
Ar jūs turite ganyklą prieaugliui?	Have you (*amer.* Do you have) pasture for young cattle?	'hæv ju ('du: ju 'hæv) 'pa:sčə fə 'jaŋ 'kætl?
Kada jūs išleidžiate gyvulius į ganyklas?	When do you send the livestock to pasture?	'wen də ju 'send ðə 'laivstɔk tə 'pa:sčə?
Koks ganyklų plotas?	How large is the area of pasture?	'hau 'la:dž iz ði 'ɛəriə əv 'pa:sčə?
Kokias žemės ūkio kultūras jūs auginate?	What field-crops do you grow?	'wɔt 'fi:ldkrɔps də ju 'grou?
Ar jūs auginate ...? kviečius rugius miežius avižas bulves cukrinius runkelius	Do you grow...? wheat rye barley oat potatoes sugar-beet	'du: ju 'grou...? 'wi:t 'rai 'ba:li 'out pə'teitouz 'šugəbi:t

linus	flax	'flæks
Kada jūs sėjate žiemkenčius?	When do you sow winter-crops?	'wen də ju 'sou 'wintəkrɔps?
Koks kviečių (bulvių) derlius iš vieno akro (hektaro)?	What is the yield of wheat (potatoes) per acre (hectare)?	'wɔt iz ðə 'ji:ld əv 'wi:t (pə'teitouz) pər 'eikə ('hekta:)?
Ar pas jus žemė drenuojama?	Do you drain the soil?	'du: ju 'drein ðə 'sɔil?
Kokias jūs naudojate chemines (mineralines) trąšas?	What kind of chemical (mineral) fertilizers do you apply?	'wɔt 'kaind əv 'kemikl ('minərəl) 'fə:tilaizəz də ju ə'plai?
Kiek trąšų jūs sunaudojate vienam akrui (hektarui)?	How much fertilizer do you apply per acre (hectare)?	'hau 'mač 'fə:tilaizə də ju ə'plai pər 'eikə ('hekta:)?
Ar turite šiltnamių ūkį?	Have you a farm with greenhouses / glasshouses?	'hæv ju ə 'fa:m wið 'gri:nhauziz / 'gla:shauziz?
Kiek ploto užima šiltnamiai?	What is the total area for the greenhouses?	'wɔt iz ðə 'toutl 'ɛəriə fə ðə 'gri:nhauziz?
Kokias daržoves jūs auginate šiltnamiuose?	What kind of vegetables do you grow in hothouses / greenhouses?	'wɔt 'kaind əv 'vedžtəblz də ju 'grou in 'hɔthauziz / 'gri:nhauziz?
Kiek... surenkate iš vieno akro (hektaro)?	How large is the yield of ... per acre (hectare)?	'hau 'la:dž iz ðə 'ji:ld əv ... pər 'eikə ('hekta:)?
agurkų	cucumbers	'kju:kəmbəz
pomidorų	tomatoes	tə'ma:touz
salotų	lettuce	'letis
kopūstų	cabbages	'kæbidžiz
ridikėlių	radishes	'rædišiz
svogūnų	onions	'aniənz
braškių	(cultivated) strawberries	('kaltiveitid) 'strɔ:briz

Prašom parodyti mums sėklai auginamų ... sklypą	Please show us the plot of... grown for seeds	'pli:z 'šou əs ðə 'plɔt əv... 'groun fə 'si:dz
agurkų	cucumbers	'kju:kəmbəz
pomirodų	tomatoes	tə'ma:touz
pupų	beans	'bi:nz
morkų	carrots	'kærəts
salotų	lettuce	'letis
Ar turite oranžerijų?	Have you any greenhouses for flowers?	'hæv ju eni 'gri:nhauziz fə 'flauəz?
Kokias gėles jūs auginate šiltnamiuose?	What flowers do you grow in greenhouses / glasshouses?	'wɔt 'flauəz də ju 'grou in 'gri:nhauziz / 'gla:shauziz?
Ar auginate ...?	Do you grow...?	'du: ju 'grou...?
rožes	roses	'rouziz
gvazdikus	pinks / carnations	'piŋks / ka:'neišnz
tulpes	tulips	'tju:lips
Mes norėtume apžiūrėti gėlių lauką	We'd like to see the plot of flowers	wi:d 'laik tə 'si: ðə 'p əv 'flauəz
Kiek gėlių svogūnėlių jūs gaunate iš vieno akro (hektaro)?	How many flowerbulbs do you get per acre (hectare)?	'hau meni 'flauəb də ju 'get pər ('hekta:)?
Kiek hektarų užima sodas?	How large is the area of the garden?	'hau 'la:dž iz ði 'ɛ: ðə 'ga:dn?
Kokią ... rūšį jūs auginate?	Which sort of... are grown here?	'wič 'so:t əv... a hiə?
obuolių	apples	'æplz
kriaušių	pears	'pɛəz
slyvų	plums	'plamz
vyšnių	cherries	'čeriz
juodųjų serbentų	blackcurrants	blæk'karə
Ar jūs patenkinti derliumi?	Are you satisfied with the yield?	'a: ju 'sætis 'ji:ld?

motociklas	motor-cycle, motor-bike	'moutəsaikl, 'moutə-baik
padanga	tyre; *amer.* tire	'taiə; 'taiər
pavarų dėžė	gear-box, gear-case	'giəbɔks, 'giəkeis
pavarų perjungimo svirtis	gearlever, gearshift, gearstick	'giəli:və, 'giəšift, 'giəstik
plaktukas	hammer	'hæmə
pervaža (*geležinkelio*)	railway /*amer.* railroad crossing	'reilwei / 'reilroud krɔ-siŋ
radiatorius	radiator	'reidieitə
raktas (*varžtams*)	spanner; *amer.* wrench	'spænə; renč
ratas	wheel	wi:l
ratlankis	rim (of a wheel)	'rim (əv ə 'wi:l)
remontas	repair(ing)	ri'pєə(riŋ)
remonto dirbtuvės	repair shop	ri'pєə šɔp
replės	pliers	'plaiəz
sankaba	clutch	klač
sankryža	crossroads	'krɔsroudz
signalas	signal	'signəl
siurblys	pump	pamp
stabdys	brake	breik
starteris	starter	'sta:tə
stiklas (*priekinis*)	windscreen; *amer.* windshield	'windskri:n; 'windši:l
šviesoforas	traffic lights	'træfik 'laits
šviesos	lights	laits
tepalas	oil	ɔil
vairas	steering wheel	'stiəriŋ wi:l
vairuotojas	driver	'draivə
valytuvas	windscreen / *amer.* windshield wiper	'windskri:n / 'windši:ld waipə
variklis	engine	'endžin
važiuoklė	chassis	'šæsi
žvakė	spark(ing)-plug	'spa:k(iŋ)plag
Prašom duoti man au-tokelių atlasą	Please give me a road map	'pli:z 'giv mi: ə 'roud mæp

Kiek kilometrų iki ...?	How many kilometres to ...?	'hau meni 'kilɔmi:təz tə...?
Gal galite parodyti žemėlapyje kelią ...?	Can you show me the way to ... on this map?	'kæn ju 'šou mi ðə 'wei tə ... ɔn ðis 'mæp?
Prašom parodyti žemėlapyje, kur mes dabar esame	Please show me on the map where we are now	'pli:z 'šou mi: ɔn ðə 'mæp wɛə wi: 'a: nau
Koks pats trumpiausias kelias į...?	What's the shortest way to...?	'wɔts ðə 'šo:tist 'wei tə...?
Kur artimiausias kempingas?	Where is the nearest camping site?	wɛər iz ðə 'niərist 'kæmpiŋ sait?
Kur galima ...? apsistoti nakčiai pastatyti mašiną pasistatyti palapinę susikurti laužą	Where can we ...? camp for the night park our car pitch our tent light a fire	'wɛə kən wi...? 'kæmp fə ðə 'nait 'pa:k auə 'ka: 'pič auə 'tent 'lait ə 'faiə
Kuria kryptimi man reikia važiuoti?	In what direction must I go?	in 'wɔt di'rekšn məst ai 'gou?
Ar mes važiuojame teisingai?	Are we driving in the right direction?	'a: wi 'draiviŋ in ðə 'rait direkšn?
Jūs turite važiuoti... dešinėn kairėn tiesiai	You must go ... to the right to the left straight ahead	ju məst 'gou... tə ðə 'rait tə ðə 'left 'streit ə'hed
Man baigėsi benzinas	I've run out of petrol / gas	aiv 'ran 'aut əv 'petrəl / 'gæs
Kur artimiausia degalinė?	Where is the nearest petrol / *amer.* gas station?	'wɛər iz ðə 'niərist 'petrəl / 'gæs steišn?
Man reikia ... galonų* benzino	I want ... gallons of petrol / *amer.* gas	ai 'wɔnt... 'gælənz əv 'petrəl / 'gæs

---

*1 galonas = 4,5435 l Didžiojoje Britanijoje; 3,7853 l JAV

Man reikia tepalo	I want some oil	ai 'wɔnt səm 'ɔil
Prašom pripilti pilną baką	Fill the tank, please	'fil ðə 'tæŋk, pli:z
Mus ištiko avarija	We have had an accident	wi həv 'hæd ən 'æksidənt
Man pradūrė padangą	I have a puncture; *amer.* I have a flat tire	ai 'hæv ə 'paŋkčə; ai 'hæv ə 'flæt 'taiə
Aš turiu atsarginį ratą	I have a spare wheel	ai 'hæv ə 'spėə 'wi:l
Prašom man padėti pakeisti ratą	Will you help me change the wheel, please?	'wil ju 'help mi 'čeindž ðə 'wi:l, pli:z?

Prašom duoti man...
  raktą
	Please give me a ...
	  spanner / *amer.* wrench
		'pli:z 'giv mi ə...
		  'spænə / 'renč

domkratą	jack	'džæk
pompą	pump	'pamp
Ar negalėtumėte man padėti?	Could you please help me?	'kud ju pli:z 'help mi?
Įjunkite variklį	Switch / turn on the engine; start the engine	'swič / 'tə:n 'ɔn ði 'endžin; start ði 'endžin
Nuspauskite akceleratoriaus pedalą	Press the accelerator	'pres ði ək'seləreitə
Nuspauskite stabdžio pedalą (atleiskite jį)	Press the brake pedal (release it)	'pres ðə 'breik pedəl (ri'li:s it)
Įjunkite (išjunkite) žibintus	Switch / turn on (switch / turn off) the headlights	'swič / 'tə:n 'ɔn ('swič / 'tə:n 'ɔ:f) ðə 'hedlaits
Ar negalėtumėte pavilkti mano mašinos?	Could you please tow my car?	'kud ju pli:z 'tou mai 'ka:?

213

VERSLO RYŠIAI	BUSINESS CONTACTS	ˈbiznis ˈkɔntækts
agentūra	agency	ˈeidžənsi
akcija	share	šèə
akredityvas	letter of credit	ˈletər əv ˈkredit
apmuitinti	to levy a duty	tə ˈlevi ə ˈdjuːti
asortimentas	assortment	əˈsoːtmənt
prekių ~	range of goods	ˈreindž əv ˈgudz
atlyginti	compensate	ˈkɔmpənseit
avansas	advance	ədˈvaːns
avuarai	assets	əˈsets
balansas	balance	ˈbæləns
prekybos ~	trade ~	ˈtreid ˈbæləns
birža	exchange	iksˈčeindž
fondų ~	stock ~	ˈstɔk iksˈčeindž
prekių ~	commodity ~	kəˈmɔditi iksˈčeindž
biudžetas	budget	ˈbadžit
didėti	increase	inˈkriːs
fondai	funds	fandz
gamintojas	maker	ˈmeikə
grynieji (pinigai)	cash	kæš
indėlis	deposit	ˈdepəzit
investuoti	invest	inˈvest
investuotojas	investor	inˈvestə
įpakavimas	packing	ˈpækiŋ
išsimokėtinai	by instalments	bai inˈstoːlmənts
išsinuomoti	take on lease	ˈteik ɔn ˈliːs
išsiųsti (prekes)	dispatch	disˈpæč
įvertinimas	valuation	væljuˈeišn
kaina	price	prais
pìrkimo ~	purchase ~	ˈpəːčis prais
rinkos ~	market ~	ˈmaːkit prais
kiekybė	quantity	ˈkwɔntiti
kiekis	amount	əˈmaunt
klientas	customer	ˈkʌstəmə
kokybė	quality	ˈkwɔliti

214

kompensacija	compensation	kɔmpenˈseišn
konkurencija	competition	kɔmpəˈtišn
konkurencingas	competitive	kəmˈpetitiv
konsignacija	consignment	kənˈsainmənt
kreditas	credit	ˈkredit
lėšos	assets	əˈsets
apyvartinės ~	working ~	ˈwəːkiŋ əˈsets
licencija	licence	ˈlaisns
mokėjimas	payment	ˈpeimənt
mokestis	tax	tæks
nauda	advantage	ədˈvaːntidž
naudingas	advantageous	ədvaːnˈteidžəs
neapmuitinamas	duty free	ˈdjuːti friː
nemokamas	free / gratis	friː / ˈgrætis
neto	net	net
~ svoris	~ weight	net ˈweit
nuolaida	discount	disˈkaunt
nuoma	lease	liːs
nuomininkas	leaseholder	ˈliːshouldə
nuostoliai	losses	ˈlɔsiz
patirti nuostolių	suffer losses	ˈsafə ˈlɔsiz
padaryti nuostolių	damage	ˈdæmidž
obligacija	bond	bɔnd
paklausa	demand	diˈmaːnd
panašus	similar	ˈsimilə
partija (*prekių*)	batch / lot	bæč / lɔt
partneris	partner	ˈpaːtnə
paskola	loan	loun
pelnas	profit	ˈprɔfit
grynas ~	net earnings	ˈnet ˈəːniŋz
perkainavimas	revalue	riːˈvæljuː
pirkėjas	customer	ˈkastəmə
nuolatinis ~	regular ~	ˈregjulə ˈkastəmə
pranašumas	advantage	ədˈvaːntidž
pristatymas (*prekių*)	delivery	dəˈlivəri
reklama	advertising	ˈædvətaiziŋ
rinka	market	ˈmaːkit

215

sąlygos	conditions / terms	kən'dišnz / tə:mz
savikaina	cost value	'kɔst vælju:
sumažinti	cut	kat
susitariančios šalys	contracting parties	kən'træktiŋ 'pa:tiz
sutartis / susitarimas	agreement	ə'gri:mənt
tarpininkas	mediator	'medieitə
tiekimas	delivery	də'livəri
trūkumas	shortage	'šo:tidž
užsakymas	order	'o:də
bandomasis ~	trial ~	'traiəl o:də
valiuta	currency	'karənsi
vartotojas	consumer	kən'sju:mə

Bendroji dalis   **General part**   'dženərəl 'pa:t

Norėčiau pasimatyti su...	I'd like to see...	aid 'laik tə 'si:...
Gaila, bet jis užimtas	I'm sorry but he is engaged	aim 'sɔri bət hi iz in'geidžd
Manau, kad jis bus laisvas po pusvalandžio	I think he'll be free in half an hour	ai 'θiŋk hi:l bi: fri: in 'ha:f ən 'auə
Ar negalėtumėte paskirti man valandėlę?	Could you spare me a moment?	kud ju spéə mi ə 'moumənt?
Aš ilgai jūsų netrukdysiu	I won't keep you long	ai 'wount 'ki:p ju 'lɔŋ
Ar galėčiau trumpai pakalbėti apie sutartį?	Can I have a word with you about the contract?	'kæn ai 'kæv ə 'wə:d wið ju: əbaut ðə 'kɔntrækt?
Kada galėtumėte pateikti mums dokumentus?	When can you give us the documents?	'wen kən ju: 'giv əs ðə 'dɔkjumənts?
Mano apsilankymo tikslas pateikti reikalingus dokumentus	The purpose of my visit is to present required documents	ðə 'pə:pəs əv mai 'vizit iz tə prə'zent ri'kwaiəd 'dɔkjumənts

216

Dokumentus galbūt gausime rytoj	The documents may be received tomorrow	ðə 'dɔkjumənts mei bi ri'si:vd tə'mɔrou
Kadangi dokumentai dar negauti, mes negalime pakrauti prekių	Since the documents have not arrived, we cannot ship the goods	'sins ðə 'dɔkjumənts həv nɔt ə'raivd, wi 'kænɔt 'šip ðə 'gudz
Norėčiau apsvarstyti mokėjimų sąlygas	I would like to discuss the terms of payment	ai wəd 'laik tə dis'kas ðə 'tə:mz əv 'peimənt
Ketiname aptarti kainas	We are going to consider the prices	wi: ə 'gouiŋ tə kən'sidə ðə 'praisiz
Laikome, kad kaina yra konkurencinga	As regards the price we consider it competitive	əz ri'ga:dz ðə 'prais wi kən'sidər it kəm'petitiv
Jūsų kainos šiek tiek per aukštos	Your prices are a trifle too high	jɔ: 'praisiz a:r ə 'traifl 'tu: 'hai
Negalime su jūsų kaina sutikti	We cannot agree to your price	wi 'kænɔt ə'gri: tə jo: 'prais
Mūsų kaina yra... už vienetą	Our price is... per unit	auə 'prais iz... pə 'ju:nit
Ar galite atsiųsti mums naujas kainas?	Can you send us a revised pricelist?	'kæn ju 'send əs ə ri'vaizd 'praislist?
Mokėjimas turi būti atliktas per 10 dienų	The payment is to be made within ten days	ðə 'peimənt iz tə bi: 'meid wiðin 'ten 'deiz
Pasaulinės šių prekių kainos pastaruoju metu išaugo	The world prices of these goods have increased lately	ðə 'wə:ld 'praisiz əv ði:z 'gudz həv in'kri:st 'leitli
Tikiuosi, kad jūs sumažinsite kainą	I hope you'll reduce the price	ai 'houp ju:l ri'dju:s ðə 'prais
Nurodytosios kainos galios iki metų pabaigos	The prices quoted are firm to the end of the year	ðə 'praisiz 'kwoutid a: 'fə:m tə ði 'end əv ðə 'jə:
Ar galite suteikti mums nuolaidą?	Can you give us a discount?	'kæn ju: 'giv əs ə dis'kaunt?

217

Kokio dydžio nuolaidos jūs prašote?	How much discount do you ask for?	'hau 'mač dis'kaunt du ju 'a:sk 'fo:?
Kiek nuolaidos jūs pasiūlytumėt?	How much discount would you offer?	'hau 'mač dis'kaunt wud ju 'ɔfə?
Kokio dydžio nuolaidos mes galime tikėtis?	How much discount can we expect?	'hau 'mač dis'kaunt kən wi iks'pekt?
Galime jums suteikti 5% nuolaidą	We can give you a five per cent discount	wi kən 'giv ju ə 'faiv pə'sent dis'kaunt
Informacija apie firmą	**Information on the Firm**	infə'meišn ɔn ðə 'fə:m
Norėtume sudaryti sutartį su jūsų kompanija	We would like to make a contract with your company	wi wud 'laik tə 'meik ə 'kɔntrækt wið jo: 'kampəni
Mus domina kompanijos (pastarosios) naujovės	We are interested in the company's latest developments	wi a:r 'intrəstid in ði 'kampəniz 'leitist di'veləpmənts
Kas pagrindinis tiekėjas (vartotojas)?	Who is the main supplier (consumer)?	'hu: iz ðə 'mein sə'plaiə (kən'sju:mə)?
Į kurias šalis eksportuojate savo prekes?	What countries do you export your goods to?	'wɔt 'kantriz du ju iks'po:t jo: 'gudz 'tu?
Mes bendraujame (prekiaujame) su įvairiomis užsienio kompanijomis	We do business with different foreign companies	wi 'du: 'biznis wið 'difərənt 'fɔrən 'kampəniz
Mus domintų jūsų produktai (gaminiai)	We'd be interested in your products	wi:d bi: 'intrəstid in jo: 'prɔdəkts
Mūsų kompanija prekiauja su...	Our company deals in...	auə 'kampəni 'di:lz 'in...
Mūsų kompanijai rūpi	Our company is inter-	auə 'kampəni iz 'intrəs-

218

paskleisti savo prekes naujose rinkose	ested in introduction of our goods to new markets	tid in intrə'dakšn əv auə 'gudz tə 'nju: 'ma:kits
Mūsų kompanija turi agentūras užsienyje	Our company has agencies abroad	auə 'kampəni hæz 'ei-džənsiz ə'bro:d
Sutarties sąlygų svarstymas	**Discussions of the terms**	dis'kašnz əv ðə 'tə:mz
Galime pasiūlyti savo prekių frachto (franko) sąlygomis	We can offer our goods on c.i.f. (f.o.b.) terms	wi kən 'ɔfər auə 'gudz ɔn 'si: ai 'ef ('ef ou 'bi) tə:mz
Jūsų prekės tenkina mūsų reikalavimus	Your goods meet our requirements	jɔ: 'gudz 'mi:t auə ri-'kwaiəmənts
Apskritai, jūsų pasiūlymas mums priimtinas	On the whole your offer is acceptable to us	ɔn ðə 'houl jɔ:r 'ɔfər iz ək'septəbl tu əs
Jūsų sąlygos mums tinka	Your conditions suit us	jo: kən'dišnz 'sju:t əs
Mes nusprendėme priimti jūsų pasiūlymą	We decided to accept your proposal	wi di'saidid tu ək'sept jɔ: prə'pouzl
Kiek kainuoja visas užsakymas?	How much is the total order worth?	'hau 'mač iz ðə 'toutl 'o:də 'wə:θ?
Mūsų vardu suteiktas kreditas	The credit was established in our name	ðə 'kredit wəz is'tæblišt in auə 'neim
Jūsų pakrovimo sąlygos nepriimtinos	Your terms of shipment are not acceptable	jo: 'tə:mz əv 'šipmənt a: nɔt ək'septəbl
Mūsų netenkina tiek aukšta kaina, tiek mokėjimo ir pristatymo sąlygos	Apart from the high price the terms of payment and delivery do not suit us	ə'pa:t frəm ðə 'hai 'prais ðə 'tə:mz əv 'peimənt ənd də'livəri du 'nɔt 'sju:t as
Mes siūlome geras paslaugas po pardavimo	We offer a good after-sales service	wi 'ɔfər ə gud 'a:ftəseilz 'sə:vis

219

Kokį kiekį jūs norėtumėte pirkti?	How many / much do you want to buy?	'hau 'meni / 'mač du ju 'wɔnt tə bai?
Kada jūs norite gauti prekes?	How soon do you want the goods?	'hau 'su:n du ju 'wɔnt ðə 'gudz?
Tai turės didelę paklausą	It will have a good sale	it wil 'hæv ə 'gud 'seil
Čia šios prekės labai paklausios	Here is a great demand for these goods	hiər iz ə 'greit di'ma:nd fə 'ði:z 'gudz
Ar galėtumėt mums atidėti mokėjimą?	Could you give us a deferred payment?	'kud ju 'giv as ə di'fə:d 'peimənt?
Kokios jūsų pristatymo sąlygos?	What are your terms of delivery?	'wɔt a: jo: 'tə:mz əv di'livəri?
Mes pristatysime prekes dviemis partijomis	We'll deliver the goods in two lots	wi:l di'livə ðə 'gudz in 'tu: 'lɔts
Mes išsiuntėme prekes konsignacija	We sent the goods on consignation	wi 'sent ðə 'gudz ɔn kɔnsig'neišn
Tikimės, kad pirmoji siunta (partija) bus pateikta laiku	We hope that the first consignment will be delivered in time	wi 'houp ðət ðə fə:st kən'sainmənt wil bi di'livəd in 'taim
Kokie pristatymo terminai?	What are the dates for delivery?	'wɔt a: ðə 'deits fə di'livəri?
Prekės turi būti pristatytos kitą savaitę	The goods are to be delivered next week	ðə 'gudz a tə bi di'livəd 'nekst 'wi:k

SPORTAS | SPORTS | spo:ts

boksas	boxing	'bɔksiŋ
buriavimas	yachting, sailing	'jɔtiŋ, 'seiliŋ
čempionas	champion	'čæmpiən
daugiakovė	combined events	kəm'baind i'vents
dešimtkovė	decathlon	'dekəθlən
dviračių sportas	cycling	'saikliŋ
dziudo	judo	'dzu:dou

220

emblema	emblem	'embləm
fechtavimas	fencing	'fensiŋ
futbolas	football	'futbo:l
garbės pakyla	pedestal / dais of hono(u)r	'pedistl / 'deiz əv 'ɔnə
gimnastika	gymnastics	džim'næstiks
imtynės	wrestling	'resliŋ
irklavimas	rowing	'rouiŋ
komanda	team	ti:m
krepšinis	basketball	'ba:skitbo:l
lauko riedulys	field hockey	'fi:ld hɔki
lengvoji atletika	athletics; track-and-field events	æθ'letiks; 'trækənd-'fi:ld i'vents
mačas	match	mæč
penkiakovė	pentathlon	'pentəθlən
pergalė	victory	'viktəri
pirmenybės	championship	'čæmpiənšip
plaukimas	swimming	'swimiŋ
pralaimėjimas	defeat	di'fi:t
prizininkas	medal[l]ist	'medəlist
pusfinalis	semi-final	semi'fainl
rankinis	handball	'hændbo:l
rekordas	record	'reko:d
rekordininkas	record-holder	'reko:dhouldə
rezultatas (*sportinių žaidimų*)	score	sko:
sirgalius	fan	fæn
spartakiada	sports day / meeting	'spo:ts dei / mi:tiŋ
sportinė apranga	sports dress / uniform	'spo:ts 'dres / 'ju:nifo:m
sportininkas	sportsman	'spo:tsmən
sportininkė	sportswoman	'spo:tswumən
sporto salė	gymnasium	džim'neiziəm
stadionas	stadium	'steidiəm
stalo tenisas	table tennis	'teibl tenis
sunkumų kilnojimas	weight-lifting	'weitliftiŋ
šachmatai	chess	čes
šaudymas	shooting	'šu:tiŋ
šiuolaikinė penkiakovė	modern pentathlon	'mɔdən 'pentəθlən

šuoliai į vandenį	diving	'daiviŋ
teisėjas	referee	refə'ri:
tenisas	tennis	'tenis
tinklinis	volleyball	'vɔlibo:l
treniruotė	training	'treiniŋ
universiada	university / academic sports day / meeting	ju:ni'və:səti / ækə'de-mik 'spo:ts dei / mi:tiŋ
vandensvydis	water-polo	'wo:təpoulou
varžybos	competition	kɔmpə'tišn
finalinės varžybos	final[s]	'fainl[z]
varžovas	opponent	ə'pounənt
žaidynės	games	geimz
olimpinės žaidynės	the Olympic Games	ði ə'limpik 'geimz

Bendroji dalis	**General Part**	'dženərəl pa:t
Kokia sporto šaka jūs užsiimate?	What kind of sport do you go in for?	'wɔt 'kaind əv 'spo:t də ju 'gou 'in fɔ?
Kokiai sporto draugijai jūs priklausote?	What sports club do you belong to?	'wɔt 'spo:ts 'klab də ju bi'lɔŋ tu?
Aš priklausau... drau-gijai	I belong to the ... sports club	ai bi'lɔŋ tə ðə ... 'spo:ts klab
Kiek metų jūs spor-tuojate?	How many years have you been going in for sports?	'hau meni 'jə:z həv ju bi:n 'gouiŋ 'in fə 'spo:ts?
Koks jūsų geriausias rezultatas?	What is your best result / attempt?	'wɔt iz jo: 'best ri'zalt / ə'temt?
Kokios sporto šakos populiarios jūsų šalyje (jūsų mieste)?	What sports are po-pular in your country (your town)?	'wɔt 'spo:ts a 'pɔpjulə in jo: 'kantri (jo: 'taun)?
Kiek stadionų jūsų mieste?	How many stadiums are there in your town?	'hau meni 'steidiəmz 'a: ðêər in jo: 'taun?
Kur įvyks ... varžybos?	Where will the ... events be held?	'wêə wil ðə ... i'vents bi 'held?
irklavimo	rowing	'rouiŋ

sportinės gimnastikos	gymnastics	džim'næstiks
lengvosios atletikos	track-and-field	'trækənd'fi:ld

Kada prasideda varžybos?	When does the competition start?	'wen dəz ðə kɔmpə'tišn 'sta:t?
Mes norėtume stebėti...	We'd like to see ...	wi:d 'laik tə 'si:...
futbolo rungtynes	the football match	ðə 'futbo:l mæč
moterų (vyrų) sportinės gimnastikos varžybas	the women's (men's) gymnastics competition	ðə 'wiminz ('menz) džim'næstiks kɔmpə'tišn
Kokios komandos šiandien žaidžia?	What teams are going to play today?	'wɔt 'ti:mz a 'gouiŋ tə 'plei tə'dei?
Kas rungtynių teisėjas?	Who is the referee of the match?	'hu: iz ðə refə'ri: əv ðə 'mæč?
Kas komandos...?	Who is the ... of the team?	'hu: iz ðə ... əv ðə 'ti:m?
treneris	trainer / coach	'treinə / 'kouč
kapitonas	captain	'kæptin
vartininkas	goal-keeper	'goulki:pə
Kas žaidžia septintuoju numeriu?	Who is No 7?	'hu: iz nambə 'sevn?
Kurią komandą jūs palaikote?	What team are you supporting?	'wɔt 'ti:m a ju sə'po:tiŋ?
Kas užėmė pirmą vietą?	Who came [in] first?; (arba Who won?)	'hu: 'keim ['in]'fə:st?; 'hu: 'wan?
Kurią vietą užėmė jūsų (mūsų) šalies komanda?	Where did your (our) country's team come [in]?	'wɛə did 'jo: ('auə) 'kantriz 'ti:m kam ['in]?
Komanda užėmė ... vietą	The team came [in]...	ðə 'ti:m 'keim ['in]...
pirmą	first	'fə:st
antrą	second	'sekənd
trečią	third	'θə:d

223

Buriavimas. Irklavimas	Yachting / Sailing. Rowing	'jɔtiŋ / 'seiliŋ. 'rouiŋ
aštuonvietė	racing eight	'reisiŋ 'eit
baidarė	kayak	'kaiæk
brizas	breeze	bri:z
burė	sail	seil
buriavimo varžybos	yacht racing	'jɔt reisiŋ
buriuotojas	yachtsman	'jɔtsmən
dvivietė	pair oar	'pɛər o:(r)
elingas	slipway	'slipwei
įgula	crew	kru:
irklas	oar	o:(r)
irklavimas	rowing	'rouiŋ
irkluotojas	oarsman	'o:smən
yrininkas	stroke	strouk
jachta	yacht	jɔt
jachtų klasė	class of yacht	'kla:s əv 'jɔt
jachtklubas	yacht-club	'jɔtklab
kanoja	canoe	kə'nu:
keturvietė	racing four	'reisiŋ 'fo:(r)
kursas	course	ko:s
regata	regatta	ri'gætə
vairininkas (*jachtos*)	heimsman	'heimzmən
vairininkas (*valties*)	cox	kɔks
valtis	boat	bout
bevairė valtis	coxwainless boat	'kɔksnlis bout
lenktyninė valtis	gig	gig
motorinė valtis	motor boat; speed boat	'moutə bout; 'spi:d bout
valtis su vairininku	boat with coxwain	'bout wið 'kɔksn

Kaip greičiausiai pasiekti buriavimo klubą?	Which is the quickest way to the yacht-club?	'wič iz ðə 'kwikist 'wei tə ðə 'jɔtklab?
Kur yra...?	Where is the ...?	'wɛər iz ðə...?
prieplauka	harbour	'ha:bə
jachtklubas	yacht-club	'jɔtklab
elingas	slipway	'slipwei

224

Kada prasideda regata?	When will the regatta begin?	'wen wil ðə ri'gætə bi'gin?
Kaip pasiekti irklavimo kanalą?	How can I get to the rowing canal?	'hau kən ai 'get tə ðə 'rouiŋ kə'næl?
Kada vyks ... varžybos?	When will the ... competition be held?	'wen wil ðə... kɔmpə'tišn bi 'held?
akademinio irklavimo	rowing eight	'rouiŋ 'eit
irklavimo baidarėmis	kayaks	'kaiæks
irklavimo kanojomis	canoe	kə'nu:
Kada prasidės moterų (vyrų) įgulų (bandomasis) plaukimas?	When will the [trial / preliminary] heats of the women's (men's) crews take place?	'wen wil ðə ['traiəl / pri'liminəri] 'hi:ts əv ðə 'wiminz ('menz) 'kru:z 'teik 'pleis?
Kas pirmauja?	Who is leading?	'hu: iz 'li:diŋ?
Kuri įgula laimėjo šį plaukimą?	Which crew has won this heat?	'wič 'kru: həz 'wan ðis 'hi:t?
Kuri įgula laimėjo ... vietą?	Which crew has come ...?	'wič 'kru: həz 'kam ...?
pirmą	first	'fə:st
antrą	second	'sekənd
trečią	third	'θə:d

Plaukimas. Šuoliai į vandenį. Vandensvydis — **Swimming. Diving. Water-Polo** — 'swimiŋ. 'daiviŋ. 'wo:təpoulou

brasas	breast-stroke	'breststrouk
distancija	distance	'distəns
kraulis	crawl	kro:l
plaukikas (-ė)	swimmer	'swimə
plaukimas	swimming	'swimiŋ
kompleksinis plaukimas	combined swimming	kəm'baind 'swimiŋ

225

plaukimas nugara	back-stroke	'bækstrouk
plaukimas peteliš-ke	butterfly	'batəflai
plaukimas laisvu sti-liumi	free style	'fri: stail
plaukimo baseinas	swimming-pool	'swimiŋpu:l
atviras plaukimo ba-seinas	outdoor / openair swimming-pool	'autdo: / 'oupənéə 'swimiŋpu:l
uždaras plaukimo baseinas	indoor swimming-pool	'indo: 'swimiŋpu:l
šuoliai į vandenį	diving	'daiviŋ
takelis	lane	lein
tramplinas	diving-board, spring-board	'daiviŋbo:d, 'spriŋbo:d
vandensvydis	water-polo	'wo:təpoulou
Kur yra plaukimo ba-seinas?	Where is the swim-ming-pool?	'wèər iz ðə 'swimiŋpu:l?
Kur ir kada vyks ...?	Where and when will the ... take place?	'wèər ənd 'wen wil ðə ... 'teik 'pleis?
finalinės plaukimo varžybos	swimming finals	'swimiŋ fainlz
finalinės šuolių į vandenį varžybos	diving finals	'daiviŋ fainlz
finalinės vandensvy-džio rungtynės	water-polo finals	'wo:təpoulou fainlz
Finalinės vandensvy-džio rungtynės vyksta šiandien	The final water-polo game takes place today	ðə 'fainl 'wo:təpoulou 'geim 'teiks 'pleis tə'dei
Kas plaukia pirmaja-me (trečiajame) takely-je?	Who is swimming in the first (third) lane?	'hu: iz 'swimiŋ in ðə 'fə:st ('θə:d) 'lein?
Kas laimėjo plaukimą peteliške?	Who has won the but-terfly?	'hu: həz 'wan ðə 'batə-flai?
Pasiektas naujas ... re-kordas	A new ... record has been set	ə 'nju: ... 'reko:d həz bi:n 'set

226

pasaulio	World	'wə:ld
Europos	European	juərə'piən
olimpinis	Olympic	ə'limpik

| Kokias šuolių į vandenį rungtis mes pamatysime šiandieną? | What diving events shall / will we see today? | 'wɔt 'daiviŋ i'vents šəl / wil wi 'si: tə'dei? |

| Kiek taškų ji (jis) surinko šioje rungtyje? | How many points has she (he) totalled in this event? | 'hau meni 'pɔints həz ši: (hi:) 'toutld in 'ðis i'vent? |

| Kas pirmauja? | Who is leading? | 'hu: iz 'li:diŋ? |

| Kas tapo čempionu? | Who has won the championship? | 'hu: həz 'wan ðə 'čæmpiənšip? |

| Kuri komanda dėvi mėlynas kepuraites? | Which team is wearing blue caps? | 'wič 'ti:m iz 'wèəriŋ 'blu: 'kæps? |

| **Lengvoji atletika** | **Track-and-Field Athletics** | 'trækənd'fi:ld æθ'letiks |

Bėgimas	*Races*	'reisiz
barjeras	hurdle	'hə̃:dl
barjerininkas	hurdler	'hə:dlə
bėgikas	runner	'ranə
bėgimas	run; heat	ran; hi:t
barjerinis bėgimas	hurdle-race	'hə:dlreis
bėgimas su kliūtimis	steeplechase	'sti:plčeis
bėgimo takelis	running-track	'raniŋtræk
ilgų distancijų bėgimas	long-distance race	'lɔŋdistəns 'reis
sprintas	sprint	sprint
estafetė	relay	ri'lei
etapas	lap	læp
laikas	clocking	'klɔkiŋ
lyderis	leader	'li:də
maratonas	marathon	'mærəθən
ratas	round	raund

227

sportinis ėjimas	walking race	'wo:kiŋ reis
sprinteris	sprinter	'sprintə
stajeris	long-distance runner	'lɔŋdistəns 'ranə
startas	start	sta:t

Šuoliai	*Jumps*	'džamps
atžyma	mark	ma:k
įsibėgėjimas	approach run-up	ə'prouč ran'ap
kartelė	bar	ba:
kartis	pole	poul
šuolis	jump	džamp
šuolis į aukštį	high jump	'hai džamp
šuolis į tolį	long jump	'lɔŋ džamp
šuolis su kartimi	pole-vault	'poulvo:lt
trišuolis	hop, step and jump	'hɔp, 'step ənd 'džamp

Metimas, stūmimas	*Throw*	'θrou
diskas	discus	'diskəs
ietis	javelin	'džævlin
kūjis	hammer	'hæmə
metimas	toss, throw	tɔs, θrou
disko metimas	discus throw	'diskəs θrou
ieties metimas	javelin throw	'džævlin θrou
kūjo metimas	hammer throw	'hæmə θrou
rutulys	shot	šɔt
rutulio stūmimas	shot put	'šɔt put
rutulio stūmimo ra-tas	shot ring	'šɔt riŋ

| Mes norime stebėti lengvosios atletikos varžybas | We'd like to watch the track-and-field events | wi:d 'laik tə 'wɔč ðə 'trækənd'fi:ld i'vents |

Ar norite pažiūrėti ... varžybų?	Would you like to see the... events?	'wud ju 'laik tə 'si: ðə ... i'vents?
bėgimo	running	'raniŋ
šuolių	jumping	'džampiŋ

| Kur (kada) prasideda ...? | Where (When) is the start of the...? | 'wèər (wen) iz ðə 'sta:t əv ðə ...? |

228

trumpų distancijų bėgimas	sprints	'sprints
ilgų distancijų bėgimas	long-distance races	'lɔŋdistəns 'reisiz
barjerinis bėgimas	hurdles	'həːdlz
bėgimas su kliūtimis	steeplechase	'stiːplčeis
Kada ... metrų finalinis bėgimas?	When is the final start of...?	'wen iz ðə 'fainl 'staːt əv ...?
šimto	the 100-metre dash	ðə 'wan handrəd 'miːtə 'dæš
dviejų šimtų	the 200-metre dash	ðə 'tuː handrəd 'miːtə 'dæš
keturių šimtų	the 400-metre race	ðə 'fɔː handrəd 'miːtə 'reis
aštuonių šimtų	the 800-metre race	ði 'eit handrəd 'miːtə 'reis
pusantro tūkstančio	the 1500-metre race	ðə 'wan 'θauznd 'faiv handrəd 'miːtə 'reis
penkių (dešimties) tūkstančių	the 5,000 (10,000)-metre race	ðə 'faiv 'θauznd ('ten 'θauznd) 'miːtə 'reis
Mes norėtume pamatyti maratono startą (finišą)	We'd like to see the start (finish) of the marathon	wiːd 'laik tə 'siː ðə 'staːt ('finiš) əv ðə 'mærəθən
Kas dalyvauja estafetėje?	Who is taking part in the relay?	'huː iz 'teikiŋ 'paːt in ðə ri'lei?
Kas buvo pirmas 10 000 metrų distancijoje?	Who was first in the 10,000-metre race?	'huː wəz 'fəːst in ðə 'ten 'θauznd 'miːtə 'reis?
Mes norėtume pamatyti... varžybas	We'd like to see the ... events	wiːd 'laik tə 'siː ðə ... i'vents
šuolių į tolį	long jump	'lɔŋ džamp
šuolių į aukštį	high jump	'hai džamp
šuolių su kartimi	pole-vault	'poulvɔːlt
trišuolio	hop, step and jump	'hɔp, 'step ənd 'džamp

Kur yra šuolių ... sektorius?	Where is the grasshopper sector for the ...?	'wèər iz ðə 'gra:shɔpə 'sektə fə ðə...?
į tolį	long jump	'lɔŋ džamp
į aukštį	high jump	'hai džamp
su kartimi	pole-vault	'poulvo:lt
Koks šio šuolininko geriausias rezultatas?	What's this jumper's best result?	'wɔts ðis 'džampəz 'best ri'zalt?
Šuolis neužskaitomas	The jump is not recorded	ðə 'džamp iz 'nɔt ri'ko:did
Kas yra pasaulio... rekordininkas?	Who holds the world record for the...?	'hu: 'houldz ðə 'wə:ld 'reko:d fə ðə...?
šuolių į tolį	long jump	'lɔŋ džamp
šuolių į aukštį	high jump	'hai džamp
trišuolio	hop, step and jump	'hɔp, 'step əns 'džamp
Kur yra ... sektorius?	Where is the ... sector?	'wèər iz ðə ... sektə?
kūjo metimo	hammer throwing	'hæmə θrouiŋ
disko metimo	discus throwing	'diskəs θrouiŋ
ieties metimo	javelin throwing	'džævlin θrouiŋ
rutulio stūmimo	shot put	'šɔt put
Koks šio sportininko rezultatas?	What was the competitor's result?	'wɔt wəz ðə kəm'petitəz ri'zalt?
Metimas neužskaitomas	No-throw	'nouθrou
Metimas užskaitomas	Throw is made	'θrou iz 'meid
Koks vyrų (moterų) olimpinis (pasaulio) šios rungties rekordas?	What is the Olympic (World) record for men (women) in this sport?	'wɔt iz ði ə'limpik ('wə:ld) 'reko:d fə 'men ('wimin) in 'ðis 'spo:t?
Kokios šalies sportininkas (-ė) laimėjo ... medalį?	What country does the... medalist come from?	'wɔt 'kantri dəz ðə ... 'medəlist 'kam frɔm?
aukso	gold	'gould

| sidabro | silver | 'silvə |
| bronzos | bronze | 'brɔnz |

Futbolas **Football** 'futbo:l

baudinys	penalty	'penlti
diskvalifikavimas	disqualification	diskwɔlifi'keišn
futbolas	football	'futbo:l
futbolo aikštė	football field / pitch	'futbo:l fi:ld / pič
gynėjas	back	bæk
gynyba	defence	di'fens
įvartis	goal	goul
kamuolys	ball	bo:l
kėlinys	half	ha:f
mačas	match	mæč
nepataikymas	miskick	mis'kik
nuošalė	off-side	'o:fsaid
pogrupis	division	di'vižn
pratęsimas	extra time	'ekstrə 'taim
puolėjas	forward	'fo:wəd
centro puolėjas	centre forward	'sentə fo:wəd
puolimas	attack	ə'tæk
rezultatas	score	sko:
saugas	half-back	'ha:fbæk
sienelė	line-up	'lainap
skersinis	goal-post	'goulpoust
smūgis	kick	kik
laisvas smūgis	free kick	'fri: kik
kampinis smūgis	corner kick	'ko:nə kik
tablo	score-board	'sko:bo:d
taisyklių pažeidimas	foul	faul
taurė	cup	kap
teisėjas	referee	refə'ri:
tinklas	net	net
vartai	goal	goul
vartų linija	goal line	'goul lain
vartininkas	goal-keeper	'goulki:pə
vartininko aikštelė	goal area	'goul ėəriə

vidurio llinija	halfway line	'hafwei lain
žaidimas	game	geim
žaidimas galva	headwork, heading	'hedwə:k, 'hediŋ
Mes norėtume stebėti finalines futbolo varžybas	We'd like to watch the football finals	wi:d 'laik tə 'wɔč ðə 'futbo:l 'fainlz
Kaip patekti į ... tribūną?	How can I get to the... stand?	'hau kən ai 'get tə ðə ... stænd?
šiaurės	northern	'no:ðən
pietų	southern	'saðən
vakarų	western	'westən
rytų	eastern	'i:stən
Kuri komanda vilki raudonais (baltais, mėlynais) marškinėliais?	Which team is in red (white, blue) sports shirts?	'wič 'ti:m iz in 'red ('wait, 'blu:) 'spo:ts šə:ts?
Komanda gerai (prastai) žaidžia	The team is playing well (poorly)	ðə 'ti:m iz 'pleiiŋ 'wel ('puəli)
Tuoj bus mušamas ...	It is going to be a ...	it iz 'gouiŋ tə 'bi: ə...
laisvas smūgis	free kick	'fri: kik
kampinis	corner (kick)	'ko:nə (kik)
Kas įmušė įvartį?	Who scored the goal?	'hu: 'sko:d ðə 'goul?
Koks rezultatas?	What is the score?	'wɔt iz ðə 'sko:?
Rezultatas – 3 : 2	The score is 3 : 2	ðə 'sko:r iz 'θri: tə 'tu:
Kas pirmauja?	Who's leading?	'hu:z 'li:diŋ?
Rungtynės baigėsi rezultatu 2 : 1	The game ended with a score of 2 : 1	ðə 'geim 'endid wið ə 'sko:r əv 'tu: tə 'wan
Rungtynės baigėsi lygiomis 3 : 3	The game ended in a 3 : 3 draw	ðə 'geim 'endid in ə 'θri: tə 'θri: dro:
Krepšinis. Tinklinis	**Basketball. Volleyball**	'ba:skitbo:l. 'vɔlibo:l
aikštelė	court	ko:t
tinklinio aikštelė	volleyball court / ground	'vɔlibo:l ko:t / graund

232

krepšinio aikštelė	basketball court / ground	'ba:skitbo:l ko:t / graund
ataka	attack	ə'tæk
baudos metimas	foul	faul
gynėjas	full-back	'fulbæk
gynyba	defence	di'fens
kamuolys	ball	bo:l
ginčytinas kamuolys	jump ball	'džamp bo:l
krepšinis	basketball	'ba:skitbo:l
krepšys	basket	'ba:skit
(krepšio) lankas	ring (of a hoop)	'riŋ (əv ə 'hu:p)
lygus rezultatas	game all	'geim 'o:l
linija	line	lain
baudos linija	foul line	'faul lain
galinė linija	base line	'beis lain
padavimo linija	service line	'sə:vis lain
šoninės linijos	side-lines	'saidlainz
vidurio linija	half-court line	'ha:fko:t lain
padavimas	service	'sə:vis
padavimo pasikeitimas	change of service	'čeindž əv 'sə:vis
padavimo praradimas	loss of service	'los əv 'sə:vis
papildomas laikas	additional time	ə'dišnəl 'taim
pasas, perdavimas	pass	pa:s
pertrauka	interval	'intəvəl
presingas	pressing	'presiŋ
puolėjas	spiker	'spaikə
rungtynės	game, match	geim, mæč
setas	set	set
smūgis	spike	spaik
šoninis teisėjas	linesman	'lainzmən
tinklas	net	net
tinklinis	volleyball	'volibo:l
žaidėjas	player	'pleiə
atsarginis žaidėjas	substitute; emergency player	'sabstitju:t; i'mə:-džənsi pleiə

žaidėjo pakeitimas	substitution	sabsti'tju:šn
Kada prasideda... rungtynės?	When does the ... match start?	'wen dəz ðə mæč 'sta:t?
krepšinio	basketball	'ba:skitbo:l
tinklinio	volleyball	'vɔlibo:l
Kuri krepšinio (tinklinio) komanda laikoma stipriausia?	What basketball (volleyball) team is considered the strongest?	'wɔt 'ba:skitbo:l ('vɔlibo:l) 'ti:m iz kən'sidəd ðə 'strɔŋgist?
Kas geriausias komandos žaidėjas?	Who is the best player in the team?	'hu: iz ðə 'best 'pleiə in ðə 'ti:m?
Koks yra aukščiausio žaidėjo ūgis?	What is the height of the tallest player?	'wɔt iz ðə 'hait əv ðə 'to:list 'pleiə?
Kas įmetė kamuolį?	Who scored the goal?	'hu: 'sko:d ðə 'goul?
Komanda paprašė minutės pertraukėlės	The team took a minute's break	ðə 'ti:m tuk ə 'minits 'breik
Komanda prarado teisę paduoti kamuolį	The team has lost the right to serve	ðə 'ti:m həz 'lɔst ðə 'rait tə 'sə:v
Kas... kamuolį?	Who is ... the ball?	'hu: iz ... ðə 'bo:l?
paduoda	serving	'sə:viŋ
priima	receiving	ri'si:viŋ
pasuoja	passing	'pa:siŋ
atmuša	spiking	'spaikiŋ
blokuoja	blocking	'blɔkiŋ
Koks rezultatas?	What is the score?	'wɔt iz ðə 'sko:?
Kas laimėjo pirmąjį kėlinį?	In whose favour was the score at half-time?	in 'hu:z 'feivə wəz ðə 'sko: ət ha:f'taim?
Komanda laimėjo dvejas rungtynes iš trejų	The team won two out of three games	ðə 'ti:m 'wan 'tu: aut əv 'θri: 'geimz
Kuri komanda laimėjo?	Which team has won?	'wič 'ti:m həz 'wan?
Komanda laimėjo rezultatu 3 : 2 (101 : 90)	The team won with a score of 3 : 2 (101 : 90)	ðə 'ti:m 'wan wið ə 'sko:r əv 'θri: tə 'tu: (ə'hʌndrəd ənd 'wan tə 'nainti)

234

Sunkumų kilnojimas	Weight-Lifting	ˈweitliftiŋ
mėginimas	trial	ˈtraiəl
pakyla	lifting-platform	ˈliftiŋplætfo:m
rovimas	snatch	snæč
stūmimas	jerk	džə:k
sunkiaatletis	weight-lifter	ˈweiftə
sunkumų kilnojimas	weight-lifting	ˈweitliftiŋ
svoris	weight	weit
svorio kategorija	weight-bracket	ˈweitbrækit
štanga	bar, bell	ba:, bel
veiksmas	lift	lift

Aš norėčiau pažiūrėti sunkiosios atletikos varžybų	I'd like to see the weight-lifting	aid ˈlaik tə ˈsi: ðə ˈweitliftiŋ
Koks olimpinis rekordas šioje svorio kategorijoje?	What's the Olympic record in this weight-bracket?	ˈwɔts ði əˈlimpik ˈreko:d in ˈðis ˈweitbrækit?
Koks štangos svoris?	What's the weight on the bar?	ˈwɔts ðə ˈweit ɔn ðə ˈba:?
Kiek jis išrovė (išstūmė)?	What was his snatch (jerk)?	ˈwɔt wəz his ˈsnæč (ˈdžə:k)?
Jis išrovė (išstūmė)... kg	He lifted (pushed)... kg	hi ˈliftid (ˈpušt) ... ˈkiləgræmz
Svoris užfiksuotas	The weight is valid	ðə ˈweit iz ˈvælid
Šis svoris neužfiksuotas	This weight is not valid	ðis ˈweit iz ˈnɔt ˈvælid
Koks šio sportininko svoris?	What's the weight of this sportsman?	ˈwɔts ðə ˈweit əv ˈðis ˈspo:tsmən?
Kas tapo čempionu šiame pratime?	Who has become the champion in this exercise?	ˈhu: həz biˈkam ðə ˈčæmpiən in ˈðis ˈeksəsaiz?

Boksas. Imtynės	Boxing. Wrestling	ˈbɔksiŋ. ˈresliŋ
antakio prakirtimas	eybrow-cut	ˈaibroukat

235

apvertimas	overturn	ouvə'tə:n
ataka	attack	ə'tæk
boksas	boxing	'bɔksiŋ
boksininkas	boxer	'bɔksə
gongas	gong	gɔŋ
imtynės	wrestling	'resliŋ
klasikinės imtynės	classical wrestling	'klæsikl 'resliŋ
laisvosios imtynės	free-style wrestling	'fri:stail 'resliŋ
imtynininkas	wrestler	'reslə
kilimas	mat	mæt
kova	bout, fight	baut, fait
artima kova	infighting; close fighting	'infaitiŋ; 'klous 'faitiŋ
tolima kova	long-range fighting	'lɔŋreindž 'faitiŋ
metimas	throw	θrou
nokautas	knock-out, K. O.	'nɔkaut, 'kei'ou
nokdaunas	knock-down	'nɔkdaun
pertrauka	spell	spel
pirštinė	glove	glav
rankšluostis	towel	'tauəl
raundas	round	raund
ringas	ring	riŋ
sekundantas	second	'sekənd
smūgis	blow	blou
draudžiamas smūgis	foul	faul
smūgis į galvą	blow to the head	'blou tə ðə 'hed
smūgis į korpusą	blow to the body	'blou tə ðə 'bɔdi
smūgis žemiau juosmens	low blow; blow below the belt	'lou blou; 'blou bi'lou ðə 'belt
šoninis smūgis	hook	huk
tiesusis smūgis	straight jab	'streit 'džæb
suėmimas	hold	hould
svoris	weight	weit
taškai	points	pɔints
teisėjas	referee; jugde	refə'ri:, džadž
tiltas	bridge	bridž

virvės	ropes	roups
Norėčiau pažiūrėti bokso varžybų	I'd like to see the boxing	aid 'laik tə 'si: ðə 'bɔksiŋ
Jis gerai boksuojasi artimoje (tolimoje) kovoje	He is god at close (distant) fighting	hi: iz 'gud ət 'klous ('distənt) 'faitiŋ

Jo stiprus... smūgis
  dešinysis
  kairysis
  tiesusis
	He has a strong ...
	  right
	  left
	  straight punch
		hi hæz ə 'strɔŋ...
		  'rait
		  'left
		  'streit panč

Jis pasiuntė jį į nokautą (nokdauną)	He knocked him out (down)	hi 'nɔkt him 'aut ('daun)
Gongas išgelbėjo jį nuo nokauto	The gong / bell saved him from being knocked out	ðə 'gɔŋ / 'bel 'seivd him frəm bi:iŋ 'nɔkt 'aut
Jis buvo nokautuotas trečiajame raunde	He was knocked out in the third round	hi wəz 'nɔkt 'aut in ðə 'θə:d 'raund
Sekundantas išmetė rankšluostį	The second threw in the towel	ðə 'sekənd 'θru: in ðə 'tauəl
Boksininkui prakirstas antakis	The boxer has an eye-brow-cut	ðə 'bɔksə hæz ən 'ai-broukat
Jis laimėjo taškais (nokautu)	He won on points , (by a knock-out)	hi 'wan ɔn 'pɔints (bai ə 'nɔkaut)
Šaudymas	**Shooting**	'šu:tiŋ
distancija	distance	'distəns
gaidukas	trigger	'trigə
lankas	bow	bou
lankininkas	archer	'a:čə
neįskėlimas	misfire	mis'faiə
nepataikymas	missed shot	'mist 'šɔt
pataisa	correction (of aim)	kə'rekšn (əv 'eim)

237

pistoletas	pistol	'pistl
ratas	circle	'sə:kl
siluetas	silhouette-target	silu'etta:git
strėlė	arrow	'ærou
šaudymas	shooting	'šu:tiŋ
kulkinis šaudymas	precision shooting	pri'sižn šu:tiŋ
stendinis šaudymas	trap shooting	'træp šu:tiŋ
šaudymas gulomis	shooting from a prone position	'šu:tiŋ frəm ə 'proun pə'zišn
šaudymas iš lanko	archery	'a:čəri
šaudymas stačiomis	standing position shooting	'stændiŋ pə'zišn šu:-tiŋ
šaulys	shooter	'šu:tə
šovinys	cartridge	'ka:tridž
šūvis	shot	šɔt
įskaitinis šūvis	record shot	'rekɔ:d šɔt
taikiklis	front sight	'frant 'sait
taikinys	back-sight; aiming	'bæksait; 'eimiŋ
taškai	points	pɔints
taškų suma	points' sum; total points	'pɔints sam; 'toutl pɔints
templė	bowstring	'boustriŋ
vamzdžio kiaurymė	bore	bo:
Kur yra ...?	Where's the...?	'wɛəz ðə...?
šaudykla	rifle-range	'raiflreindž
tiras	shooting gallery	'šu:tiŋ gæləri
Ar jūsų komanda dalyvauja šaudymo iš lanko varžybose?	Is your team taking part in the archery contest?	'iz jo: 'ti:m 'teikiŋ 'pa:t in ði 'a:čəri kɔntest?
Kada prasidės... varžybos?	When will... contests begin?	'wen wil... 'kɔntests bigin?
šaudymo iš lanko	the archery	ði 'a:čəri
kulkinio šaudymo	the precision shooting	ðə pri'sižn šu:tiŋ
Kiek jis surinko taškų?	How many points has he scored?	'hau meni 'pɔints həz hi 'sko:d?

238

Koks jo (jos) rezultatas šioje distancijoje?	What's his (her) result in this distance?	ˈwɔts his (hə:) riˈzalt in ˈðis ˈdistəns?

Fechtavimas	**Fencing**	ˈfensiŋ
ataka	attack	əˈtæk
dūris	thrust	θrast
espadronas	cutting sword	ˈkatiŋ so:d
fechtuotojas	fencer	ˈfensə
fechtavimas	fencing	ˈfensiŋ
kardas	sabre	ˈseibə
kardininkas	sabrer	ˈseibrə
kaukė	mask	ma:sk
kirtis	cut	kat
metalinis takelis	metal planche	ˈmetl pla:nš
pozicija	position	pəˈzišn
rapyra	foil, épée	fɔil, ˈeipei
rapyrininkas	foiler	ˈfɔilə
špaga	sword	so:d
špaguotojas	sworder	ˈso:də

Ar jūsų šalies komanda dalyvauja fechtavimo varžybose?	Has your country got a team in the fencing contest?	ˈhæz jo: ˈkantri ˈgɔt ə ˈti:m in ðə ˈfensiŋ ˈkɔntest?

Kas tie du, kurie ko-voja...?	Who are those two fen-cing with ...?	ˈhu: a ˈðouz ˈtu: ˈfensiŋ wið...?
kardais	sabres	ˈseibəz
rapyromis	foils	ˈfɔilz
špagomis	swords	ˈso:dz

Kas dalyvauja finali-nėse varžybose?	Who is taking part in the final bout?	ˈhu: iz ˈteikiŋ ˈpa:t in ðə ˈfainl baut?

Kovą laimėjo sporti-ninkas (-ė) iš...	The bout has been won by a sportsman (sports-woman) from ...	ðə ˈbaut həz bi:n ˈwan bai ə ˈspo:tsmən (ˈspo:tswumən) frəm...

Kas tapo (olimpiniu) čempionu ... grupėje?	Who has become the (Olympic) champion in the ... section?	ˈhu: həz biˈkam ði (əˈlimpik) ˈčæmpiən in ðə ... sekšn?

239

rapyrininkų	foil	'fɔil
špaguotojų	sabre	'seibə
kardininkų	sword	'sɔ:d

Gimnastika **Gymnastics** džim'næstiks

arklys	vaulting-horse	'vɔ:ltiŋhoːs
asmeninės varžybos	individual champion-ship	indi'vidžuəl 'čæmpiən-šip
buomas	beam	bi:m
gimnastas	gymnast	'džimnæst
gimnastikos prietaisai	gymnastic apparatus	džim'næstik æpə'reitəs
komandinės varžybos	team championship	'ti:m čæmpiənšip
kompozicija	composition	kɔmpə'zišn
laisvieji pratimai	free exercises	'fri: 'eksəsaiziz
lygiagretės	parallel bars	'pærəlel ba:z
nušokimas	jump-down	'džampdaun
posūkis	turn	tə:n
pratimo atlikimas	performance of an exercise	pə'fo:məns əv ən 'eksə-saiz
skersinis	horizontal bar	hɔri'zɔntl ba:
taškų suma	total points	'toutl 'pɔints
teisėjas	judge, referee	džadž, refə'ri:

Kur vyksta gimnastų pasirodymas?	Where is the gymnas-tics display?	'wɛ̇ər iz ðə džim'næs-tiks dis'plei?
Kurie gimnastikos prietaisai jums labiau-siai patinka?	What gymnastic ap-paratus do you prefer?	'wɔt džim'næstik æpə-'reitəs də ju pri'fə:?
Man labiausiai patinka ...	I prefer the ...	ai pri'fə: ðə ...
arklys	vaulting-horse	'vɔ:ltiŋhoːs
lygiagretės	parallel bars	'pærəlel ba:z
skersinis	horizontal bar	hɔri'zɔntl ba:
žiedai	rings	'riŋz
Norėčiau pamatyti...	I'd like to see the...	aid laik tə 'si: ðə...
laisvuosius pratimus	free exercises	'fri: 'eksəsaiziz

240

pratimus ant lygia-grečių	exercises on the bars	ˈeksəsaiziz ɔn ðə ˈbɑːz
Koks pratimo įverti-nimas?	What's the mark for this exercise?	ˈwɔts ðə ˈmɑːk fə ˈðis ˈeksəsaiz?
Kokį rezultatą jis (ji) pasiekė privalomojoje (laisvojoje) programo-je?	What was his (her) re-sult in the compulsory (free) exercises?	ˈwɔt wəz hiz (həː) riˈzalt in ðə kəmˈpalsəri (ˈfriː) ˈeksəsaiziz?
Kas iškovojo vyrų (mo-terų) pirmenybių čem-piono titulą?	Who has won the men's (women's) champion-ship?	ˈhuː həz ˈwan ðə ˈmenz (ˈwiminz) ˈčæmpiən-šip?

Jojimas   **Equestrian Sport**   iˈkwestriən spoːt

arklidė	stable	ˈsteibl
balnas	saddle	ˈsædl
botagas	riding whip	ˈraidiŋ wip
dvikovė	biathlon	ˈbaiəθlən
finišo stulpas	winning post	ˈwiniŋ poust
išjodinėjimas	training	ˈtreiniŋ
jojimas	riding	ˈraidiŋ
jojimo mokykla	riding-school	ˈraidiŋskuːl
kliūtis	obstacle	ˈɔbstəkl
kliūčių sistema	set of obstacles	ˈset əv ˈɔbstəklz
kliūčių įveikimas	overcoming obstac-les	ouvəˈkamiŋ ˈɔbstəklz
kliūties nuvertimas	obstacle fault	ˈɔbstəkl foːlt
kritimas	fall	foːl
lenktynės	flat racing	ˈflæt reisiŋ
lyderis	pace-maker	ˈpeismeikə
maršrutas	route	ruːt
pasažas	passage	ˈpæsidž
pavadžiai	reins	reinz
pavarža	girth	gəːθ
pentinai	spurs	spəːz
raitelis	rider	ˈraidə

risčia	trotting	'trɔtiŋ
ristūnas	trot	trɔt
šuoliavimas	gallop[ing]; short gallop	'gæləp[iŋ]; 'šo:t 'gæləp
treneris	riding-master	'raidiŋma:stə
žingsnis	walk	wo:k
žirgas	horse; (*kumelė*) mare	ho:s; mėə
baltas žirgas	white horse	'wait 'ho:s
bėras žirgas	chestnut horse	'česnat 'ho:s
juodbėris žirgas	black horse	'blæk 'ho:s
keršas žirgas	piebald horse	'paibo:ld 'ho:s
lenktynių žirgas	race horse	'reis 'ho:s
Aš norėčiau pažiūrėti jojimo varžybų	I'd like to watch the riding contest	aid 'laik tə 'wɔč ðə 'raidiŋ 'kɔntest
Kaip patekti į maniežą?	How can I get to the riding-school?	'hau kən ai 'get tə ðə 'raidiŋsku:l?
Aš mėgstu išjodinėjimo varžybas	I like to watch the training competition	ai 'laik tə 'wɔč ðə 'treiniŋ kɔmpə'tišn
Kada pradedamos jojimo varžybos?	When will the riding contest begin?	'wen wil ðə 'raidiŋ kɔntest bi'gin?
Kokiai jojimo mokyklai jis priklauso?	What riding-school does he belong to?	'wɔt 'raidiŋsku:l dəz hi bi'lɔŋ tu?
Kuris žirgas geriausias, jūsų nuomone?	Which horse do you think is the best?	'wič 'ho:s də ju 'θiŋk iz ðə 'best?
Man patinka ... žirgas	I like the ... horse	ai 'laik ðə ... 'ho:s
bėras	chestnut	'česnat
baltas	white	'wait
juodbėris	black	'blæk
Pažiūrėkime ... varžybas	Let's watch the... competition	'lets 'wɔč ðə ... kɔmpə'tišn
kliūčių įveikimo	relay	ri'lei
išjodinėjimo	training	'treiniŋ
Kas laimėjo asmenines varžybas?	Who won in the individual contests?	'hu: 'wan in ði indi'vidžuəl 'kɔntests?

Kas laimėjo Didįjį prizą?	Who has won the Grand Prix?	'hu: həz 'wan ðə gra:n 'pri:?

Dviračių sportas — **Cycling** — 'saikliŋ

aplenkimas	overtaking	ouvə'teikiŋ
atitrūkimas nuo grupės	break away from the field	'breik ə'wei frəm ðə 'fi:ld
dviratininkas	cyclist	'saiklist
dviratis	bicycle	'baisəkl
dviračio gedimas	breakage of a bicycle	'breikidž əv ə 'baisəkl
dviračių trekas	bicycle track	'baisəkl træk
etapas	stage	steidž
finišo spurtas	finishing spurt	'finišiŋ spə:t
kritimas	spill	spil
lenktynės	race	reis
daugiadienės lenktynės	multi-stage race	'maltisteidž reis
grupinės lenktynės	group race	'gru:p reis
individualiosios lenktynės	individual race	indi'vidžuəl reis
lenktynės plentu	road racing	'roud reisiŋ
lenktynės treku	track race	'træk reis
vienadienės lenktynės	one-day race	'wandei reis
lenktynininkas	racer	'reisə
lyderių grupė	head bunch	'hed banč
tandemas	tandem	'tændəm
važiavimas	heat	hi:t

Ar jums patinka dviračių sportas?	Are you fond of cycling?	'a: ju 'fɔnd əv 'saikliŋ?
Ar norite pasižiūrėti lenktynių treke?	Would you like to watch the track racing?	'wud ju 'laik tə 'wɔč ðə 'træk reisiŋ?
Aš norėčiau pasižiūrėti lenktynių plentu finišą	I'd like to watch the finish of the road racing	aid 'laik tə wɔč ðə 'finiš əv ðə 'roud reisiŋ

243

Kuriuo plentu vyks lenktynės?	On which road will the races take place?	ɔn 'wič 'roud wil ðə 'resiz 'teik 'pleis?
Kas jūsų komandos lyderis?	Who is the leader of your team?	'hu: iz ðə 'li:dər əv jo: 'ti:m?
Kas pasitraukė iš distancijos?	Who has dropped out of the race?	'hu: həz 'drɔpt 'aut əv ðə 'reis?
Kas išsiveržė į priekį?	Who has shot ahead?	'hu: həz 'šɔt ə'hed?
Kas lyderis?	Who is leading?	'hu: iz 'li:diŋ?
Kas finišavo pirmas?	Who finished first?	'hu: 'finišt 'fə:st?
Kas laimėjo individualiąsias lenktynes?	Who has won the individual championship?	'hu: həz 'wan ði indi'vidžuəl 'čæmpiənšip?
Kurią vietą užėmė jūsų komanda?	Where did your team come [in]?	'wéə did jo: 'ti:m 'kam ['in]?
Kuri rinktinė laimėjo komandines pirmenybes?	Which team won the championship?	'wič 'ti:m 'wan ðə 'čæmpiənšip?

PRINCIPAL SIGHTS

IN LONDON

British Museum
Natural History Museum
National Gallery
National Portrait Gallery
Tate Gallery
Victoria and Albert Museum
Royal Academy of Arts
Madame Tussaud's
British Museum Library
Science Museum
Geological Museum
London Museum
British Theatre Museum
Imperial War Museum

PAGRINDINĖS ĮŽYMYBĖS

LONDONE

Britų muziejus
Gamtos istorijos muziejus
Nacionalinė galerija
Nacionalinė portretų galerija
Teit galerija
Viktorijos ir Alberto muziejus
Karališkoji menų akademija
Madam Tiuso
Britų muziejaus biblioteka
Mokslo muziejus
Geologijos muziejus
Londono muziejus
Britų teatro muziejus
Imperijos karo muziejus

National Maritime Museum	Nacionalinis jūrų muziejus
Tower of London	Londono Taueris
Westminster Abbey	Westminsterio abatija
Westminster Palace	Westminsterio rūmai
St. Paul's Cathedral	Šv. Povilo katedra
Hyde Park	Haidparkas
Green Park	Grynparkas
Regent's Park	Rydžentsparkas
Buckingham Palace	Bekinhemo rūmai
Highgate Cemetery	Haigeito kapinės
Nelson's Column	Nelsono kolona

IN WASHINGTON	VAŠINGTONE
White House	Baltieji Rūmai
U. S. Capitol	JAV Kapitolijus
Lincoln Memorial	Paminklas Linkolnui
Jefferson Memorial	Paminklas Džefersonui
Washington Monument	Vašingtono paminklas
Library of Congress	Kongreso Biblioteka
Arlington National Cemetery. Tomb of the Unknown Soldier	Arlingtono Nacionalinės kapinės. Nežinomojo kareivio kapas
National Gallery of Art	Nacionalinė meno galerija
Concoran Gallery of Art	Konkorano meno galerija
Phillips Gallery	Filipso meno galerija
John F. Kennedy Center for the Performing Arts	Džono F. Kenedžio vaidybos meno centras
The Smithsonian Institution	Smitsono Institutas
Air and Space Museum	Orlaivystės ir kosmoso muziejus
Arts and Industries Building	Menų ir pramonės muziejus
Freer Gallery of Art	Friero meno galerija
Museum of History and Technology	Istorijos ir technikos muziejus
National Collection of Fine Arts	Nacionalinė dailės kolekcija
National Portrait Gallery	Nacionalinė portretų galerija
National Academy of Sciences	Nacionalinė Mokslų Akademija
National Historical Wax Museum	Nacionalinis istorinis vaškinių figūrų muziejus
Washington Cathedral	Vašingtono katedra
Rock Creek Park	Rok Kryko parkas

245

Anacostia Park	Anakostijos parkas
National Zoological Park	Nacionalinis zoologijos parkas

IN NEW YORK	NIUJORKE
Metropolitan Museum of Art	Niujorko meno muziejus
Museum of Modern Art	Šiuolaikinio meno muziejus
The World Trade Center	Pasaulinės prekybos centras
United Nations Building	Jungtinių Tautų rūmai
The American Museum of Natural History	Amerikos gamtos istorijos muziejus
Statue of Liberty	Laisvės statula
Solomon Guggenheim Museum	Solomono Gugenheimo muziejus
Whitney Museum of American Art	Vitnio Amerikos meno muziejus
The Cloisters	Kloisterz (Niujorko muziejaus filialas)
Lincoln Center for the Performing Arts	Vaidybos meno Linkolno centras
Metropolitan Opera	Metropolitan opera
Museum of the American Indians	Amerikos indėnų muziejus
Museum of the City of New York	Niujorko miesto muziejus
Cooper-Hewitt National Museum of Design	Koper-Hervito Nacionalinis dekoratyvinio meno muziejus
Washington Square Arch	Vašingtono arka
Rockefeller Center	Rokfelerio centras
Brooklyn Museum	Bruklino muziejus
Central Park	Centrinis parkas
Radio City Music Hall	Koncertų salė „Reidio siti"
Carnegie Hall	Karnegio koncertų salė
Trinity Church	Šv. Trejybės bažnyčia
Wall Street	Volstrytas

BAZINIS ANGLŲ-LIETUVIŲ KALBŲ ŽODYNAS

Sutrumpinimai

n = noun, daiktavardis

prep = preposition, prielinksnis

conj = conjuction, jungtukas

adj = adjective, būdvardis

pron = pronoun, įvardis

adv = adverb, prieveiksmis

v = verb, veiksmažodis

aux = auxiliary verb, pagalbinis
veiksmažodis

pl = plural, daugiskaita

sg = singular, vienaskaita

≠ opposite, antonimas

kirč. kirčiuotas (tekste vartojamas
ir antrinis, silpnesnysis kirtis [ˌ]

A

a [ə; *kirč.* ei] nežymimasis artikelis

ABC [ˌei bi: 'si:] *n* abėcėlė

about [ə'baut] *prep* apie

what about? o kaip ...?

above [ə'bav] virš

across [ə'krɔs] *prep* skersai, per

actor ['æktə(r)] *n* aktorius

actress ['æktris] *n* aktorė

address [ə'dres] *n* adresas

advertisement [əd'və:tismənt] *n*
skelbimas

after ['a:ftə(r)] *prep* po; *conj* po to
(kai)

afternoon [ˌa:ftə'nu:n] *n* popietis

again [ə'gen] vėl, dar

agency ['eidžənsi]: **travel agency**
kelionių biuras

ahead [ə'hed] *adv* pirmyn, į priekį

air [éə(r)] *n* oras

airline ['éəlain] *n* oro linija

airmail ['éəmeil] *n* oro paštas

airport ['éəpo:t] *n* aerouostas

air terminal ['éətə:minəl] *n* oro
terminalas

alarmclock [ə'la:m klok] *n* žadin-
tuvas

all [o:l] *pron* visi, visas

all right [o:l'rait] gerai, teisingai

not at all visai ne

first of all visų pirma

almost ['ɔ:lməust] *adv* beveik

always ['ɔ:lwəz, -weiz] *adv* visada

am [m, əm; *kirč.* æm] *v* esu (*to be*)

America [ə'merikə] *n* Amerika

American [ə'merikən] *n* amerikietis; *adj* Amerikos, amerikiečių

among [ə'maŋ] *prep* tarp (*daugelio*)

an [ən; *kirč.* æn] nežymimasis artikelis (*vart. prieš balsį*)

and [ənd, ən; *kirč.* ænd] *conj.* ir; o

animal ['æniməl] *n* gyvulys

announce [ə'nauns] *v* pranešti

another [ə'naðə(r)] *adj* kitas, dar vienas

answer ['a:nsə(r)] *v* atsakyti; *n* atsakymas

any ['eni] *adj* kiek (nors)

any more [ˌeni'mɔ:(r)] (*klaus. sak.*) dar kiek nors

anything ['eniθiŋ)] *pron* kas nors; bet kas

are [ə(r); *kirč.* a:(r)] *v* esi, esame, esate, yra (*to be*)

arm [a:m] *n* ranka (*iki plaštakos*)

around [ə'raund] *adv* aplink

arrest [ə'rest] *v* sulaikyti; areštuoti

arrival [ə'raivl] *n* atvykimas

arrive [ə'raiv] *v* atvykti

article ['a:tikl] *m* artikelis; straipsnis

as [əz; *kirč.* æz] *conj* as ... as ... toks pat... kaip ir ...

ask [a:sk] *v* klausti; prašyti

at [ət; *kirč.* æt] *prep* prie; į: **look at** žiūrėti į ką

at six šeštą valandą

at home namie

Australia [ɔ:s'treiliə] *n* Australija

away [ə'wei] *adv* šalin, į šalį

run away *v* pabėgti

take away *v* paimti, nunešti, nuvesti

B

back [bæk] *adv* atgal

come back *v* sugrįžti

drive back *v* parvažiuoti

go back *v* grįžti

bacon ['beikən] *n* bekonas

bag [bæg] *n* krepšys

bank [bæŋk] *n* bankas

bathroom ['ba:θrum] *n* vonia (*kambarys*)

be (bi; *kirč.* bi:] *v* būti

be born gimti

be called vadintis

beans [bi:nz] pupelės

because [bi'kɔz] *conj* kadangi

bed [bed] *n* lova

bedroom ['bedrum] *n* miegamasis

bedsitter [ˌbed'sitə(r)] *n* vienvietis nuomojamas kambarys

beef [bi:f] *n* jautiena

beer [biə(r)] *n* alus

before [bi'fɔ:(r)] *prep, conj* prieš; *adv* anksčiau, prieš

behind [bi'haind] *prep* už (ko)

believe [bi'li:v] *v* tikėti

bell [bel] *n* varpas; skambutis

between [bi'twi:n] *prep* tarp (*dviejų*)

big [big] *adj* didelis, stambus

248

Big Ben [big'ben] Didysis Benas (*bokšto laikrodis Londone*)

bill [bil] *n* sąskaita

biscuit ['biskit] *n* sausainis

black [blæk] *adj* juodas

block of flats [blɔk əv 'flæts] *n* daugiabutis namas

blood [blad] *n* kraujas

blouse [blauz] *n* palaidinukė

board [bo:d] *v* sėsti (*į lėktuvą, traukinį, laivą*)

boil [bɔil] *v* virti

boiled [bɔild] *adj* virtas

book [buk] *n* knyga

bookcase ['bukkeis] *n* knygų spinta

booth [bu:ð] *n* kabina, būdelė

born [bo:n]: **be born** gimti

boss [bɔs] *n* šeimininkas; viršininkas

Boston ['bɔstn] *n* Bostonas

bottle ['bɔtl] *n* butelys

box [bɔks] *n* dėžė; kabina, būdelė

boy [bɔi] *n* berniukas

boyfriend ['bɔifrendj *n* (mergaitės) draugas

bread [bred] *n* duona

break into [breik 'intu:] **(broke, broken)** *v* įsilaužti

breakfast ['brekfəst] *n* pusryčiai

bridge [bridž] *n* tiltas

briefcase ['bri:fkeis] *n* portfelis

bring [briŋ] **(brought)** *v* atnešti, atgabenti

Bristol ['bristl] *n* Bristolis

Broadway ['bro:dwei] *n* Brodvėjus

brochure ['brouša(r)] *n* brošiūra

Buckingham Palace ['bakiŋəm 'pælis] *n* Bakinhemo rūmai

buffet car ['bufei ka:(r)] *n* vagonas-restoranas

building ['bildiŋ] *n* pastatas

burglar ['bə:glə(r)] *n* įsilaužėlis

burn [bə:n] **(burnt)** *v* deginti, degti

bus [bas] *n* autobusas

but [bat, *nekirč.* bət] *conj* bet

butter ['batə(r)] *n* sviestas

button ['batn] *n* saga; mygtukas

buy [bai] **(bought** [bo:t]) *v* pirkti

bye [bai] (=goodbye) viso! iki!

C

café ['kæfei] *n* kavinė

calendar ['kælində(r)] *n* kalendorius

calf [ka:f] *n* (*pl* **calves**) veršelis

call [kɔ:l] *v* šaukti; vadinti; skambinti telefonu

   phone call ['foun kɔ:l] *n* pokalbis telefonu

called [kɔ:ld] *adj* vadinamasis

camera ['kæmərə] *n* foto aparatas; kino kamera

can [kən; *kirč.* kæn] *aux* galiu, gali, galime ir t.t.

can't [ka:nt] *aux* neigiama **can** forma

canal [kə'næl] *n* kanalas

canteen [kæn'ti:n] *n* valgykla

car [ka:(r)] *n* automobilis; vagonas

   buffet car ['bufei ka:(r)] vagonas-restoranas

   car-park ['ka:pa:k] automobilių stovėjimo aikštelė

carrot ['kærət] *n* morka

carry ['kæri] *v* nešti, gabenti

cassette [kə'set] *n* kasetė

249

cassette recorder [kə'set riko:-də(r)] kasetinis magnetofonas

cell [sel] *n* celė; ląstelė

centre ['sentə(r)] *n* centras

chair [čèə(r)] *n* kėdė

cheap [či:p] *adj* pigus

cheese [či:z] *n* sūris

Chicago [ši'ka:gou] *n* Čikaga

chicken ['čikin] *n* vištiena; viščiukas

chips [čips] *n* traškučiai

chocolate ['čoklit] *n* šokoladas

Christian ['krisčən] *n* krikščionis

cigar [si'ga:(r)] *n* cigaras

cigarete [sigə'ret] *n* cigaretė

cinema ['sinəmə] *n* kinas

city ['siti] *n* miestas, didmiestis

class [kla:s] *n* klasė; pratybos

classroom ['kla:srum] *n* klasė (*patalpa*)

clerk [kla:k] *n* tarnautojas

climb [klaim] *v* lipti

   climb out of *v* išlipti (*iš kur*)

clock [klok] *n* laikrodis

   alarm clock [ə'la:m klok] žadintuvas

   o'clock [ə'klok] ... valanda, -os

clothes [klouðz] *n* drabužiai

cloud [klaud] *n* debesis

coat [kout] *n* apsiaustas, paltas

Coca-Cola [‚koukə 'koulə] *n* koka kola

coffee ['kofi] *n* kava

cold [kould] f *adj* šaltas

come [kam] (**came, come**) *v* ateiti, atvykti

   come back *v* pareiti, sugrįžti

   come on *v* tęsti

come out of *v* išeiti (*iš ko*)

comedy ['komidi] *n* komedija

concert ['konsət] *n* koncertas

contact ['kontækt] *n* ryšys, kontaktas

   radio contact radijo ryšys

conversation ['konvə'seišn] *n* pokalbis

cook [kuk] *v* virti; *n* virėjas, -a

cooker ['kukə(r)] *n* viryklė

cornflakes ['ko:nfleiks] kukurūzų dribsniai

country ['kantri] *n* šalis; kaimas

couple ['kapl] *n* pora

course [ko:s] *n* kursas

   of course [əv 'ko:s] žinoma, be abejo

cow [kau] *n* karvė

cowboy ['kauboi] *n* kaubojus

cream [kri:m] *n* kremas; grietinėlė

   ice cream valgomieji ledai

cross [kros] *v* skersai pereiti

cup [kap] *n* puodukas

curry ['kari] *n* aštrus indiškas valgis

customs ['kastəmz] *n* muitinė

   customs officer ['kastəmz ofisə(r)] muitinės tarnautojas

D

Dad [dæd] *n* tėvelis (*kreipinys*)

Dallas ['dæləs] *n* Dalasas

dance [da:ns] *v* šokti; *n* šokis

date [deit] *n* data

daughter ['do:tə(r)] *n* duktė

day [dei] *n* diena; para

dead [ded] *adj* miręs, negyvas

dear [diə(r)] brangus, -i (*laiške*)

definitely ['definitli] *adv* tikrai

departure [di'pa:čə(r)] *n* išvykimas

dessert [di'zə:t] *n* saldusis patie-
kalas, desertas

destination [,desti'neišn] *n* tikslas,
galutinė stotis

detective [di'tektiv] *n* detektyvas

Detroit [di'trɔit] *n* Detroitas

dial ['daiəl] *v* surinkti (telefono
numerį)

dialogue ['daiəlɔg] *n* pokalbis

diary ['daiəri] *n* dienynas

dictate [dik'teit] *v* diktuoti

dictation [dik'teišn] *n* diktantas

did [did] (*aux*) būtasis **do** laikas

die [dai] *v* mirti

different ['difərənt] *adj* skirtingas,
įvairus

dinner ['dinə(r)] *n* pietūs

disaster [di'za:stə(r)] *n* nelaimė,
bėda

disc jockey ['diskdžɔki] *n* muzikos
laidų vedėjas

do (does) [du: də; dəz; *kirč.* daz] *v*
daryti (*t.p. aux*)

dollar ['dɔlə(r)] *n* doleris

door [dɔ:(r)] *n* durys

double ['dabl] *adj* dvigubas

down [daun] *prep* žemyn
   down there tenai apačioj
   sit down *v* atsisėsti

dress [dres] *n* suknelė

drink [drink] (**drank, drunk**) *v* gerti;
n gėrimas

drive [draiv] (**drove, driven**) *v*

vairuoti; važiuoti
   drive back *v* parvažiuoti

driver ['draivə(r)] *n* vairuotojas

E

early [,ə:li] *adv* anksti; *adj* ankstyvas

earn [ə:n] *v* uždirbti

easy ['i:zi] *adj* lengvas; *adv* lengva

eat [i:t] (**ate, eaten**) *v* valgyti

egg [eg] *n* kiaušinis

either ['aiðə(r)] *pron* bet kuris (*iš
dviejų*); *adv* irgi ne (*neig. sak.*)

else: what / who else? [wɔt / hu: 'els]
ką / ko dar (*apie daiktą / asmenį*)

engineer [,endži'niə(r)] *n* inžinie-
rius

engineering [,endži'niəriŋ)] *n* in-
žinerija; technika

England ['iŋglənd] *n* Anglija

English ['ingliš] *n* anglas; *adj* ang-
lų kalba; *adj* angliškas

English Centre Anglų kalbos mo-
kymo centras

Euston ['ju:stən] *n* Justonas

evening ['i:vniŋ] *n* vakaras
   good evening labas vakaras

every ['evri] *pron* kiekvienas

everybody ['evribɔdi] *pron* kiek-
vienas (*tik apie asmenį*)

exactly [ig'zæktli] *adv* tiksliai

examination [ig,zæmi'neišn] *n* eg-
zaminas

example [ig'za:mpl] *n* pavyzdys

excuse me [ik'skju:z mi] atleiskite
(*atsiprašant*)

expensive [ik'spensiv] *adj* brangus

251

F

face [feis] *n* veidas

factory ['fæktəri] *n* gamykla

fare [feə(r)] *n* bilieto kaina

father ['fɑːðə(r)] *n* tėvas

fillet of sole ['filit əv 'soul] *n* plekšnės filė

film [film] *n* filmas

find [faind] (**found**) *v* rasti

find out *v* sužinoti

fine [fain] *adj* puikus; švelnus

finish ['finiš] *v* baigti

finished ['finišt] *adj* baigtas

fire ['faiə] ugnis; laužas; gaisras

    gas fire dujinis židinys

first [fəːst] *num, adj* pirmas; *adv* pirmiausia, pirma; **first of all** visų pirma

fish [fiš] *n* žuvis

flat [flæt] *n* butas

flight [flait] *n* skridimas; reisas

floor [floːr] *n* grindys

fly [flai] (**flew, flown**) *v* skristi

follow ['folou] *v* sekti; stebėti

food [fuːd] *n* maistas

foot [fut] *n* (*pl* **feet**) pėda

for [fə(r); *kirč.* foː(r)] *pron* (*naudininko linksniui reikšti*)

    for now šiam kartui

foreign ['forin] *adj* užsienio; svetimas

free [friː] *adj* laisvas; nemokamas; *v* išlaisvinti

French [frenč] *n* prancūzas; prancūzų kalba; *adj* prancūziškas

fridge [fridž] *n* šaldytuvas

fried [fraid] *adj* keptas (*keptuvėje*)

friend [frend] *n* bičiulis, draugas

from [frəm; *kirč.* frɔm] iš, nuo

front [frant] *n* priekis; frontas

    in front of priešais (*ką*); priekyje

fruit [fruːt] *n* vaisiai

    fruit salad vaisių mišrainė

G

garage ['gærɑːž, -idž] *n* garažas

gas fire ['gæs faiə(r)] *n* dujinis židinys

gate [geit] *n* vartai

German ['džəːmən] *n* vokietis; *adj* vokiečių

get [get] (**got**) *v* gauti; pasiekti; patekti

    get home *v* parvykti (*namo*)

    get in *v* įeiti, įlipti

    get into *v* patekti (*į ką*)

    get off (a bus) *v* išlipti (*iš autobuso ir pan.*)

    get on (bus) *v* įsėsti (*į autobusą ir pan.*)

    get up *v* keltis, atsikelti

girlfriend ['gəːlfrend] mergaitės draugas

give [giv] (**gave, given**) *v* duoti

glass [glɑːs] *n* stiklas; stiklinė

go [gou] (**went, gone**) *v* vykti, eiti; lankyti

    go ahead *v* vykti; tęsti

    go back *v* sugrįžti

    go in *v* įeiti

    go on *v* tęsti

go out *v* išeiti
God [gɔd] *n* Dievas
    Thank God Ačiū Dievui
    My God! Dieve!
going to (+ *v*) ketinti, rengtis (*ką daryti*)
golf [gɔlf] *n* golfas
good [gud] **(better, the best)** *adj* geras
    good evening labas vakaras
    good morning labas rytas
goodbye [gud'bai] sudie; iki
got [gɔt]: **have got** *v* turėti
grab [græb] *v* griebti, stverti
grapefruit ['greipfru:t] *n* greipfrutas
green [gri:n] *adj* žalias
guitar [gi'ta:(r)] *n* gitara
gun [gan] *n* ginklas, revolveris: patranka

H

had [d, əd, həd; *kirč.* hæd] būtasis l. iš **have**
hand [hænd] *n* ranka (*plaštaka*)
handbag ['hændbæg] *n* lagaminas
hang up [ˌhæŋ'ap] *v* pakabinti
happen ['hæpən] *v* įvykti, atsitikti
happy ['hæpi] *adj* laimingas
has / have [s, z, əz, həz; *kirč.* hæz / v, həv; *kirč.* hæv] *v* turi (jis, ji) / turėti
    has / have got *v* turi (jis, ji, jie)
    has / have to *aux* privalėti, turėti (*ką daryti*)
hat [hæt] *n* skrybėlė

he [i, hi; *kirč.* hi:] *pron* jis
hear [hiə(r)] *v* girdėti
hello [hə'lou] sveikas, sveiki!
helmet ['helmit] *n* šalmas
help [help] *v* padėti (*kam*)
her [ə(r), hə(r); *kirč.* hə:r] *adj, pron* jos
here [hiə(r)] *adv* čia
    over here štai čia
hi [hai] sveika(s)! (*draugiškai*)
high [hai] *adj* aukštas
    high street ['hai stri:t] *n* pagrindinė gatvė
him [im; *kirč.* him] *pron* jį, jam
himself [im'self; *kirč.* him-] jis pats (*t.p. sangrąžiniame veiksmaž.* =-si)
his [iz; hiz] *pron, adj* jo
history ['histəri] *n* istorija
home [houm] *adv* namo; *n* namai
hope [houp] *v* viltis, tikėti; *n* viltis
horror ['hɔrə(r)] *n* siaubas
horse [hɔ:s] *n* arklys
hotel [hou'tel] *n* viešbutis
hour ['auə(r)] *n* valanda
house [haus] *n* namas
how [hau] kaip
    how are you? kaip jaučiatės (laikotės?)
    how do you do? Sveiki! (*pirmąkart susipažįstant*)
    how long? kiek (*apie trukmę*)
    how many? kiek? (*apie skaičiuojamus vienetais*)
    how much? kiek? (*apie masę, kainą, vertę*)
hungry ['haŋgri] *adj* alkanas
hurry ['hari] *v* skubėti

husband ['hazbənd] *n* vyras (*žmonos*)

Hyde Park [ˌhaid 'pa:k] *n* Haid Parkas

I

I [ai] *pron* aš

ice cream [ˌais 'kri:m] *n* ledai (*valgomieji*)

idea [ai'diə] *n* mintis, idėja

if [if] *conj* jei(gu)

immediately [i'mi:diətli] *adj* staiga, nedelsiant

in [in] *prep* į (*vart. vietininkui reikšti*)

Indian ['indiən] *adj* indų; indėnų; *n* indėnas, -ė

information [ˌinfo'meišn] *n* informacija

intelligent [in'telidžənt] *adj* protingas, išsilavinęs

interested ['intrəstid] *adj* besidomintis

interesting ['intristiŋ] *adj* įdomus

interview ['intəvju:] *n* interviu; *v* imti interviu

into ['intə; *prieš balsius* 'intu; *kirč.* 'intu:] *prep* į

irregular [i'regjulə(r)] *adj* nereguliarus; netaisyklingas

is [s, z, əz; *kirč.* iz] *v* yra (jis / ji)
   is (coming) *aux* jis / ji ateina

it [it] *pron* tai; jis / ji (*apie negyvą daiktą, gyvulį*)

Italian [i'tæliən] *n* italas; italų kalba; *adj* itališkas

J

jacket ['džækit] *n* švarkas

jeans [dži:nz] *n* džinsai (*papr.* **a pair of jeans**)

job [džɔb] *n* darbas, tarnyba

jockey: disc jockey ['disk džɔki] *n* muzikos laidų vedėjas

joke [džouk] *n* juokas, pokštas, išdaiga; *v* juokauti

jump [džamp] *v* pašokti (*aukštyn*)

K

kerb [kə:b] *n* šaligatvio kraštas

key [ki:] *n* raktas

kid [kid] *n* vaikiukas

kidnap ['kidnæp] *v* pagrobti (*apie žmogų*)

kidnapping ['kidnæpiŋ] *n* pagrobimas

kill [kil] *v* užmušti

kilo ['ki:lou] *n* kilogramas

kind [kaind] *n* rūšis

kitchen ['kitčin] *n* virtuvė (*patalpa*)

knock [nɔk] *v* belsti; trenkti

know [nou] **(knew, known)** *v* žinoti, pažinti; mokėti

L

lamb [læm] *n* aviena; ėriukas

language ['læŋgwidž] *n* kalba

last [la:st] *adj* paskutinis; praėjęs

late [leit] *adj, adv* vėlus; vėlai

later ['leitə(r)] *adv* vėliau; po to

laugh [la:f] *v* juoktis

learn [lə:n] (**learnt** *arba* **learned**) *v*
mokytis, išmokti; sužinoti

leave [li:v] (**left**) *v* išvykti; palikti

Leeds [li:dz] *n* Lydsas (*miestas*)

left [left] *adj* kairysis
  on the left kairėje

leg [leg] *n* koja (*iki pėdos*)

less [les] *adv* mažiau; *adj* mažasis;
  prep be

lesson ['lesn] *n* pamoka

let's [lets] (+ *v*): **Let's go** eime
  (*sudaro liepiam. nuosaką*)

letter ['letə(r)] *n* laiškas; raidė

licence number ['laisns 'nambə(r)]
  n valstybinis automobilio nume-
  ris

lift [lift] *n* liftas; *v* pakelti (*į viršų*)

light [lait] *n* šviesa; *v* (**lit** *arba*
  lighted) apšviesti; uždegti; *adj*
  lengvas; *adv* lengvai

like I [laik] *prep* kaip; *adj* panašus

like II [laik] *v* mėgti, patikti; norėti
  I'd like norėčiau

listen to *v* klausytis (*ko*)

live [liv] *v* gyventi

Liverpool ['livəpu:l] *n* Liverpulis

living room ['liviŋ ru:m] *n* salonas
  (*bute*); bendrasis kambarys

London ['landən] *n* Londonas

long [lɔŋ] *adj* ilgas
  how long? kiek? (*apie trukmę*)

look [luk] *v* žiūrėti; atrodyti
  look at *v* žiūrėti (*į ką*)
  look for *v* ieškoti (*ko*)

Los Angeles [lɔs 'ændžəli:z] *n* Los
  Andželas

lot [lɔt]: **a lot of** *adv* daug

loudspeaker [laud'spi:kə(r)] *n* gar-
  siakalbis

love [lav] *n* meilė; *v* mylėti

lunch [lanč] *n* lenčas, priešpiečiai

M

machine [mə'ši:n] *n* mašina

madam ['mædəm] *n* ponia (*krei-
  pinys*)

magazine [ˌmægə'zi:n] *n* žurnalas

man [mæn] (*pl* **men**) vyras; žmogus

manage ['mænidž] *v* vadovauti;
  įsteigti

manager ['mænidžə(r)] *n* vedėjas;
  menedžeris

Manchester ['mænčistə(r)] *n* Man-
  česteris

many ['meni] *adv* daug (*daiktų,
  žmonių*)
  how many? kiek? (*apie skaičiuo-
  jamus vienetais*)

map [mæp] *n* žemėlapis; planas

marmalade ['ma:məleid] *n* mar-
  meladas

married ['mærid] *adj* vedęs, ište-
  kėjusi

maths [mæθs] *n* matematika

matter ['mætə(r)]: **what's the matter**
  kas nutiko?; koks reikalas?

me [mi; *kirč.* mi:] *pron* mane, man

mean [mi:n] *v* reikšti; turėti galvoje

meat [mi:t] *n* mėsa

meet [mi:t] (**met**) *v* susitikti; susi-
  pažinti

menu ['menju] *n* meniu

midnight ['midnait] *n* vidurnaktis

million [ˈmiljən] *n* milijonas

mind [maind] *v* atsiminti, turėti galvoje

   I don't mind neprieštarauju

mine [main] *pron* mano (*priklausantis man*)

minute [ˈminit] *n* minutė

Miss [mis] *n* panelė; mis

miss [mis] *v* praleisti; nepataikyti

moment [ˈmoumənt] *n* momentas

money [ˈmʌni] *n* pinigai

month [mʌnθ] *n* mėnuo

more [mɔː(r)] *adj* dar; daugiau

   any more ar dar

   no more ne, daugiau nereikia

morning [ˈmɔːniŋ] *n* rytas

   good morning! labas rytas!

mother [ˈmʌðə(r)] *n* motina

motorbike [ˈmoutəbaik] *n* motoroleris

move [muːv] *v* judėti

Mr [ˈmistə(r)] *n* ponas, misteris

Mrs [ˈmisiz] *n* ponia, misis

much [mʌč] *adv* daug (*apie masę, pinigus*)

   how much? kiek?

   very much *adv* labai

music [ˈmjuːzik] *n* muzika

my [mai] *pron* mano

N

name [neim] *n* vardas

near [niə(r)] *adv* prie, arti

neighbour [ˈneibə(r)] *n* kaimynas

never [ˈnevə(r)] *adv* niekada

new [njuː] *adj* naujas

New York [njuː ˈjɔːk] *n* Niujorkas

news [njuːz] *n* žinia, žinios

newspaper [ˈnjuːspeipə(r)] laikraštis

next [nekst] *adj* kitas; tolesnis

   next to *prep* prie pat

nice [nais] *adj* puikus, skanus

   nice to meet you malonu susipažinti

night [nait] *n* naktis; vakaras

nightclub [ˈnaitklab] *n* naktinis klubas

no [nou] *pron* ne; joks, nė vienas

   no more užtenka; jau nebe

noon [nuːn] *n* vidurdienis

not [nɔt] *neiginys* – ne

   not at all visai (ne)

now [nau] *adv* dabar

   for now šiam kartui

number [ˈnʌmbə(r)] *n* skaičius; numeris

O

o'clock [əˈklɔk] ... valandų

of [əv, *kirč.* ɔv] *prep; sudaro kilmininko linksnį*

   of course [əv ˈkɔːs] žinoma, be abejo

off [ɔf] *prep*; nuo, iš

   get off *v* išsiruošti (*į kelionę*) išeiti; išlipti (*iš kur*)

   take off *v* nu(si)imti; nusivilkti

office [ˈɔfis] *n* įstaiga

   post office paštas, pašto skyrius

officer [ˈɔfisər] *n* karininkas; tarnautojas

customs officer muitinės pareigū-
nas

often ['ɔftən] *adv* dažnai

oh [ou] O! (*nustebimui reikšti*)

OK [ou'kei] viskas tvarkoj; gerai

old [ould] *adj* senas

on [ɔn] *pron* ant

  get on *v* įlipti, įsėsti

  go on *v* tęsti

one [wan] *num* vienas

  this one *pron* šis (**one** *atstoja daik-
tavardį*)

only ['ounli] tik

open ['oupən] *adj* atviras; *v* atidaryti

or [ɔ:(r)] *conj* ar, arba

order ['ɔ:də(r)] *n* tvarka; užsakymas;
  v užsakyti

other ['aðər] *pron* kitas

our [auə(r)] *pron* mūsų (**our** eina
  prieš daiktavardį; **ours** – be daik-
tavardžio)

out [aut] *pron, adv* iš

  find out *v* sužinoti

  go out *v* išvykti, išeiti

outside [aut'said] *prep* išorėje, lauke

oven ['avn] *n* orkaitė

over ['ouvə(r)] *prep* virš

  over here štai čia

own [oun] *v* valdyti, turėti (*nuosavą*)

Oxford Circus [ˌɔksfəd ˈsə:kəs]
  Londono rajonas

P

p (pence) [pi:] ... pensų

page [peidž] *n* puslapis

paint [peint] *v* dažyti; tapyti

pair [pêə(r)] *n* pora

Pan Am [ˌpæn 'æm] Panamerikan
  (*aviakompanija*)

paper (=newspaper) ['peipə(r)] *n*
  laikraštis; popierius

pardon [pa:dn] atsiprašau

parents ['pêərənts] *n* tėvai

park [pa:k] *n* parkas

  car park automobilių stovėjimo
  aikštelė

part [pa:t] *n* dalis

passenger ['pæsindžə(r)] *n* keleivis

passport ['pa:spo:t] *n* pasas

past [pa:st] *adj* praėjęs, buvęs; *prep*
  pro, pro šalį

pay [pei] (**paid**) *v* mokėti (*apie
  pinigus*)

  pay for *v* mokėti (*už ką*)

pay *n* alga, atlyginimas

peas [pi:z] *n* žirniai

pence [pens] *n* pensai

people ['pi:pl] *n* žmonės; tauta

perfume ['pə:fju:m] *n* kvepalai

perhaps [pə'hæps] *adv* galbūt

person ['pə:sn] *n* asmuo, žmogus

petrol ['petrəl] *n* benzinas

phone [foun] *v* skambinti telefonu;
  n telefonas

  phone call *n* pokalbis telefonu

  phone box *n* telefono būdelė

photograph ['foutəgra:f] *n* foto-
  grafija

piano [pi'ænou] *n* pianinas

Piccadilly [ˌpikə'dili] *n* Pikadilis
  (*Londono rajonas*)

picture ['pikčə(r)] *n* paveikslas

piece [pi:s] *n* gabalas, gabaliukas

pizza ['pi:tsə] *n* pica
place [pleis] *n* vieta
plane [plein] *n* lėktuvas
platform ['plætfo:m] platforma
play [plei] *v* žaisti; groti
„**play**" button ['plei batn] *n* garso
 įjungimo mygtukas
please [pli:z] prašau
p.m. [,pi:'em] po 12 val. dienos; po
vidurdienio
pocket ['pɔkit] *n* kišenė
police [pə'li:s] *n* policija (*veiksmaž.
tik dgsk.*)
policeman [pə'li:smən] *n* polici-
ninkas
policewoman [pə'li:swumən] *n* poli-
cininkė
porter ['po:tə(r)] *n* nešikas
postbox ['poustbɔks] *n* pašto dėžutė
postcard ['poustka:d] *n* atvirukas
postman ['poustmən] *n* paštininkas;
laiškanešys
post office ['poustɔfis] *n* paštas,
pašto skyrius
potatoes [pə'teitouz] *n* bulvės
pound [paund] *n* svaras
practise ['præktis] *v* treniruotis
present ['prezənt] *adj* dabartinis;
esamasis
president ['prezidənt] *n* preziden-
tas
press [pres] *v* spausti; *n* spauda
pretty ['priti] *adj* gražus
price [prais] *n* kaina
prison ['prizn] *n* kalėjimas
probable ['prɔbəbl] *adj* galimas,
tikėtinas

problem ['prɔbləm] *n* problema;
uždavinys
program(me) ['prougræm] *n* pro-
grama
pub [pab] *n* užkandinė, baras;
užeiga
pull [pul] *v* traukti, tempti
push [puš] *v* stumti
put [put] **(put)** *v* dėti

Q

quarter ['kwɔ:tə] *n* ketvirtis
question ['kwesčn] *n* klausimas
queue [kju:] *n* eilė (*laukiančiųjų*)
quick [kwik] *adj* greitas
quiet ['kwaiət] *adj* ramus, tylus

R

radio ['reidiou] *n* radijas
radio contact *n* radijo ryšys
rail [reilj] *adj* geležinkelio
railway ['reilwei] *n* geležinkelis
rain [rein] *v* lyti; *n* lietus
raw [ro:] *adj* žalias (*nevirtas, ne-
keptas*)
read [ri:d] **(read** [red]) *v* skaityti
ready ['redi] *adj* paruoštas; gata-
vas
really ['riəli] *adv* tikrai, iš tikrųjų
reiceiver [ri'si:və(r)] *n* imtuvas
record ['reko:d] *n* plokštelė (*įrašas*);
v [ri'ko:d] įrašyti (*pvz., magne-
tofonu*)
recorder [ri'ko:də(r)] *n* magne-
tofonas (*t.p.* **tape recorder**)

recording [ri'ko:diŋ] *n* įrašymas, įrašas

red [red] *adj* raudonas

regular ['regjulə(r)] *adj* reguliarus, nuolatinis

remember [ri'membə(r)] *v* atsiminti; prisiminti

rent [rent] *n* nuomos mokestis

reporter [ri'po:tə(r)] *n* reporteris

requested [ri'kwestid] *adj* pageidaujamas, prašomas

reserved [ri'zə:vd] *adj* rezervuotas

restaurant ['restrɔnt] restoranas

return [ri'tə:n] *adj* grįžtamasis; ten ir atgal (*bilietas*); *v* grąžinti

rice [rais] *n* ryžiai

ride [raid] (**rode, ridden**) *v* joti

rich [rič] *adj* turtingas

right! [rait] teisingai!
   on the right dešinėje
   all right puiku, viskas tvarkoje

ring [riŋ] (**rang, rung**) *v* skambėti, skambinti

road [roud] *n* kelias

roast [roust] *adj* keptas (*orkaitėje*)

room [ru(:)m] *n* kambarys

rope [roup] *n* virvė

round [raund] *adj* apvalus

rump steak ['ramp 'steik] *n* romšteksas

run [ran] (**ran** [ræn], **run**) *v* bėgti
   run away *v* pabėgti

S

sad [sæd] *adj* liūdnas

salad ['sæləd] *n* salotos

fruit salad vaisių salotos

salami [sə'la:mi] *n* saliami (*dešra*)

same [seim] *adj* tas pat

sandwich ['sænwidž] *n* sumuštinis

San Francisco [ˌsæn frən'siskou] Sanfranciskas

say [sei] (**said**) *v* sakyti, tarti

scale [skeil] *n* svarstyklės

school [sku:l] *n* mokykla

science fiction [ˌsaiəns 'fikšən] *adj* mokslinės fantastikos

seat [si:t] *n* vieta sėdėti

second ['sekənd] *num, adj* antras

secretary ['sekrətəri] *n* sekretorius, -ė

see [si:] (**saw** [so:], **seen**) *v* matyti; suprasti

set [set] *n* komplektas
   television set TV aparatas

shave [šeiv] *v* skustis

she [ši; *kirč.* ši:] *pron* ji

sheriff ['šerif] *n* šerifas

shine [šain] (**shone** [šɔn]) *v* šviesti, blizgėti

shirt [šə:t] *n* vyriški viršutiniai marškiniai

shoe [šu:] *n* batas

shop [šɔp] *n* parduotuvė; cechas

shout [šaut] *v* šaukti, rėkti

shower ['šauə(r)] *n* dušas

shut [šat] (**shut**) *v* uždaryti
   shut up! [ˌšat 'ap] *v* užsičiaupk!

side [said] *n* šonas, pusė

silly ['sili] *adj* kvailas

since [sins] *prep* nuo (*apie laiką*); *conj* kadangi

sing [siŋ] (**sang, sung**) *v* dainuoti

259

single ['siŋgl] *adj* viengungis; vien-
  vietis
  single (ticket) paprastas bilietas
  (*tik į vieną pusę*)
  single (room) *n* vienvietis (*kam-
  barys*)
  single (person) *n* viengungis, -ė
  (*asmuo*)
sir [sə:(r)] ponas; seras
sister ['sistə(r)] *n* sesuo
sit [sit] **(sat)** *v* sėdėti
  sit down *v* sėsti(s)
ski [ski:] **(ski'd** *arba* **skied)** *v* slidinėti
sky [skai] *n* dangus
sleep [sli:p] **(slept)** *v* miegoti
slot [slɔt] *n* plyšys (*pvz., automate
  pinigui*)
slow [slou] *adj* lėtas
small [smo:l] *adj* mažas, smulkus
smile [smail] *v* šypsoti
smoke [smouk] *v* rūkyti
snow [snou] *n* sniegas; *v* snigti
so [sou] taip, šitaip
  I think so aš taip manau
soap [soup] *n* muilas
sock [sɔk] *n* puskojinė
soft [sɔft] *adv* minkštas
sole [soul] *n* puspadis; plekšnė
some [sam] *pron* kažkoks; šiek tiek;
  keletas
someone ['samwan] *pron* kažkas
  (*asmuo*)
something ['samθin] *pron* kažkas
  (*daiktas*)
sometimes ['samtaimz] *adv* kartais
son [san] *n* sūnus
soon [su:n] *pron* greit, netrukus

sorry ['sɔri] *adj* liūdnas; atsiprašau
soup [su:p] *n* sriuba
spaghetti [spə'geti] *n* spageti
Spanish ['spæniš] *n* ispanas; ispanų
  kalba; *adj* ispanų, ispaniškas
speak [spi:k] **(spoke, spoken)** *v*
  kalbėti
speed [spi:d] *n* greitis
spell [spel] **(spelled** *arba* **spelt)** *v*
  pasakyti paraidžiui
spend [spend] **(spent)** *v* praleisti
  (*laiką*) išleisti (*pinigus*)
stairs [stėəz] *n* laiptai
stamp [stæmp] *n* pašto ženklas;
  antspaudas
stand [stænd] **(stood)** *v* stovėti
  stand up *v* atsistoti
  I can't stand it *v* negaliu (to) pa-
  kęsti
star [sta:(r)] *n* žvaigždė
start [sta:t] *v* pradėti
station ['steišn] *n* stotis
stay [stei] *v* apsistoti
steak [steik] *n* bifšteksas
steal [sti:l] **(stole, stolen)** *v* vogti
stereo ['steriou] stereopatefonas
stewardess [,stju:ə'des] *n* stiuarde-
  sė
still [stil] *adv* dar (tebe-)
stop [stɔp] *v* sustoti
story ['sto:ri] *n* istorija; apsakymas
straight ahead [,streit ə'hed] tuč-
  tuojau
strange [streind] *adj* keistas
street [stri:t] *n* gatvė
  High Street centrinė gatvė
strong [strɔŋ] *adj* stiprus

student ['stju:dnt] n studentas

study ['stadi] v mokytis, studijuoti

stupid ['stju:pid] adj kvailas

subject ['sabdžikt] dalykas (moko-masis)

suddenly ['sadnli] adv staiga

suit [su:t] n kostiumas

sugar ['šugə(r)] n cukrus

suitcase ['su:tkeis] n lagaminas

sun [san] n saulė

Sunday ['sandi] n sekmadienis

supermarket ['su:pəma:kit] n pre-kybos centras; supermarketas

supper ['sapə(r)] n vakarienė

sure [šuə(r)] adj tikras, įsitikinęs

swim [swim] (swam, swum) v plaukti

switch [swič] n jungiklis;

  switch on v įjungti (aparatą)

  switch off v išjungti

T

table ['teibl] n stalas; lentelė

take [teik] (took, taken) v imti

  take away v nuimti; išvesti

  take off v nusiimti, nusirengti

taken ['teikn] adj paimtas

talk [to:k] v kalbėti

taste [teist] n skonis; v ragauti

taxi ['tæksi] n taksi

tea [ti:] n arbata

teach [ti:č] (taught) v mokyti, dėsty-ti

teacher ['ti:čə(r)] n mokytojas, dėstytojas

telephone ['telifoun] n telefonas

television ['telivižn] n televizija

tell [tel] (told) v pasakyti; pasakoti; įsakyti

tennis ['tenis] n tenisas

terrible ['terəbl] adj baisus

than [ðən; kirč. ðæn] conj negu (lyginant)

thank [θæŋk] v dėkoti

  Thank God! ['θæŋk 'gɔd] Ačiū Dievui!

  Thank you ačiū, dėkoju

thanks [θæŋks] ačiū

that [ðæt] pron tas, anas

the [ðə, ði; kirč. ði:] žymimasis artikelis

their [ðə(r); kirč. ðéə(r)] pron jų

them [ðəm; kirč. ðem] pron juos, jiems

then [ðen] adv tada; po to

there [ðéə(r)] adv ten

  there is / are v yra, esama (kur ko)

these [ði:z] pron šie, šios

they [ðei] pron jie, jos

thief [θi:f] n (pl thieves) vagis

thing [θiŋ)] n daiktas, dalykas

think [θiŋk] (thought) v galvoti, manyti

thirsty ['θə:sti] adj ištroškęs, -usi

this [ðis] pron šis, ši; šitas, šita

third [θə:d] num trečias

those [ðouz] pron anie, tie, tos

throw [θrou] (threw [θru:], thrown [θroun]) v mesti

Thursday ['θə:zdi] n ketvirtadiehis

thousand ['θauzənd] num tūkstan-tis

through [θru:] prep pro, per

ticket ['tikit] n bilietas

261

tie [tai] *n* kaklaraištis, *v* pririšti
  tied to [ˈtaid tu] pririštas (*prie*)
time [taim] *n* laikas
  on time laiku
  what's the time? kuri valanda?
timetable [ˈtaimteibl] *n* tvarkaraštis
tired [ˈtaiəd] *adj* pavargęs
to [tə, tu; *kirč.* tu:] *prep* į; iki
toast [toust] *n* tostas; skrebutis, kepta duona
today [təˈdei] *adv* šiandien
together [təˈgeðə] *adv* kartu, drauge
toilet [ˈtɔilit] *n* tualetas
tomato [təˈmaːtou] *n* pomidoras
tomorrow [təˈmɔrou] *adv* rytoj
tonight [təˈnait] *adv* šįvakar
too [tu:] *adv* taip pat
top [tɔp] *n* viršus, viršūnė
Toronto [təˈrɔntou] *n* Torontas
towards [təˈwɔ:dz] *prep* link (*ko*); į
town [taun] *n* miestas
traffic [ˈtræfik] *n* eismas
train [trein] *n* traukinys
tramp [træmp] *n* valkata
travel [ˈtrævl] *v* keliauti
  travel agency [ˈtrævl eidžənsi] *n* kelionių biuras
tree [tri:] *n* medis
trouble [ˈtrabl] *n* vargas, rūpestis; gedimas; *v* trukdyti, teikti rūpesčių
true [tru:] *adj* tikras; ištikimas
try [trai] *v* bandyti, mėginti
Tuesday [ˈtju:zdi] *n* antradienis
turn (left, right) [tə:n] *v* sukti (*į kairę, į dešinę*)
turn on *v* įjungti (*sistemą*)

type [taip] *v* spausdinti rašomąja mašinėle

U

umbrella [amˈbrelə] *n* lietsargis
ugly [ˈagli] *adj* bjaurus, negražus
uncle [ˈaŋkl] *n* dėdė
under [ˈandə(r)] *prep* po, apačioje
understand [ˌandəˈstænd] **(understood)** *v* suprasti
unhappy [anˈhæpi] *adj* nelaimingas
uniform [ˈju:nifɔ:m] *n* uniforma; *adj* pastovus; vienodas
University [ˌju:niˈvə:səti] *n* universitetas
up [ap] *adv* į viršų, viršuje; *prep* virš
  up there *adv* ten viršuje
upstairs [apˈstɛəz] *adv* laiptais į viršų
up to [ˈaptu] *pron* iki (*apie kiekį*)
us [əs; *kirč.* as] mus, mums
use [ju:z] *v* naudoti; vartoti
usual [ˈju:žuəl] *adj* įprastinis
  as usual *adv* paprastai, kaip įprasta
usually [ˈju:žəli] *adv* paprastai, kaip įprasta

V

vampire [ˈvæmpaiə(r)] *n* vampyras
van [væn] *n* automobilis (*furgonas*)
vanilla [vaˈnilə] *n* vanilė
veal [vi:l] *n* veršiena
vegetables [ˈvedžtəblz] *n* daržovės
verb [və:b] *n* veiksmažodis
very [ˈveri] *adv* labai

voice [vɔis] n balsas

W

wait [weit] v laukti
   wait for ['weit fɔ:(r)] v laukti (ko)
waiter ['weitə(r)] n padavėjas
waiting room ['weitiŋ ru(:)m] n
   laukiamasis (stotyje)
waitress ['weitris] n padavėja
wake [weik] (woke ['woukən], woken
   [wouk]) v žadinti, kelti
   wake up v pažadinti, pakelti
walk [wɔ:k] v vaikščioti; n pasi-
   vaikščiojimas
wall [wɔ:l] n siena
wallet ['wɔlit] n piniginė (popier.
   pinigams, dokumentams)
want [wɔnt] v norėti (ko)
   want to v norėti (ką daryti)
wanted ['wɔntid] adj norimas, rei-
   kalingas
war [wɔ:(r)] n karas
warm [wɔ:m] adj šiltas
was [wəz; kirč. wɔz] v (aš) buvau; (jis
   / ji) buvo
wash [wɔš] v prausti(s)
washbasin ['wɔšbeisnj n kriauklė
   (prausykla)
watch [wɔč] v stebėti; žiūrėti (pvz.,
   TV); n rankinis laikrodis
water ['wɔ:tə(r)] n vanduo
way [wei] n kelias; būdas
we [wi; kirč. wi:] pron mes
wear [wɛə(r)] (wore [wɔ:], worn
   [wɔ:n]) v dėvėti
Wednesday ['wenzdi] n trečiadienis

week [wi:k] n savaitė
well [wel] adv gerai; adj sveikas
   as well as adv taip pat
were [wə(r); kirč. wə:(r)] v (mes / jūs
   / jie) buvome, buvote, buvo
West [west] n vakarai
western ['westən] adj vakarinis; n
   vesternas
wet [wet] adj šlapias
what? [wɔt] pron kas? ką? (apie
   daiktą, reiškinį); conj ką, kas
   what a(+ n!) koks... (n)! (šaukia-
   muosiuose sakiniuose)
   what about? o kaip ...?
   what else? kas / ką dar?
   what kind? kokio pobūdžio?
   what time? kada? kuriuo metu?
when? [wen] kada; conj kai
where? [wɛə(r)] kur?
   where to? į kur?
which [wič] pron conj kuris
whisky ['wiski] n viskis; degtinė
white [wait] adj baltas
who? [hu:] kas? (apie asmenį)
why? [wai] kodėl? conj kodėl
wife [waif] n (pl wives) žmona
window ['windou] n langas
wine [wain] n vynas
with [wið] prep su
woman ['wumən] n (pl women ['wi-
   min]) moteris
wonderful ['wandəfəl] adj nuosta-
   bus
wood [wud] n miškas; medis; mal-
   kos
wool [wul] n vilna
word [wə:d] n žodis

work [wə:k] *v* dirbti; *n* darbas
worry ['wari] *v* jaudintis; nerimauti
worried ['warid] *adj* susijaudinęs, sunerimęs
write [rait] (wrote [rout], written ['ritn]) *v* rašyti
writer ['raitə] *n* rašytojas
wrong [rɔŋ] *adj* neteisingas, klaidingas

Y

yard [ja:d] *n* kiemas; jardas
year [jə:(r)] metai
yellow ['jelou] *adj* geltonas

yes [jes] taip
yesterday ['jestədi] *adv* vakar
you [jə, ju; *kirč.* ju:] *pron* tu, jūs
young [jaŋ] *adj* jaunas
your [juə(r); *kirč.* jo:(r)] *pron* tavo, jūsų (your *eina prieš daiktavardį;* yours – *be daiktavardžio*)
yourself [jɔ:'self] *pron* (*pl* yourselves) tu pats, jūs patys (*t.p. atitinka sangrąžinę dalelytę -si-*)

Z

zip [zip] *n* užtrauktukas
zoo [zu:] zoologijos sodas

Leidykla „Žodynas". SL 1479. a/d 681, 2051 Vilnius
Spausdino AB „Spauda". Užsk. 1731